D1106571

Phébus *libretto*

PAYS NATAL

ANDRÉ DHÔTEL

PAYS NATAL

roman

Phébus *libretto*

I

Il y a de cela un certain nombre d'années.

Le soleil d'été inondait la grande rue de Dinant, la Meuse et la campagne au haut des rocs. Dans le bureau, le directeur allait et venait entre la cheminée de marbre et la haute fenêtre où apparaissaient les silhouettes des passants sur le trottoir. Félix Marceau assis à sa table écoutait le discours du directeur. M. Émile Beursaut, lorsqu'il avait commencé de parler, parvenait difficilement à conclure. Il avait la manie de reprendre sa respiration au milieu d'une phrase et de recommencer sa phrase avec un air de balayer d'ultimes objections. Félix roula une boulette de papier.

– Vous avez vingt-cinq ans, poursuivit Beursaut, et vous voici déjà établi dans les fonctions de secrétaire particulier. Vous avez parfaitement… vous avez parfaitement mérité cette situation par les études que vous avez faites, le baccalauréat français, et le diplôme d'une école technique supérieure de Bruxelles. Vous avez montré votre dévouement et votre intelligence en menant sous ma direction… en menant sous ma direction pendant six mois les affaires de cette maison d'importation.

En fait, la maison Beursaut était une épicerie en gros, mais on y distribuait tant d'espèces de cafés, de thés, d'épices et de cacao qu'il n'était personne qui n'y reconnût un négoce issu d'une noble tradition.

– Que la terre soit transformée, reprenait Beursaut, la société changée, rien n'empêchera qu'on boive du café et si personne ne se charge de choisir le café, le peuple en sera réduit à la chicorée... le peuple en sera réduit à la chicorée, et il se révoltera, malgré l'estime en laquelle nous devons tenir la chicorée. Cela vous explique, monsieur Marceau, quel rang vous occupez dans notre ville. Cependant, je ne m'attendais pas à une aventure aussi brillante.

Félix se mit à rouler une deuxième boulette de papier.

– En cette conjoncture je ne pouvais qu'agir en toute franchise. Je ne sais si vous avez deviné où je veux en venir. Bref la famille a demandé sur vous des renseignements, la famille Dorme... la famille Dorme représentée par le père Dorme, sénateur, maître des terroirs de Hergnes et de Saulnes (sans compter ses propriétés minières).

M. Beursaut s'interrompit de façon exceptionnelle, étant parvenu à un sommet de son discours. Contraint de redescendre, il choisit le ton familier de l'homme qui voit d'abord les réalités, et ne craint pas de traiter les détails les plus plats.

– M. Dorme m'a demandé une audience. Tout de suite je lui ai déclaré que vous étiez un enfant abandonné, que vous aviez été recueilli par des gens qui sont venus tenir un commerce à Namur. Qu'ils vendent des journaux, des pains d'épice et du tabac, ce n'en sont pas moins des gens sérieux dont vous serez l'héritier. Que leur train de vie soit modeste ne fait qu'ajouter à leur dignité. Cela je le pensais, mais je ne l'ai pas exprimé de cette manière. J'ai mis l'accent sur votre origine inconnue. Lorsque à l'âge de cinq ans vous avez été recueilli par les Marceau, vous aviez l'air d'un jeune prince, non par la richesse de vos habits mais à la faveur d'une distinction native, le père Marceau lui-même me l'a assuré. En outre M. Marceau dirige... M. Marceau dirige une Harmonie de Namur. C'est un artiste.

Une mouche venait de se poser sur l'abat-jour de la lampe de bureau. Félix lança une boulette de papier et abattit la mouche. Il pensait que Beursaut n'aurait rien vu. Mais Beursaut :

– Vous avez visé la mouche ? C'est une technique remarquable. Je ne suis pas étonné qu'avec votre habileté vous ayez tourné la tête de Mlle Dorme.

– Je ne lui ai pas tourné la tête, dit Félix.

– Mais vous êtes invité chaque dimanche par son frère à une promenade à cheval dans la forêt. La sœur vous accompagne, n'est-ce pas la vérité ?

– Gilles est un camarade de l'école technique, dit Félix, quoiqu'il ne fût pas dans ma section, et vous savez qu'il a des idées socialisantes et ne daigne pas considérer les différences de fortune.

– Toujours est-il que le père a pris auprès de moi les informations dont on ne se soucie guère qu'en prévision… dont on ne se soucie guère qu'en prévision ou dans la crainte d'un mariage. En vérité il ne craint pas. Quelle que soit sa situation, il a gardé le franc esprit d'un terrien. Il ne m'a rien confié de particulier, mais il a fait votre éloge. Allons, réjouissez-vous, mon cher ami, vous avez bien mené votre barque.

Félix lança la seconde boulette de papier sur le timbre du téléphone, à l'autre bout de la pièce.

– Je vous remercie, dit Félix au patron. Je vous remercie très vivement. Je crois que les circonstances m'ont été favorables et qu'il est possible que j'épouse Juliette Dorme.

– Possible… Pour ma part, dit Beursaut, je pense que l'affaire est plus avancée que vous ne croyez. Que la position de votre famille ne vous cause en tout cas aucune inquiétude.

– Je ne suis pas inquiet, dit Félix. J'ai toujours eu l'impression d'appartenir à une famille normale, et il n'y a rien qui m'éloigne d'une alliance avec les Dorme, si toutefois la fille veut bien y consentir.

– Il faut vous déclarer, dit Beursaut.

Félix ne répondit pas. Il prit une liasse de lettres et la posa devant lui. Le directeur gagna son fauteuil et ils s'occupèrent du courrier. Dans la pièce voisine retentissaient encore deux machines à écrire. Maintenant l'ombre du soir envahissait la rue.

Le dimanche suivant, après la première messe, Gilles Dorme emmena Félix dans sa voiture sur les hauteurs de Dinant, jusqu'à la maison des Dorme. C'était une ancienne bâtisse au milieu d'un parc. La paix de ce lieu était si bien ménagée qu'il semblait qu'aucune difficulté n'y pourrait jamais atteindre les habitants. Lorsque Gilles arrêta sa voiture devant la grille, Félix éprouva plus vivement que d'habitude le charme de cette profonde aisance.

– Avant d'entrer, je veux te parler de ma sœur, dit Gilles. Tu dois savoir qu'elle a refusé des prétendants excellemment pourvus mais qui songeaient autant à ses biens qu'à elle-même. Tu te trouves, mon cher Félix, dans la situation du jeune homme pour qui un tel mariage demeure inaccessible, et qui ne peut, faute de mieux, que présenter l'image du plus idiot désintéressement.

Félix garda le silence. Il avait toujours affaire à des gens qui aimaient parler et penser à sa place. Il se souciait peu de discuter ou de décider. Certes, il désirait de tout son cœur accéder à cette vie des Dorme qui lui paraissait une merveille d'insouciance, et le visage de Juliette restait en lui toujours présent. Gilles poursuivit :

– Abandonne ce rôle démodé du jeune héros sans fortune. Tu dois faire un éclat. Juliette s'attend à cet éclat aussi bien que mon père. La passion justifie tout et je crois qu'ils seraient enchantés.

– Vraiment, dit Félix, je te suis très attaché ainsi qu'à tous les tiens. Pour l'heure, je songe d'abord à mon travail.

– A ton aise, dit Gilles. Mais je t'ai prévenu. N'attends pas trop longtemps. Il vaudrait mieux profiter des bonnes dispositions de la fille.

Le jardinier vint ouvrir la grille. Gilles remit le contact. La voiture tourna dans l'allée courbe et s'arrêta devant les écuries.

– Je vais seller les chevaux avec le palefrenier, dit Gilles. Va chercher Juliette à la maison.

Félix gagna le perron. Il poussa la porte vitrée et entra dans le vestibule. Juliette, en costume d'amazone, était assise et lisait le journal. Elle se leva et tendit la main à Félix.

Félix ne pouvait approcher Juliette sans éprouver dans la poitrine comme une brûlure. Il considéra ses cheveux noirs, ses yeux noirs, son beau visage. Il ne pensait pas admirer ce visage autrement que l'on admire une photo de magazine. Mais il y avait cette brûlure toujours inattendue. Juliette elle-même parut réprimer un saisissement. Il y eut entre eux une conversation incroyablement banale.

– Votre frère nous attend, dit enfin Félix.

– Allons, dit Juliette.

Ils se rendirent aux écuries. Gilles avait fait sortir le cheval de Juliette qui sauta en selle aussitôt.

Lorsqu'ils eurent franchi tous trois la grille sur leurs montures, la fraîcheur des feuillages tomba sur leurs épaules. La matinée semblait sans fin. En vérité, Félix avait dans le cœur la très simple certitude que les événements devaient se dérouler sans le moindre heurt, non pas aujourd'hui mais dans l'avenir. Quand ils arrivèrent en rase campagne, ils chevauchèrent de conserve. Juliette et Gilles se mirent à bavarder.

Félix Marceau trouvait tout naturel d'être en leur compagnie et de partager leurs distractions. Il avait conscience d'avoir conquis un poste enviable ainsi que Beursaut le lui répétait. Rien d'étonnant à ce que Gilles l'eût traité sur un pied de parfaite égalité dès son arrivée à Dinant. Le père Dorme avait lui aussi reconnu tout de suite sa valeur.

Cependant, ces circonstances favorables empêchaient Félix de faire quelque déclaration d'amour à Juliette, comme semblaient le souhaiter son ami ainsi que son patron. Il y avait alentour trop de complicités. Félix désirait parler à la jeune fille sans qu'elle pût soupçonner de sa part une trop judicieuse appréciation des probabilités. Pourtant, malgré la réserve

qu'elle gardait, elle semblait prête à écouter une demande
selon les usages. Devait-il plutôt lui adresser une lettre ?
Ç'aurait été assez conforme aux instincts bureaucratiques
dont Félix était pénétré.

Pour l'heure rien ne comptait que le soleil et ces paroles
jetées au vent en pleine santé. Gilles se perdait, comme il lui
arrivait souvent, dans des discussions théoriques.

– La société doit changer, disait-il comme on contournait
un bois de saules. Pour ma part j'aimerais organiser une ferme
communautaire, analogue aux anciennes censes qui existaient
ici même il y a quelques siècles.

– Une belle nouveauté, s'écriait Juliette.

– C'est un problème administratif, disait Félix à tout
hasard.

– Vous ne trouvez pas qu'il est stupide que chacun vive
dans son petit casier, selon les chances familiales ou finan-
cières ? reprenait Gilles.

– Tu as fait de bonnes lectures, observait Juliette.

– Qu'est-ce que tu lis, toi ? disait Gilles.

– Je lis l'histoire des explorations au pôle Nord, répondit
Juliette. Et vous, Félix ?

– Je lis une anthologie des prosateurs français du
XIXe siècle.

Il y eut un silence. La conversation reprit sur *Les Mystères
de Paris*. On parla ensuite de l'Amérique du Sud, et des
oiseaux. Il semblait à Félix qu'il était à la veille de longs et
heureux voyages. Gilles désigna du bout de sa cravache un
couple de chardonnerets et enfin déclara :

– Si nous allions déjeuner à l'Auberge de la Croix ?

– C'est à vingt kilomètres et nous n'avons prévenu personne
à la maison, dit Juliette.

– Nous téléphonerons, répondit Gilles.

On prit le trot le long des chemins détournés, pour éviter la
grande route. A un moment, Gilles devança Juliette et Félix
d'une centaine de pas. Félix regarda Juliette et il éprouva

encore cette brûlure dans la poitrine. Il ne dit rien. Ils rejoignirent Gilles aussitôt.

Ils arrivèrent avant midi à l'auberge qui était en bordure des bois. Chaque dimanche il y avait en ce lieu une procession de voitures, et les convives étaient nombreux. Mais Gilles connaissait le chef, et pour lui être agréable, on dressa une table sous une tonnelle, derrière les cuisines, loin de la foule. On avait ainsi les avantages d'une excellente hospitalité et ceux d'une nature presque sauvage. Les chevaux furent laissés dans un pré attenant au verger de l'auberge.

Félix s'émerveillait. Gilles et Juliette étaient eux-mêmes tout à fait heureux. On ne songeait à rien, comme lorsqu'on attend un événement improbable. Le jeu de l'ombre et du soleil sur les verres et les assiettes pourrait aussi bien déclencher cet événement.

A la fin du repas, Gilles alla trouver le chef et il bavarda un moment avec lui. Juliette et Félix restèrent seuls. Félix résolut de ne pas profiter de ce tête-à-tête. Sans le moindre embarras, il fit observer à Juliette que la maison de l'auberge avait de hautes fenêtres anciennes et que sur l'angle d'un mur apparaissait une figure sculptée. Juliette y prêta peu d'attention et regarda Félix. Ses yeux noirs étaient pleins de fraîcheur. Elle dit qu'elle ne s'intéressait pas tellement aux choses du passé. Félix avait par contre une passion singulière pour les appareils des anciens murs, et il remarqua avec quel soin les pierres avaient été taillées selon d'agréables proportions. Juliette se mordit les lèvres. Gilles revint.

– Est-ce que nous partons ? demanda Juliette.

– Le chef veut nous faire goûter son eau-de-vie de framboise, dit Gilles.

Félix ne regrettait pas d'avoir éludé une déclaration. Il avait au fond du cœur une parfaite sérénité. Le frère et la sœur gardèrent un moment le silence. Enfin, Juliette dit à Gilles :

– Tu sais que je pars après-demain pour Londres.

– Comment ? s'écria Gilles. Je croyais que tu ne ferais pas ce voyage avant une quinzaine de jours, et que même tu n'étais pas très décidée.

– J'étais décidée. Hier j'ai écrit à nos amis de Londres. Ils n'attendent qu'un coup de fil.

Le chef survint avec la bouteille et les verres. Gilles regardait sa sœur comme pour l'interroger.

– C'est absolument sûr que je vais partir, répéta Juliette.

Soudain Félix déclara :

– Puis-je vous demander si vous accepteriez de déjeuner dimanche prochain avec moi dans un restaurant italien de King's Road ?

Félix ne connaissait pas Londres. Simplement, il y avait trois jours, Beursaut avait parlé de Chelsea et du restaurant italien, et il lui avait même désigné les lieux sur un plan. Beursaut aimait Londres. Il avait donné une foule de détails à son secrétaire.

Juliette parut incapable de répondre.

– Ce n'est pas loin de Flood Street, poursuivit Félix, à gauche, en allant sur la mairie. Il y a un marchand de fruits tout à côté.

– Ton patron t'envoie à Londres ? demanda Gilles.

– Je me rendrai à Londres vers la fin de la semaine, dit Félix.

Un silence encore puis il s'adressa à Juliette :

– Est-ce que je peux vous attendre vers midi ?

– Vous pouvez m'attendre, répondit Juliette.

Le ton de sa voix gardait une pureté incroyable. Il était difficile de comprendre si elle serait au rendez-vous.

– Partons, dit-elle en se levant.

Ils regagnèrent la maison des Dorme. Sur le trajet la conversation qu'ils eurent fut très inégale. Chaque mot que l'un ou l'autre prononçait avait un double sens. Dès lors que le dénouement approchait, on ne savait plus que penser. Finalement ce serait peut-être une affaire exorbitante. Si Félix s'était déclaré tout à l'heure, quand il était resté seul avec Juliette, la jeune fille aurait su lui répondre sans prendre d'engagement, et on pouvait encore réfléchir et parler raison. Cette fois, le rendez-vous insolite ne semblait plus permettre d'hésitation. Félix comprenait que ses amis avaient considéré un tel mariage comme un rêve presque lointain, malgré l'insistance du frère et la bienveillance du père. Cette façon de couper à travers la procédure déroutait la jeune fille plus que l'éclat d'une passion dont elle ne savait rien.

Lorsqu'ils arrivèrent à la maison, Félix voulut tout de suite revenir à Dinant. Gilles le pressa d'entrer pour saluer son père.

M. Dorme se tenait dans le jardin derrière la maison. Il était assis dans un fauteuil. A côté de lui, sur une table de fer, il y avait quelques magazines. Il salua Félix sur un ton chaleureux.

– Figure-toi, dit Gilles brusquement, que Juliette a imaginé de se rendre à Londres après-demain.

– Une décision inattendue, dit Dorme. Je ne vois pas d'objection, mais vous avez tous l'air embarrassés.

– Je ne suis pas embarrassée, dit Juliette.

– Donc tu pars après-demain, reprit Dorme. Toutes les dispositions sont prises ?

– A peu près, dit Juliette.

Il ne fut pas question du rendez-vous de Chelsea. Gilles reconduisit Félix à Dinant dans la voiture. Félix craignait que son ami fasse des réflexions. Gilles, qui s'occupait de gérer la culture sur le terroir de Hergnes, se borna à disserter sur les épis de blé qui étaient peu fournis cette année-là et sur la sécheresse qui désolait les champs de betteraves. Ils se quittèrent devant la maison où Félix avait une chambre chez une honorable rentière. Gilles assura qu'il téléphonerait un de ces jours.

– Je ne pense pas que nous nous verrons dimanche prochain, murmura-t-il. Peut-être l'autre dimanche.

– Entendu, dit Félix.

Ce soir-là, Félix se rendit au restaurant comme d'habitude

à sept heures précises. Il aimait la précision. Il écarta de sa pensée tout ce qui concernait Juliette, et il s'entretint avec des touristes qui dînaient à la table voisine et qui lui demandèrent quelques renseignements sur les cars desservant la vallée de la Semoy. En fin de compte, il pensait que ce jour-là pouvait aussi bien marquer une rupture entre lui et les Dorme.

Il fut détrompé le surlendemain par un petit discours que fit Beursaut à propos d'une nouvelle entrevue qu'il avait eue avec le père Dorme.

– Les choses ne se passent pas de la manière habituelle, avait dit Beursaut. Moi, je pensais à une sorte d'heureux accord. On pouvait aussi s'attendre à quelque passion. Rien de tout cela. C'est comme une fatalité. Le père Dorme se sent engagé dans une intrigue qu'il ne sait comment dénouer. Il m'a encore fait votre éloge. Sa fille est partie... sa fille est partie ce matin pour Londres. Elle reviendra bientôt, soyez-en sûr.

Beursaut n'avait pas entendu parler du rendez-vous de Chelsea. Personne certainement chez les Dorme n'avait prononcé un mot à ce sujet. Beursaut conclut :

– J'ai répété au père Dorme que je ne vous considérais pas comme un employé mais comme un homme de confiance, presque un associé, et il m'a tapé sur l'épaule.

Beursaut, ce soir-là, ne prolongea pas l'entretien. Félix resta seul dans le bureau pour mettre en ordre quelques paperasses. Puis il se prit à méditer sur la fortune de Juliette, qu'il ne pouvait ignorer, quoi qu'il fît. Il regardait la grande fenêtre où venaient se dessiner les silhouettes des passants. Bientôt il vit une ombre s'arrêter au milieu de la croisée. Quelqu'un regardait vers l'intérieur.

Il arrivait que des gosses se hissaient sur l'appui pour satisfaire leur curiosité. Félix alla vers la fenêtre et souleva le rideau.

Il aperçut un visage qu'il reconnut aussitôt. Le front où s'emmêlaient des cheveux blonds était appuyé au carreau. Les yeux d'un bleu violet apparaissaient doux et sans malice.

Les traits de la maigre figure révélaient aussi bien l'audace que la crainte comme chez les enfants qui aiment courir des risques et s'attendent aux pires châtiments.

Félix porta la main vers l'espagnolette. Aussitôt le personnage s'éclipsa. « Tiburce », murmura Félix. Après être resté quelques instants stupéfait, il s'élança vers la porte du bureau, enfila le couloir et sortit dans la rue.

De rares passants circulaient. Tiburce avait disparu. Comme la rue Grande est assez longue, il avait dû se dérober par une des voies étroites qui descendent vers la Meuse. Que ce fût vers la droite ou vers la gauche, Félix était sûr de le retrouver sur l'avenue qui borde le fleuve. Il courut, et fut aussitôt dans l'avenue. L'ayant remontée d'abord jusqu'à la place de Meuse, il redescendit vers le pont. Pas de Tiburce.

Il ne se demanda pas si le personnage avait pu tout à l'heure filer vers le Palais de Justice. Il traversa le pont pour gagner la gare. Les alentours de la gare étaient à peu près déserts. Félix visita le faubourg Saint-Médard, revint ensuite sur la place Notre-Dame et puis tourna autour de la Citadelle, parvint à l'église de Leffe et suivit une rue jusque dans la campagne.

Ce fut seulement lorsqu'il se trouva au milieu des buissons que Félix comprit le caractère désordonné de ses démarches. Pourtant il connaissait si bien Tiburce qu'il avait cru à chaque moment suivre les détours que l'autre n'aurait pas manqué de prendre pour échapper aux recherches. Mais si Tiburce avait voulu le retrouver au bureau, pourquoi s'était-il enfui de cette manière ? Ou bien serait-il entré tout simplement dans un magasin ?

Félix revint sans hâte à la maison Beursaut. Dans le corridor, il rencontra les deux dactylos qui lui souhaitèrent le bonsoir. Il entra dans son bureau, et s'assit pour reprendre ses classements. Il n'y avait pas lieu de s'émouvoir de l'apparition de Tiburce. Tout de même, Félix ne put s'appliquer à son travail et il ressortit pour gagner sa chambre avant l'heure du dîner.

Tiburce Peridel était un ami d'enfance. Félix ne l'avait pas vu depuis presque dix ans, n'ayant eu de ses nouvelles que de façon indirecte. Tiburce appartenait à une bonne famille d'employés, mais ses parents étaient morts et dans le quartier de Namur, que ces gens avaient habité, on racontait qu'il était devenu une sorte d'apache. A le voir tout à l'heure, on n'aurait pas cru qu'il avait tellement changé. Le même visage que jadis, quand il avait une quinzaine d'années.

Certes, ce n'était pas le moment d'introduire dans sa vie un personnage comme Tiburce. Félix aurait préféré avoir une entrevue avec lui pour l'éloigner en douceur, quitte à lui fournir tous les subsides dont il aurait eu besoin. Tiburce l'avait fui, mais il pouvait à chaque instant lui retomber dessus en n'importe quelle circonstance et aussi bien quand il serait en compagnie de Beursaut ou des Dorme. Sans aucun doute, il fallait le retrouver et lui faire la leçon.

« Nos chemins divergent », murmura Félix.

Cette phrase prononcée à voix presque haute lui parut énormément ridicule. Il ajouta :

– Je n'ai pas besoin de m'occuper de Tiburce, sinon pour lui prêter quelque appui si c'est possible. Personne ne me blâmera d'avoir eu un bon camarade et de m'être montré plus honnête que lui.

A bien réfléchir Tiburce n'était pas malhonnête. Il avait souvent manqué d'un jugement clair, lorsqu'il s'agissait de prendre le bon parti. Il se trompait plutôt qu'il ne faisait le mal délibérément. Mais encore une fois ce n'était pas une fréquentation dont on devait se vanter. Que penseraient Gilles et Juliette, malgré leurs airs dégagés ?

Enfin, Félix n'avait jamais eu rien de commun avec Tiburce. Rien de commun ? De petites histoires, des enfantillages que tout le monde avait oubliés et dont on ne ferait jamais que rire. Cependant, depuis lors, Tiburce avait mal tourné et cela aggravait les petites aventures d'autrefois.

Félix alla dîner à son restaurant. Il ne sut ce qu'il mangeait et ignora tout à fait ses voisins de table. Quelles petites aventures ? Il fallait reprendre tous les souvenirs pour bien s'assurer que rien de grave ne pouvait être retenu ni confondre d'aucune manière la vie de Tiburce avec celle du secrétaire d'une importante maison d'importation.

Dorme avait pris des renseignements auprès de Beursaut. Pourquoi n'irait-il pas s'informer à Namur ? Certes, diraient les gens, Tiburce et Félix étaient toujours ensemble. La famille Marceau les a séparés fort heureusement. On a envoyé Félix comme pensionnaire à Charleville. A l'époque, Tiburce était plutôt timide et Félix assez enragé. Mais les choses ont bien changé depuis.

Bien que Félix fût persuadé que toutes les réflexions qu'il faisait à ce sujet c'était simplement stupide, il ne pouvait s'empêcher de reprendre les moindres faits de son enfance, afin d'être prêt à écarter d'un mot tout soupçon. Quel soupçon ? A propos de certaines fréquentations blâmables, n'irait-on pas croire que Félix Marceau avait quand même manifesté jadis une nature quelque peu vicieuse ou ambiguë ?

« Voilà que je parle et que je pense comme Beursaut, mais je plaide non coupable, murmurait Félix en revenant chez lui. Je n'ai même pas besoin de plaider. L'embarrassant ce serait qu'il y eût un accroc fait aux convenances, à l'occasion d'une rencontre avec Tiburce, par exemple, et si je me trouve obligé de donner des explications. Le véritable ennui... le véritable ennui c'est que je suis un enfant abandonné. Chacun le sait, mais voilà bien l'affaire dangereuse... voilà bien l'affaire dangereuse qui peut tout faire basculer pour des riens. Juliette... »

En prononçant ce nom il éprouva une vive angoisse.

Félix passa une partie de la nuit assis sur son lit afin de rassembler ces fichus souvenirs. Mieux il savait que c'était inutile ou puéril plus il s'entêtait dans cette rumination. Enfant abandonné...

Il se demandait où commençait réellement son histoire, qui était très confuse en ses débuts. D'après les bribes de renseignements qu'on lui avait donnés ou qu'il avait pu surprendre lorsqu'il était parvenu à l'âge de raison, sa naissance était liée à une mauvaise affaire bien que sa parenté dût être honorable d'après les déductions qu'on avait faites. Pour sa part, il gardait le sentiment d'une vie fabuleuse dont il retenait de vagues visions et aussi comme des musiques, qui n'avaient rien à voir avec les événements.

Un jour, dans un bourg des Flandres, une jeune femme louait une chambre d'auberge et quelques heures plus tard elle accouchait. Comme elle possédait quelque argent, personne ne fit de réflexion. L'enfant fut déclaré à la mairie et baptisé. On lui avait donné le prénom de Félix, mais on fut certain par la suite que la mère avait présenté de faux papiers et proposé un nom qui ne devait pas être le sien. La jeune femme avait ensuite quitté soudainement le bourg, comme si on la poursuivait. Elle s'était rendue à Calais où elle s'engagea comme serveuse dans un restaurant. Pendant ses heures de travail, elle confia l'enfant à une crèche puis plus tard à une communauté religieuse. Lorsque Félix eut cinq ans elle partit avec un voyou, et on apprit peu de temps après qu'elle était morte.

Jamais personne n'avait pu savoir quelle était son origine. On avait supposé qu'elle appartenait à quelque famille aisée d'un village de la frontière. Les enquêtes que l'on fit à ce sujet n'aboutirent qu'à des soupçons. Pourquoi ses parents à elle l'auraient-ils reniée? Il y avait lieu de penser qu'elle s'était donnée à un homme peu recommandable et qui lui-même aurait été tué au cours d'une bagarre, peu de temps avant la naissance de l'enfant.

Après le départ de la mère, les religieuses gardèrent l'orphelin pendant quelques mois, puis les Marceau l'adoptèrent. C'étaient eux qui avaient fait quelques recherches, pour s'assurer que personne ne viendrait plus tard réclamer l'enfant. Comme ces recherches menaient à des conclusions équivoques, ils préférèrent ne pas insister et maintenir, pour eux-mêmes et pour l'enfant, l'idée qu'il avait une assez noble parenté mais qu'il avait été victime ainsi que la mère d'une cruelle série de circonstances.

Du moins c'était là tout ce que Félix Marceau pouvait dégager des informations qu'il avait eues et qu'il ne s'était jamais soucié d'approfondir. Il était trop tard maintenant pour remonter aux origines, et il fallait se féliciter de ce que l'opinion concernant l'excellence de ces origines avait prévalu. Cela n'avançait à rien de savoir qu'il était né à Lillers, près de Béthune. La guerre qui avait éclaté, comme Félix allait sur ses dix-huit ans, avait dû effacer définitivement toutes les traces.

Le père Marceau, lorsqu'il adopta Félix, exerçait à Calais un métier de représentant. Il gagna Namur avec sa femme un mois après l'adoption, afin d'aider son frère, un vieux célibataire qui venait de tomber malade et ne pouvait plus tenir son commerce. Quand le frère mourut, ils reprirent le commerce.

Félix eut toujours le sentiment d'appartenir à une vraie famille. Les attentions et la sévérité de ses parents adoptifs l'assurèrent dans cette conviction, et il ne fut jamais troublé au sujet de sa première enfance, lorsqu'on se trouva obligé de lui en parler, afin d'expliquer les commentaires que l'on faisait dans le quartier. Les Marceau, disait-on, avaient beaucoup de mérite. Le jeune Félix saurait se montrer digne d'eux. Certes, en dépit de quelques accrocs, il avait fait des études brillantes et mené finalement une conduite exemplaire. Ni Beursaut ni les Dorme ne trouveraient jamais rien à redire.

Restait ce Tiburce Peridel qui n'était qu'un ami d'occasion. Est-ce que vraiment sa vie désordonnée pouvait rappeler, comme par l'effet d'une contamination, l'origine incertaine de Félix et attirer l'attention sur quelques anciennes sottises ?

A mesure qu'il menait ces réflexions, Félix se persuadait que vraiment il n'y avait pas de quoi s'inquiéter le moins du monde. Mais il avait acquis le goût d'une prudence essentielle avec le souci d'ordonner ses réflexions selon la rigoureuse rhétorique en usage dans la maison Beursaut. Enfin il ne voulait rien négliger à la veille d'un mariage inespéré, et il ne parvenait pas à écarter de sa pensée les souvenirs qui lui revenaient avec une force sournoise.

L'impression la plus vive qu'il eût gardée de la première année passée chez les Marceau, c'était le désir de voir la mer. Il n'avait jamais vu la mer, quoiqu'il fût demeuré plusieurs années à Calais, où l'on parlait souvent du port, des bateaux, de l'Angleterre et des tempêtes. Chez les religieuses, il n'avait appris qu'à jouer et à murmurer des prières. Il se rappelait l'image de la chapelle illuminée avec l'ex-voto d'un voilier suspendu à la voûte, et aussi la vision d'une courette plantée d'arbres et close de hauts murs. Derrière les murs, par gros temps, on entendait le fracas sourd de vagues lointaines, qui se mêlait parfois au son des cloches. Alors il lui semblait que ces sortes de fêtes sonores venaient de très loin dans un passé splendide qui pourtant n'existait pas pour lui puisqu'il avait alors quatre ans. Enfin, il s'était accroché par une lubie d'enfant à cette volonté de voir la mer.

Lorsqu'il vint à Namur avec les Marceau, il ne comprit pas tout de suite qu'il se trouvait loin de la mer. Au cours d'une promenade, Mme Marceau l'avait conduit certain dimanche au confluent de la Meuse et de la Sambre. Il avait demandé si c'était la mer, et on lui avait répondu que la mer était par là-bas, et il s'était mis en tête d'aller par là-bas.

Félix suivait les cours de la petite école. Toujours quelque voisine, si ce n'était Mme Marceau, l'accompagnait et lui donnait la main. Il n'avait pas la permission de jouer sur le trottoir. Jamais il ne se trouvait seul dans la rue et il n'eut l'occasion de pousser une pointe hors des faubourgs. Mme Marceau l'emmenait dans de courtes promenades à travers la ville. On ne passait presque jamais près de la Meuse. Parfois on gagnait la Citadelle. Le dimanche, on allait aussi en voiture sur les petites routes de la campagne pour visiter quelque

cousine. Et il y avait de loin en loin les concerts que dirigeait
M. Marceau.

Pas de vacances. Pendant l'été, on conduisait le jeune Félix
à un patronage. Il demeurait du matin au soir dans le parc de
cette maison d'accueil. Quand il restait à la maison, il passait
beaucoup d'heures dans l'arrière-boutique au milieu de car-
tons empilés. Ce fut là qu'il fit ses premiers devoirs et qu'il
commença d'apprendre à lancer avec précision des boulettes
de papier. Il était un enfant sage et d'ailleurs tout à fait heureux, avec la seule nostalgie de la mer.

Lorsqu'il eut dix ans, on lui permit de jouer aux billes dans
la rue. Il profita de cette liberté pour explorer les environs. Il
n'avait que des camarades de hasard et, le plus souvent, il
demeurait seul. Il s'était donc risqué jusqu'au bout de la rue.
Les Marceau étaient établis dans le faubourg Saint-Servais qui
remonte sur la route de Bruxelles et son idée c'était de gagner
les hauteurs. Il voulait croire que du haut de quelque colline il
verrait enfin la mer. Cependant, il fut bientôt arrêté par le forgeron qui lui demanda où il allait et il dut rebrousser chemin.
Une autre fois, ayant réussi à se glisser dans une rue adjacente,
un marchand de primeurs l'interpella. Il se rendit compte
bientôt qu'il était surveillé par les amis des Marceau. Comme
M. Marceau dirigeait une Harmonie, tous les musiciens ama-
teurs du quartier étaient ses amis et ses obligés. Félix était
ainsi épié par la clarinette, la petite flûte ou le trombone. La
petite flûte, c'était le forgeron bien sûr, et le trombone un marchand de timbres-poste. Félix, assez dérouté par cette surveillance, comprit que ses parents adoptifs se méfiaient de lui
beaucoup plus qu'il n'est normal.

Il les aimait, parce que c'étaient des gens paisibles et justes,
et il redoutait leurs remontrances. Il s'appliquait à bien faire.
Il devenait un excellent élève à l'école, mais il se mit lui-même
à épier les moindres expressions, les moindres gestes des Marceau, afin d'étudier les possibilités d'échapper à leur discipline
austère.

Il réussit deux ou trois fois à se faufiler jusqu'aux limites du quartier. Il jouait à la balle, passait et repassait dix fois devant l'atelier du forgeron pour rattraper la balle et finalement s'échappait à la faveur de ces manœuvres. Mais il devait revenir assez vite de ces promenades car on était bientôt à ses trousses.

Quand il eut une douzaine d'années il réussit, certain jeudi, à faire un véritable voyage jusque sur les hauteurs de la Sambre. Tiburce n'existait pas encore pour lui à cette époque. Il le voyait au collège, mais il était dans une autre classe que la sienne.

Il garda un souvenir très vif de ce voyage. Pour lui, qui venait de faire sa première communion, il trouva une ressemblance étrange entre les lumières de l'autel qu'il avait maintes fois contemplées, et la vallée éclairée par le soleil et par les forges des usines. Car il fit une longue course jusqu'aux usines, il ne savait combien de kilomètres. Il avait même oublié qu'il aurait voulu voir la mer, et dès qu'il s'était trouvé sur la route libre, il avait eu l'idée qu'il s'enfonçait dans un pays qui n'était ni la campagne de Namur, ni la Belgique, ni rien qui soit mentionné sur les géographies, une sorte de contrée inconnue de tous où la lumière était reine. Il ramassa des pierres, de petits objets sur le chemin et des fleurs. En tout cela il n'y avait aucun mal, mais le retour fut empoisonné.

Le père Marceau l'attendait sur le seuil de la boutique.

– D'où viens-tu ? Voilà des heures qu'on te cherche.

– Je ne savais pas qu'il était si tard, répondit Félix.

– Où es-tu allé ?

– J'ai joué dans le quartier avec des camarades. Je suis allé à droite et à gauche. Je suis revenu de temps en temps par ici.

– Ce n'est pas vrai, dit le père Marceau. Nous t'avons cherché. Nous avons interrogé les gens du quartier. Personne ne t'a vu. Où es-tu allé ?

– Je me suis avancé un peu sur la route de Charleroi, déclara Félix.

– C'est bien. A partir de ce soir tu prendras tes récréations dans la deuxième cour, et tu ne sortiras plus jamais sans que l'un de nous t'accompagne.

Il n'y eut pas d'autre punition. Elle sembla légère à l'enfant qui ne croyait pas qu'elle pût durer. Mais lorsque les semaines s'écoulèrent, il ne fut pas question, malgré ses timides requêtes, de l'envoyer jouer dans la rue. Seul l'hiver le délivra, car le temps fut si mauvais qu'il n'était guère possible de vagabonder. Rien que le chemin de l'école.

Le printemps revint. Félix voulait bien reconnaître qu'il n'aurait pas dû faire ce grand tour sur la route de Charleroi sans avoir obtenu la permission, et il ne demandait qu'à recevoir un châtiment mémorable, qui l'aurait guéri pour un temps mais pas pour toujours de cette passion banale des découvertes et du voyage. Mais il ne parvenait pas à admettre qu'on le maintînt prisonnier dans cette cour par les beaux temps qu'il fit. Les Marceau, malgré leur austérité, l'avaient toujours traité avec douceur.

Il finit par surprendre une conversation que le père Marceau tint dans le magasin avec un client qui devait être un médecin ou plutôt un notaire.

– Vous avez raison, disait l'homme, on peut craindre que ce soit un enfant fugueur.

– Cela m'ennuie de le retenir ainsi, reprenait le père Marceau. Mais songez qu'il peut aller aussi bien jusqu'à Bruxelles et se perdre, et même jusqu'à la mer, puisqu'il nous pose toujours des questions sur la mer.

– C'est l'âge ingrat, assurait le client qui paraissait bien informé. D'ailleurs, vous ne connaissez pas son hérédité qui peut être inquiétante. Il y a un moment où il faut savoir réprimer les mauvais instincts.

Quels mauvais instincts ? Quelle hérédité ?

Le médecin (ou le notaire) dit encore :

– Un enfant abandonné doit aussi se montrer plus sérieux que quiconque, sans quoi les gens ne manqueraient pas de le juger et de le condamner.

Quelle condamnation ? De cette conversation, Félix avait pu retenir qu'il n'était pas un enfant comme les autres, et que sans cesse il devait racheter une origine douteuse, et même parvenir à prouver qu'il appartenait à une famille excellente quoique ignorée. Si bientôt il oublia ces problèmes, il lui apparut que le monde était plus vaste et plus profond qu'il ne le supposait et pouvait prendre aussi parfois un aspect effrayant. Il y avait des lieux où l'on était jugé et torturé et d'autres lieux où l'innocence éclatait. La cour où on l'avait relégué, c'était une sorte de petit bagne enchanté.

Une cour où les Marceau ne se rendaient jamais. Entourée de hauts murs, de remises et de petites maisons dont on ne voyait que les toits, elle paraissait perdue dans un lacis inextricable de bâtisses. Mme Marceau faisait sa lessive dans la première cour qui était vaste, couverte de dalles, ornée d'un poirier et de sympathiques objets, fourneau à lessive, outils, qui témoignaient de la vie. La deuxième cour avait un pavage de briques irrégulier et crevé en maints endroits où poussaient l'herbe et quelques fleurs champêtres. Elle était tout à fait vide. On y trouvait parfois des débris de pots ou une vieille casserole, qu'un voisin avait jetés par-dessus les murs. Le mur de droite était couvert de mousse, de minuscules fougères, de saxifrages presque invisibles. Les autres murs étaient peints à la chaux.

Les premiers temps que Félix passa dans ce réduit, il les avait occupés à des lectures, à des jeux de billes et à tailler des morceaux de planches avec son couteau pour fabriquer divers bibelots. Il crut même parvenir, avec le secours de bobines, à confectionner des patins à roulettes. Dès qu'il eut entendu la conversation entre son père et le client aux réflexions judicieuses, Félix envisagea son séjour de façon nouvelle, et il prit la peine de considérer ce qui l'environnait.

Les murs avaient pris soudain une signification. Leur profondeur révélait des sortes de cavernes ou de caches. Félix s'amusa à coller l'oreille contre les pierres et il entendit des

bruits qui devaient parvenir d'un atelier voisin et qui semblaient terrifiants. Par-dessus les murs parfois des voix lointaines s'élevaient, mais il ne comprenait pas les paroles qui
pouvaient aussi bien être des appels ou des cris d'alarme. Il y
avait encore le sifflet des trains. Des oiseaux se posaient sur les
toits voisins et chantaient. Un chat passait là-haut dans un
silence si parfait qu'on croyait percevoir ses projets malfai-
sants.

« Une singulière enfance malgré tout », se disait Félix en
reprenant ces minces souvenirs. Le chemin habituel pour aller
à l'école, la vie animée qu'on y menait, le travail dans
l'arrière-boutique, c'était curieusement mille fois moins riche
que ses séjours dans ce bas-fond. Les dimanches sur les routes
dans la voiture familiale et l'assistance aux concerts de l'Harmonie entraient dans une gaie routine mais cela n'avait jamais
eu la beauté menaçante de cette cour.

Qu'est-ce qu'il y avait donc? Est-ce qu'il prévoyait obscurément que Tiburce allait bientôt venir? Peut-être, mais
l'affaire essentielle, ce fut le chant aigu des hirondelles.

Un soir d'été, s'étant allongé sur l'herbe du carrelage, les
yeux au ciel, il avait vu deux hirondelles passer très haut
comme des flèches, et les avait entendues crier très haut. Alors
il s'ingénia à imiter les cris, et au bout d'une heure employée à
cet exercice, il y réussit inespérément. Certes c'était un don.

Il ne se préoccupa jamais d'attirer les hirondelles. Parfois
certaines d'entre elles vinrent se poser et gazouiller sur des fils
électriques à trente pas de là, à mi-chemin du ciel. En vérité les
hirondelles *étaient ailleurs*, et il souhaitait qu'elles demeurent
ainsi dans ce monde supérieur. Quel monde supérieur? Sans
doute c'était le même que celui où il vivait, mais qui avait pris
cette hauteur où criaient les hirondelles. Pas seulement la
hauteur : encore l'étendue et la lumière dans tous les sens avec
pour répondant ces sifflets de locomotives, ces voix, ces rumeurs
dans la profondeur des bâtisses, tout cela terrestre et céleste à
la fois.

Cependant au lieu de s'abandonner aux rêveries sentimentales, vaguement paradisiaques ou infernales qui l'envahissaient, Félix songea surtout dès lors à s'appliquer à des imitations comme celles des cris d'hirondelles. Il réussit ainsi, au cours des heures passées dans cette cour, à reproduire en d'excellentes modulations le sifflet des locomotives avec toutes les nuances de leur éloignement nostalgique. Puis ce furent le miaulement des chats, l'aboiement du roquet, la tirade du pinson, la chanson scie de la mésange, les variations mélodiques du merle. Bientôt, il eut la parfaite maîtrise d'une vingtaine ou d'une trentaine de manifestations sonores y compris le grincement des portes et la gamme du piano. (Il entendait parfois aussi un piano dans la profondeur des murs.)

Dans le même temps, il s'exerçait avec les débris du carrelage à perfectionner son tir, si bien que le jour où se montra par-dessus le mur la tête d'un garçon curieux, le vieux chapeau de paille que portait ce garçon bascula et disparut en un quart de seconde sous l'effet d'un de ces projectiles meurtriers.

Le personnage lui-même disparut aussitôt. Mais il se montra de nouveau sur une autre région du mur et il agita un mouchoir en signe de paix. Comment était-il venu jusqu'ici à travers toutes les bâtisses ? Il ne tarda pas à l'expliquer.

— Je désirerais causer avec toi, s'il te plaît, Félix Marceau, dit-il. On se voit au collège, mais on n'est pas du même cours, et toi, tu ne sais même pas comment je m'appelle.

— Je ne sais pas, reconnut Félix.

— Je me nomme Tiburce Peridel pour la famille. Pour le monde je suis Magellan, le chef de la bande des Huit.

— Pourquoi Magellan ?

— C'est comme ça. La bande des Huit est en guerre avec celle des Oulaf, et nous avons besoin de renfort.

— Je n'y peux rien, dit Félix.

— Il ne s'agit pas de se bagarrer comme des ivrognes, poursuivit Tiburce. C'est une guerre de ruse et d'intelligence et pour l'honneur, pas seulement pour le profit.

Tiburce demeura un moment silencieux afin de peser l'effet de ses paroles chevaleresques. Il avait un visage radieux tout illuminé par ses yeux d'un bleu violet ainsi que par ses cheveux dorés et mal peignés. Il se hissa sur le mur où il se mit à califourchon. Félix observa la maigreur de son long corps. Il dit :

— Comment est-ce que je puis vous rendre service ?

— J'ai constaté, dit l'autre, que tu étais un tireur de première force, à preuve mon chapeau. Et puis la semaine dernière je t'ai écouté. Tu imites tous les bruits que tu veux, tous les chants d'oiseaux et n'importe quoi. Ça, c'est une ressource inestimable pour des gars qui sont sur le sentier de la guerre. Si tu veux, tu viens avec nous et on s'appellera la bande des Neuf.

— D'abord je suis bouclé, dit Félix.

— Bouclé ? s'écria Tiburce. Mais il y a par ici un chemin pour te sauver, un chemin du tonnerre sur les gargouilles et sur les poulaillers sans que personne le sache jamais.

Félix réfléchit et déclara :

— Entendu. Quand est-ce qu'on commence ?

— Tout de suite, rétorqua Tiburce.

« Bien sûr on ne trouverait pas dans tout cela de quoi fouetter un chat », se dit Félix Marceau en retraçant les épisodes de ce passé lointain. Mais il y avait la suite... Et déjà c'était quelque chose de tout à fait étranger au monde des Dorme et des Beursaut. Pourquoi étranger ?

Certes, ces gens avaient joué et aussi bien fait les cent coups. Mais pour Tiburce et Félix il y avait une sorte de pauvreté, du fond de laquelle ils regardaient la ville et le ciel comme des affaires formidables où ils jouaient des rôles de fourmis combattant pour des causes à jamais incertaines, malgré des noms comme celui de Magellan. Ils savaient qu'ils se battaient pour la vie de chaque jour, ou pour la merveille de chaque jour. Ces *autres* étaient « installés » depuis l'éternité et pour l'éternité, quelles que fussent leurs propres difficultés.

Or, dans l'intervalle, Félix Marceau s'était lui-même installé, et il ne tenait pas à en revenir à cette mentalité première où Tiburce avait dû s'enfoncer comme à plaisir, profitant de toutes les circonstances pour s'amoindrir encore. Lui, Félix, ne songeait, ne devait songer qu'à s'élever. On commence par la bande des Huit ou des Neuf et on peut s'aplatir de plus en plus. Si on s'abandonne, cela déraille cruellement. Il ne voulait plus entendre parler de cette misère. Il y avait eu en ce temps de la bande quelques affreuses petites conséquences pour Félix.

Au début ce fut rayonnant. Il était cinq heures quand Tiburce aida Félix à se hisser en haut du mur. Après quoi, ils en suivirent le faîte et obliquèrent à angle droit sur un autre mur. Le toit d'un poulailler, un petit hangar et puis un jardin presque toujours désert qu'on traversait. On sautait enfin par-dessus une porte basse et on tombait dans la ruelle.

Tiburce mena Félix tout en haut du faubourg, jusqu'à une zone où se mêlaient des jardins clos de petits champs. Quelques maisonnettes ici et là et des sentiers. Tiburce indiqua bientôt un trou dans un grillage. Ils s'y faufilèrent et pénétrèrent dans un petit bois de sureaux et de lilas où s'élevait une cabane.

– C'est à une vieille cousine qui habite un peu plus bas, dit Tiburce.

Puis aussitôt :

– Miroir et tabatière.

Une voix répondit :

– Miroir et tabatière.

– Viens, dit Tiburce, on nous attend.

Ils arrivèrent devant la porte de la cabane où sept autres gars étaient accroupis en cercle et jouaient aux dominos. Félix reconnut deux camarades de sa classe, mais dans ce lieu les personnalités n'étaient plus les mêmes. Tiburce dit aux gars :

– Je vous présente Manches Longues.

C'était Félix qui devait porter désormais ce nom dans la bande, d'ailleurs sans grande raison. Il fut prié de s'asseoir, et Tiburce lui nomma ses acolytes parmi lesquels il y avait notamment Cœur Perdu et La Banque. Ce dernier surnom venait peut-être du fait que le personnage en question, qui avait une figure de betterave, possédait plus d'argent de poche que ses camarades.

– Enfin voilà ce que nous voulons de toi, avait dit Tiburce.

L'affaire était simple, mais il fallait se garder de ne pas la prendre au sérieux. La bande des Oulaf qui était constituée par une demi-douzaine de garçons de l'école technique avait convenu avec les Huit (qui devenaient aujourd'hui les Neuf) de mener un combat loyal. Il s'agissait de surprendre quelque type de l'autre bande et de le faire prisonnier, après quoi on le relâchait sur parole contre une rançon. Les garçons amassaient les éléments d'une sorte de trésor qu'ils gardaient dans une cache : couteaux, cartes postales, ballons, frondes, cigares, c'est-à-dire toutes choses utiles et familières mais aussi d'autres objets qui avaient le plus grand prix : flacons d'eau de Cologne, anneaux de rideaux, tenailles, vieilles pendules.

– Alors, quand on a fait un prisonnier, poursuivait Tiburce, il s'agit de négocier. Le malheur, c'est que depuis des semaines, nous avons le dessous et nous avons épuisé presque toutes nos réserves.

– Pourtant ils ne sont que six, observa Félix. Des gars costauds ?

– Des gringalets, répondit Tiburce. Mais ils sont dirigés par une fille qui ne fait pas partie du groupe, et qui vient de par là-haut sur la Sambre. Nous l'avons à peine entrevue et les Oulaf eux-mêmes ne la connaissent guère mieux que nous. Elle se masque le visage avec un foulard quand elle est avec eux.

Or, cette fille était extrêmement rusée. Elle connaissait parfaitement les moindres recoins de Saint-Servais et de Namur et elle savait poster les gars où il fallait et leur ménager des itinéraires pour s'enfuir et retomber sur le dos des autres. C'était

cela la grande affaire. Il s'agissait d'abord d'explorer la région
où l'on opérait, et puis de dépister l'adversaire et de le surprendre à un tournant. Il fallait se méfier aussi lorsque l'on
poursuivait un gars qui semblait seul et perdu, car ce gars en
se sauvant vous menait aussi bien dans un traquenard.

– Qu'est-ce que je peux faire pour vous ? demanda Félix.

– Voilà, dit Tiburce, ils ont un cri de ralliement. C'est entre
le sifflet de locomotive et le cri du chat à qui on marche sur la
queue. Nous ne sommes jamais arrivés à l'imiter. Toi, Manches
Longues, tu saurais. Et puis tu nous apprendrais un cri de ralliement que les autres ne puissent pas attraper. Nous avons
essayé le corbeau, le chat, le chien, même l'alouette. Mais on
n'est pas doués, et ils arrivent toujours à nous voler notre cri et
ils nous attirent bêtement. Eux non plus ils ne sont pas doués
mais Puceronne leur fait la leçon.

– Puceronne ? demanda Félix.

– Oui, la fille, nous l'appelons Puceronne. Eux, ils l'appellent
l'Ange. Elle a tout juste douze ans.

Ainsi commença pour Félix une vie nouvelle. Chaque jeudi
après-midi, il filait sur le haut des murs et le soir il parvenait
à quitter la maison par le même moyen pour participer aux
opérations nocturnes. Mais à peine avait-il pris ces excellentes
habitudes que le père Marceau l'appela un beau jour au magasin pour lui tenir un discours sérieux.

– Tu as quatorze ans, dit-il, depuis une semaine. Désormais
nous te laissons toute liberté de sortir. J'ai eu l'honneur, tu le
sais, de diriger l'Harmonie en présence du bourgmestre et des
échevins. J'ai parlé de toi à l'un des échevins qui est grand
musicien et qui t'a pris en affection. Il m'a assuré que pour ton
éducation je devais te permettre de connaître le monde et
d'abord te faire confiance.

M. Marceau n'était pas solennel, mais il s'efforçait toujours
de bien parler. Mme Marceau passait sa vie à l'écouter. Quant
à Félix, malgré les rapports qu'on lui avait faits sur sa naissance, il savait se conduire comme un fils. La vie étroite que

l'on menait dans le magasin et les contraintes qu'on lui impo-
sait avaient assuré les liens entre lui et ses parents adoptifs.
Quand même, il avait le sentiment que les Marceau lui
cachaient ce qu'il y avait d'essentiel dans leur vie. Le père ne
confiait jamais ses préoccupations artistiques à Félix et la
mère s'enfermait dans ses soucis ménagers. Le garçon acceptait leurs décisions, sans songer même à discuter. Lorsque
M. Marceau eut déclaré sa volonté de lui accorder quelque
liberté, il n'eut pas non plus l'idée de l'en remercier. Il y avait
une vie en dehors de tout cela. Mais quelle vie ?

Les parties qu'il fit avec Tiburce pouvaient-elles être consi-
dérées comme une *autre* vie ? De petits événements qui passaient très vite. Ce qui comptait, c'était surtout l'espace. Dès
que Tiburce l'entraîna dans les rues et les ruelles à la recherche
des gars de l'autre bande, Saint-Servais et Namur lui parurent
des villes énormes. Il revoyait encore les échappées vers le ciel,
les perspectives le long de la Meuse et de la Sambre. Les ruelles
elles-mêmes avaient une profondeur insolite. Est-ce que c'était
beau ? Il ne savait pas. C'était comme si on allait découvrir
quelque chose d'absolument inédit.

La première équipée eut lieu au printemps, une semaine
après que la bande à Tiburce eut accueilli Félix. Ce soir-là,
Félix avait encore dû se sauver de la maison en passant par-
dessus les murs pour rejoindre le quartier général de Tiburce,
à l'heure dite.

– Il est convenu avec les Oulaf que nous déclencherons les
opérations à la nuit tombée, avait déclaré Tiburce. Nous irons
sur les hauteurs pour écouter leurs cris de ralliement et pour
étudier la question.

Ils étaient donc allés en file indienne à travers le faubourg et
s'étaient avancés sur un des coteaux entre lesquels passait
la route de Bruxelles. De là-haut, ils dominaient les maisons.
Le plus souvent les opérations se déroulaient dans ce secteur,
ou tout au moins elles y débutaient. Il arrivait que le hasard
des courses les menât les uns et les autres jusqu'à la Sambre ou

sur les pentes de la Citadelle, mais ce n'était pas avant que les adversaires se fussent un peu tâtés dans cette région familière.

Ils s'étaient tous assis contre un mur et ils attendaient. Une immense lancée d'étoiles s'éparpillait devant leurs yeux. Ce qui comptait pour eux c'étaient les ombres entre les étoiles et dans les couloirs des rues entre les réverbères. Derrière eux des grillons chantaient. Tiburce avait imposé aux gars un silence absolu.

– Écoutez bien, dit-il à un moment.

Vers le bas s'élevait une sorte de plainte sur trois notes.

– Ils ont changé leur cri, dit Tiburce. Mais je suis sûr que c'est elle.

– Elle ? demanda Félix.

– Puceronne ou l'Ange, comme tu veux.

– A la fois un cri et un chant. Quelque chose entre le grincement d'une porte et la trompe de péniche, prétendit Tiburce.

Presque aussitôt un signal identique dont la modulation était moins savante répondit, mais derrière les Neuf.

– Nous sommes entre les deux, murmura Félix. On pourrait intercepter les gars quand ils rejoindront la fille.

– Une feinte, expliqua Tiburce. Le gars là-haut va faire un détour. Les autres sont déjà vers le bas. Essaie plutôt d'imiter le signal. On verra plus tard.

– Il faut que je l'entende encore une fois.

Une minute passa, et le cri se fit de nouveau entendre, celui de la fille, assura encore Tiburce. Félix procéda à quelques essais à mi-voix, puis il lança le cri avec une étonnante perfection.

– Formidable, dit Tiburce. C'est presque trop bien.

Il y eut un silence qui dura assez longtemps, puis on entendit le cri plus loin, vers la gauche.

– Elle se méfie. Je leur ai fait savoir bien sûr qu'on avait embauché un nouveau gars et ils m'ont répondu qu'avec elle ils ne craignaient pas un régiment.

Et puis de nouveau la voix de la fille, plus loin encore.

– C'est elle qu'il faudrait prendre, dit Félix.

– On n'a pas le droit, dit Tiburce. C'est convenu comme cela parce qu'ils ne sont que six et nous neuf. D'abord ce n'est pas possible.

– Pas possible ?

– Elle sait se camoufler comme personne.

– Vous ne la connaissez même pas ?

– On ne la connaîtra jamais, dit Tiburce. Venez, il faut agir maintenant. C'est dans les règles.

Tiburce siffla sur deux notes.

– Voilà notre signal pour ce soir. Tu nous apprendras à faire mieux une autre fois. Filons vers le bas. Cinq de ce côté. Nous autres par là.

Ils se défilèrent. A un croisement de rues, Tiburce siffla de nouveau. Leurs compagnons répondirent. Le cri des Oulaf se fit entendre, mais encore plus loin.

– Ils veulent nous entraîner de l'autre côté, vers la Sambre, dit Tiburce.

Le groupe de Tiburce s'avança et lança le signal pour que le second groupe les suivît dans une rue parallèle. Bientôt on entendit à plusieurs reprises les cris des adversaires, mais cette fois dispersés.

– Ils remontent quand même sur le faubourg, commenta Tiburce. On les connaît, leurs mouvements tournants.

Tiburce rassembla toute la compagnie et ils remontèrent aussi. Quand ils furent parvenus sur une petite place, Tiburce envoya trois groupes de deux qui partirent dans des directions différentes, tandis qu'il restait avec Félix et le dénommé La Banque.

– Les Oulaf, expliqua Tiburce, vont se rassembler en un point pour foncer tous vers un de nos groupes. Félix, tu vas rester sous ce mur et imiter leur cri. Il y a des chances qu'un des Oulaf soit dérouté et vienne par ici. Nous deux La Banque on va guetter cet imbécile un peu plus loin.

Félix se plaqua contre le mur, et se livra à de parfaites

imitations de la plainte aiguë des Oulaf. D'autres cris ana-
logues lui répondirent. Il y eut aussi les sifflets des Neuf.

Dans les rues, à cette heure de la nuit, les rares passants se
dérobaient. De temps à autre une voiture. Félix songea que la
nuit était comme les grands arbres d'une forêt au-dessus de
lui. Des oiseaux, des singes au milieu de ces étoiles peut-être.

Une sorte de pressentiment, car à peine eut-il pensé cela
que deux ombres tombèrent sur lui du haut du mur. Deux
types lui saisirent les bras.

– Le nouveau, dit l'un d'eux. Tu dois te taire et venir
avec nous sans résistance. C'est la règle. On te l'a expliquée,
j'espère.

Félix était prisonnier. Il n'avait pas le droit d'appeler
Tiburce à son secours. Il devait suivre les deux Oulaf.

Ils le conduisirent dans une cour proche de ce lieu, ayant
ouvert une petite porte basse, puis ils poussèrent leur cri suivi
d'un long sifflement qui indiquait que la bataille était terminée.

Les camarades de Félix devaient alors retourner à leur
camp, tandis que les Six allaient se réunir dans la cour pour
délibérer au sujet de la rançon qu'ils demanderaient.

Quelques minutes s'étaient à peine écoulées que d'autres
ombres se glissèrent dans la cour. L'un des Six alluma une
torche électrique. Alors Félix vit arriver la fille, habillée d'une
robe bleu sombre, à ce qu'il lui sembla. Le bas de son visage
était caché par un foulard. Les Six s'assirent en cercle sur le
dallage. Félix et la fille demeurèrent debout face à face. La
fille parla :

– Il s'en est fallu de peu que l'un de nous soit trompé par les
imitations de cet abruti. Heureusement que j'ai rattrapé notre
ami comme il allait buter sur Magellan et que je vous ai dit à
vous autres de monter sur le mur. Cet individu est dangereux.
Vous demanderez comme rançon une somme d'argent, cent
francs à donner dans une semaine.

C'était une parole mécanique, avec parfois des accents
d'une douceur étonnante. La fille conclut :

– Tu peux filer maintenant. Tu es prisonnier sur parole. Les autres iront discuter de la rançon samedi avec Magellan.

Elle s'en alla. Ainsi finit cette soirée. Félix, qui avait l'habitude d'une vie confinée, était tout à fait désorienté par sa mésaventure et surtout par le mystère de cette fille qui donnait des ordres sur un ton bouleversant. Il rejoignit ses compères au quartier général. Tiburce aussitôt lui mit le bras autour du cou et lui dit :

– Ce n'est pas ta faute. Cette fille, c'est un démon.

– Ils demandent cent francs, dit Félix.

– On paiera, décida Tiburce.

Comment payer ? C'est ce que se demanda Félix en revenant chez lui par le chemin des murs. Le samedi, après discussion, le prix de la rançon fut ramené à quatre-vingts francs. Le jeudi suivant, Félix, qui avait désormais sa liberté, rejoignit Tiburce et celui-ci lui déclara qu'il s'arrangerait pour le règlement.

C'était une somme immense pour ces jeunes garçons, et il ne fallait pas songer à réunir les économies de la bande, lesquelles n'existaient guère. Même La Banque était à sec. Comme Félix était un nouveau, les acolytes se montraient indignés qu'il se fût fait prendre dès ses débuts. Tiburce avait beau soutenir que Félix avait seulement suivi ses ordres.

– Comme ressources il y a encore la famille, conclut Tiburce.

Il conduisit Félix de l'autre côté de la Sambre.

– Mes parents ont une maison qui est presque dans la campagne, déclara Tiburce. Mon oncle habite tout à côté.

M. Peridel était contremaître dans une usine, et ces gens vivaient à l'aise. Quant à l'oncle, le frère de Mme Peridel, Célestin Prestaume, c'était un vieil homme qui était venu vivre auprès de sa famille. Ils l'aperçurent dans son jardin, devant une maisonnette. Tiburce entra et fit les présentations.

M. Prestaume, qui s'occupait à pincer les tomates, s'était redressé avec difficulté. Son visage rayonnait curieusement. Il paraissait dominer sa vieillesse fragile avec une délicate habileté

et une idée presque joyeuse des limites de la vie où il se tenait
en équilibre sur de maigres jambes.

– Te voilà, mon fils, dit-il à Tiburce. Qu'y a-t-il aujourd'hui
qui ne va pas ?

– Des dettes, répondit Tiburce.

– Je vais te donner vingt francs, dit l'oncle. Mais j'espère en
toi, ne l'oublie pas.

L'homme regardait aussi Félix avec amitié.

– Je suis heureux de voir un ami de Tiburce, prononça-t-il.
Dites-moi, comment est la Sambre aujourd'hui ?

– Elle est claire, dit Tiburce, presque bleue.

– Presque bleue, c'est le beau temps, reprit l'homme. Il faut
prier par beau temps encore plus que par les temps mauvais.
Vous devez demeurer dans le beau temps, mes enfants.

Il semblait à Félix qu'il écouterait sans fin cet homme las et
vaillant qui semblait savoir que Tiburce était peu sage, mais
s'appliquait à vaincre toute inquiétude par des phrases dorées.

Ils quittèrent l'homme après quelques paroles. (Non, ce
n'était pas le monde de Juliette Dorme. Mais quel monde ?)

– Vingt francs, avait dit Tiburce avec légèreté.

– Est-ce bien d'avoir accepté ? demanda Félix.

– Je ne sais pas si c'est bien, dit Tiburce. C'est venu comme
cela. Maintenant il faut trouver le reste. Attends-moi ici.

Tiburce entra dans le jardin des Peridel et il gagna l'arrière
de la maison. Il revint au bout d'un quart d'heure.

– J'ai encore cinquante francs, dit Tiburce. Filons.

– On te les a donnés ?

– On me les a donnés sans me les donner. Maman n'est pas
regardante.

Félix comprit qu'il avait dû simplement dérober la petite
somme.

– Il y a quelque chose qui ne va pas quand même, observa
Félix.

– Tout va très bien, dit Tiburce. Tu ne voudrais pas qu'on
manque à notre parole.

– Je ne voudrais pas, dit Félix, mais c'était plutôt à moi de me débrouiller.

– Tu n'aurais jamais osé.

– Pourquoi je n'aurais jamais osé ?

– On est amis, dit Tiburce.

Ce fut là peut-être un des moments les plus angoissants de la jeunesse de Félix Marceau. Il se sentait coupable à cause de Tiburce, et en même temps il y avait l'amitié, la douceur de vivre et cette protection lumineuse du vieil oncle qui rêvait tout haut. Non, avec les Marceau, Félix n'aurait pu agir ainsi, Tiburce avait raison. Il y avait trop de distance entre eux et lui. Et sans doute cela valait mieux, car si Tiburce devait suivre une mauvaise pente, Félix serait dans le bon chemin. Mais l'affaire demeurait ambiguë. Félix ne pourrait jamais se dire honnête tout seul sans Tiburce.

Félix apprit plus tard que Tiburce bêchait le jardin de l'oncle, lui sciait son bois et qu'il aidait sa mère à la lessive. Tiburce faisait cela par joie de vivre sans savoir où étaient le bien et le mal. Les Marceau, eux, savaient. Félix savait.

Ce jeudi-là, tout se brouillait pour Félix, surtout quand il regardait les yeux heureux de Tiburce. Dans la suite, il y eut aussi la passion.

En fait c'était la passion du jeu avec l'autre bande, mais animée surtout par la fille que personne ne connaissait vraiment.

Au début des vacances, alors que tous les gars étaient encore à Namur, Félix réalisa des prouesses. On jouait à faire des prisonniers au moins deux fois par semaine. On fit tous les Oulaf prisonniers l'un après l'autre. On récupéra les quatre-vingts francs, on gagna un ballon et des patins à glace.

Félix s'était d'abord appliqué à apprendre à ses compagnons comment produire et imiter toutes sortes de cris. On passa une semaine à ces exercices dans la cabane de la vieille cousine ou sur les hauteurs de la route, devant les étoiles.

On adopta enfin le chant du rossignol qu'on transposa en

sifflements et dont les thèmes variés déroutèrent plus d'une fois les ennemis. Ce fut surtout la confiance que cette nouvelle science leur inspira qui permit aux Neuf de triompher.

Leurs victoires successives jetèrent le trouble dans les parties. La fille était devenue furieuse et un beau soir, du haut du toit d'une remise, elle déversa un pot de goudron sur la tête de Tiburce et de Félix qui jetèrent aussitôt le cri d'alarme.

Leurs compagnons accoururent. La fille s'était sauvée, mais ils réussirent à joindre un type de la bande adverse et le molestèrent. Celui-ci jeta à son tour un cri d'alarme et lorsque ses amis furent accourus, il y eut une bataille rangée sur un terrain vague du côté de la voie ferrée.

On se sépara avec les habits déchirés et toutes les marques d'un beau combat, nez saignants et paupières fermées. On avait juré cependant de recommencer. Félix, ne pouvant rectifier sa tenue ni se débarrasser de ce goudron tenace, fut contraint de mentir pour expliquer aux Marceau son lamentable état. Il s'en tira à merveille. Il avait voulu avec un camarade, prétendait-il, défendre d'inoffensifs gamins qui jouaient aux billes et que de mauvais garçons s'étaient avisés de tourmenter. Tandis que Mme Marceau se lamentait, M. Marceau, qui aimait les justes causes, complimenta Félix. C'était dégoûtant.

Tiburce pour sa part avait reçu une raclée. Sa seule consolation fut d'entendre son oncle chancelant lui dire le lendemain matin : « Mon cher ami, la vie est terriblement hasardeuse. Un jour ce sont les coups qui descendent. Demain ce sera peut-être une pluie d'or. »

Tiburce et l'oncle étaient deux étranges amis. Ils partageaient en n'importe quelle occasion une confiance radieuse. Félix aimait retrouver avec Tiburce ce vieil homme bizarre. Ils lui dirent que tout cela était arrivé à cause de la fille. L'oncle leur déclara que la fille était innocente certainement comme tout un chacun, et qu'il fallait vivre en paix et garder le cœur serein même quand on se battait. Cet homme vivait toujours comme s'il regardait encore les horizons de la mer.

– Je n'ai jamais vu la mer, disait Félix.

– Moi non plus, répondait Tiburce.

Et ils se mirent à parler de la mer. Tout se mêlait en ce temps-là. On pensait à la bagarre, on mentait, Tiburce pour sa part volait les siens et tout cela se perdait dans les visions d'une mer inconnue, et on racontait n'importe quoi. La conclusion de ce bel entretien fut simplement qu'il serait souhaitable de tenir la fille à merci.

Cette nuit d'août, Félix ne l'avait jamais oubliée. On avait déclaré la guerre à la bande adverse. Il fut entendu avec les Oulaf que l'on s'arrangerait pour flanquer à la Sambre tous ceux qu'on attraperait. On en serait quitte pour faire sécher les habits. On s'attaquerait deux par deux le long des quais en amont de Namur.

La nuit était assez sombre. Des nuages orageux passaient sur les hauteurs. L'une et l'autre bande s'était rassemblée au bas de la route de Charleroi. Une distance de cent pas les séparait. A un signal, les groupes de deux combattants s'avancèrent l'un vers l'autre.

Félix et Tiburce y allèrent d'abord. Cette première lutte au bord de l'eau se déroula très rapidement. Ils eurent à peine le temps d'y penser. Félix et Tiburce furent en quelques instants basculés dans la Sambre. Ils revinrent à la surface crachant et furieux. Les autres avaient employé pour les maîtriser une simple corde à sauter qu'on n'avait pas vue dans l'obscurité. Ils avaient fui d'abord et leur avaient fauché les jambes en revenant avec la corde sur ceux qui couraient. Après quoi c'était facile de les pousser sur cinquante centimètres jusqu'à la rivière, puisqu'on avait décidé que le combat se livrerait aussi près de l'eau que c'était possible.

Félix et Tiburce remontèrent sur la berge, aidés par leurs ennemis, et ils auraient sans doute accepté leur défaite si à ce moment un rire n'avait retenti sur le talus. Le rire clair et méprisant de la fille. Sûrement c'était elle qui avait eu l'idée d'employer cette corde. Félix et Tiburce ne firent qu'un bond. Ils découvrirent tout de suite la fille et l'entraînèrent le long de la route. Ses amis ne comprirent pas assez vite la situation. Félix et Tiburce se trouvaient déjà loin avec la gamine qui d'ailleurs se taisait et ne résistait pas. Elle savait qu'on ne peut rosser une fille ni la flanquer à l'eau.

Félix et Tiburce ne s'arrêtèrent que lorsqu'ils arrivèrent aux bois.

– Tu as ta lampe électrique ? demanda Félix à Tiburce.

Tiburce alluma sa lampe. Ils aperçurent un chemin et ils s'y avancèrent avec la fille.

– Qu'est-ce que tu veux faire ? demanda-t-elle à Félix.

Ils s'aperçurent alors qu'elle avait son foulard sur le visage.

– On va t'attacher à un arbre, dit Félix. Tu as des ficelles, Tiburce ?

La longueur des ficelles que Tiburce possédait aurait fait deux fois le tour de Namur. Il y eut largement de quoi lier les poignets de la fille derrière un arbre et attacher ses pieds et ses jambes.

Elle ne protestait pas, comme si elle était sûre que son charme et sa faiblesse finiraient par dérouter les deux pirates. Quand ils eurent achevé leur besogne, elle leur dit :

– Allez-vous-en. Quelqu'un me trouvera, et on apprendra que vous n'êtes que des lâches.

Tiburce dirigea le faisceau de sa lampe vers son visage toujours voilé. Elle avait cent fois raison. Félix furieux arracha brusquement le foulard qui la masquait. Alors ils furent quelques instants ahuris, comme si on leur avait tout d'un coup révélé le secret de la vie.

Les cheveux blonds de la fille encadraient un visage fin et pur qui leur parut d'une beauté incroyable. La lumière froide de la lampe accentuait le dessin des lèvres et le creux des yeux, et maintenant ils voyaient sa jeune poitrine qui soulevait la robe légère. Elle les regardait avec mépris. Elle dit enfin :

– Je vous déteste.

Alors ils lui lancèrent toutes sortes d'injures, sans même avoir conscience des mots qu'ils prononçaient. Tiburce sortit son couteau. Il l'ouvrit et, avec rage, il coupa les ficelles qui maintenaient la fille contre l'arbre.

– Fous le camp, dit Félix.

Elle s'en alla sans hâte en balançant sa robe. Tiburce garda sa lampe braquée sur elle jusqu'à ce qu'elle fût à l'extrémité du chemin et qu'elle eût tourné sur la route. Puis Tiburce s'assit par terre et Félix à côté de lui. Ils regardaient l'arbre où ils l'avaient attachée. Le froid leur saisissait les épaules, à cause de leurs habits trempés.

Tiburce tenait toujours sa lampe allumée. Félix aperçut par terre le foulard qu'elle avait laissé. Il alla le ramasser, puis il se rassit à côté de Tiburce.

– Qu'est-ce que tu veux faire de ce chiffon ? demanda Tiburce.

– Rien, dit Félix.

C'était une petite étoffe de batik. Il la tritura jusqu'à la déchirer, puis il finit par la découper en petits morceaux qu'il jeta. Tiburce dit :

– Où sont les autres types ?

– Ils ont dû continuer sur la route. Ils ont cru qu'on avait suivi la route avec elle.

Enfin ils se levèrent, et gagnèrent la lisière du bois. A ce moment, ils entendirent des pas sur le goudron. Tiburce éteignit sa lampe. C'étaient les gars des deux bandes qui revenaient et qui bavardaient ensemble.

– Ils se sont cachés tout simplement, disait l'un.

– Et la fille ?

– Elle a dû filer sur Namur.

– Pourquoi est-ce qu'ils ont couru après elle ?

– Ils sont amoureux, conclut un type.

Les gars passèrent et s'éloignèrent. Tiburce et Félix rentrèrent seuls à la ville. Félix regagna son chez-lui en passant

par les murs comme d'habitude après ses expéditions nocturnes. Tiburce et lui s'étaient juré de ne plus parler de cette
affaire.

Comme les vacances finissaient, il n'y eut pas d'autres com-
pétitions entre les Oulaf et les Neuf. La lutte au bord de la
Sambre s'était limitée à la mise à l'eau de Tiburce et de Félix.
Tous prenaient conscience qu'ils avaient été idiots. On se
retrouva après la reprise des cours le long de la voie ferrée.
Ceux des membres des Neuf qui se rencontraient à l'école ne
parlaient jamais de leurs équipées que par vagues allusions. Il
semblait d'ailleurs qu'on allait mettre un terme à ces vieilles
histoires.

Félix allait avoir quinze ans et Tiburce seize. Leurs compagnons avaient à peu près ces âges-là. Les Oulaf étaient vaguement plus jeunes. Ce fut l'un d'eux qui vint trouver Tiburce
afin de convenir d'une réunion. « On a une nouvelle à vous
annoncer », avait dit l'émissaire. Il y eut donc un conciliabule
du côté de la voie ferrée. Tous étaient venus.

– Et la fille ? demanda tout de suite Tiburce.

– Eh bien, voilà, justement, c'est-à-dire… déclara un type.

– Explique-toi, dit Tiburce.

– La fille est partie.

– Partie ? s'écria Félix.

– On l'a mise en pension je ne sais où, déclara l'autre.
Impossible même de savoir si elle a déjà filé.

– Bon débarras, dit Tiburce.

– Mais on ne peut plus faire de parties sans elle, lui fut-il
rétorqué.

Ce fut l'avis unanime. Ceux de la bande des Neuf ne furent
pas les derniers à clamer que du moment qu'on ne l'avait plus,
tout était fichu. Personne ne demanda d'autres informations
sur la fille. Félix ressentait une sorte de rage à laquelle se
mêlaient des remords. Était-ce parce qu'ils l'avaient emmenée
et ligotée qu'elle ne voulait plus venir ? Il regarda Tiburce sans
poser la question. Ni lui ni Tiburce ne tenaient à mettre les

autres au courant de cette bizarre séance nocturne. Quelqu'un déclara :

– On a réussi à intercepter une gamine des cours secondaires. C'est elle qui nous a mis au courant. Savoir si elle s'est moquée de nous. Tout de même c'est sûr qu'on n'a pas vu l'Ange entrer à l'école ni sortir.

Tiburce s'écria :

– Laissez cela. On va inventer de nouveaux trucs puisque vous ne voulez plus des vieilles batailles. D'ailleurs cela a assez duré. Je commencerai par vous fabriquer un cerf-volant comme on n'en a jamais vu à Namur. Vous autres les Six, tâchez d'en avoir un la semaine prochaine. On les lancera en haut de Saint-Servais et on verra qui gagnera.

La proposition semblait mince. Des gars firent la grimace, mais ils acceptèrent. Il fallait faire quelque chose, n'importe quoi.

La semaine suivante, ils se retrouvèrent avec deux appareils invraisemblables montés avec des baguettes de noisetier et du papier journal et grands comme des portes de grange. Il y avait ce jour-là un beau vent de mer. Ils lancèrent leurs machines qui partirent comme en rêve, et au bout de deux minutes s'écrasèrent ensemble dans un champ de navets. On recommença dix fois jusqu'à ce que les papiers crèvent et que les armatures claquent par tous les bouts.

– Rien ne va plus, dit Tiburce. Venez, on va les incendier proprement ces saletés.

Ils ramassèrent les débris et ils allèrent dans un verger, à l'écart. Ils firent une flambée avec des petits bouts de bois morts et mirent par-dessus les morceaux de leurs cerfs-volants qui se consumèrent peu à peu. L'un des types s'avisa de chanter en même temps des fragments de messe. C'était un véritable enterrement, comme si on enterrait Puceronne ou l'Ange, et alors quelqu'un se mit à parler d'elle.

– On n'a jamais vu sa figure. La première fois qu'elle est venue nous trouver c'était un soir dans la rue haute. Elle avait déjà son foulard, et elle nous a proposé des tas de jeux. C'est depuis ce temps-là qu'on a joué aux prisonniers.

Tiburce et Félix se regardèrent. Eux, avaient vu son visage à nu, mais c'était un secret à garder jusqu'à la mort. Un autre type reprit :

– Il paraît qu'elle est la fille d'un ambassadeur. L'ambassadeur est décédé depuis longtemps, et la mère est restée veuve avec neuf enfants, monsieur. L'Ange, c'est la petite dernière.

– On sait bien où elle habite quand même, dit un autre. On n'y est jamais allé voir, parce qu'elle nous l'avait défendu. Rien que de loin…

– Par là-bas sur la Sambre, jeta le premier.

Il y eut un long silence. Les débris des cerfs-volants fumaient tout doucement.

– Des yeux qui vous brûlaient, murmura un des Six.

– Des jambes…

– Personne ne l'a jamais touchée.

Tiburce et Félix se regardèrent.

– Les gars, dit le dénommé La Banque, il faut nous montrer à la hauteur. Attendez-moi, je reviens dans un quart d'heure et on se conduira comme des hommes.

Il partit en coup de vent.

– Qu'est-ce qu'il a voulu dire ? gronda Tiburce.

– Qu'on se conduisait comme des gosses.

– Assez, dit Tiburce.

– Elle courait à la façon d'un chat méchant. Jamais essouf-flée.

– Assez, répéta Tiburce.

Il sortit un paquet de cigarettes et fit la distribution. On fuma, en méditant. La Banque revint avec une bouteille de rhum sous le bras.

– Allez-y, s'écria-t-il.

On but à la ronde. Il fallait noyer on ne savait quel chagrin. Ils ne se demandèrent pas quelles quantités ils avaient bues quand ils se levèrent en chancelant.

– On va tous à sa maison, déclara Tiburce.

Ils redescendirent la côte en courant, et retombèrent sur la vallée de la Sambre, qu'ils suivirent le long des rues et des routes, sans comprendre très bien où ils passaient et sans prêter aucune attention aux réflexions des gens.

Les Six, après avoir tâtonné dans les banlieues, finirent par tomber d'accord sur le chemin à suivre. On grimpa le long d'une petite allée entre des murs. On arriva devant une grande maison qui s'élevait au milieu d'un jardin. Il y avait sur le toit une sorte de clocheton. On lança des coups de pied dans la grille.

Une femme vint entrouvrir la grille masquée de plaques de fer. Elle était vêtue de gris, assez grande. Un visage froid. Était-ce la mère ou une servante ? A ce moment tous songèrent qu'ils ne savaient même pas le nom de la fille dont ils venaient prendre des nouvelles de façon si cavalière. Mais ils étaient encore sous l'empire de l'alcool et animés d'une confiance sans bornes. L'un dit :

– Nous désirons savoir ce qu'est devenue la fille de l'ambassadeur.

La femme leur claqua la porte au nez. Alors ils ramassèrent des poignées de graviers et les lancèrent contre la porte. Cette fureur dura cinq bonnes minutes. Puis Félix s'avisa de viser le clocheton de la demeure. Les autres le regardèrent ébahis. Il faisait mouche à tous les coups. Enfin il crut apercevoir à une fenêtre du premier un rideau qui bougeait et un jeune visage derrière la vitre. Était-ce *elle* ? Il le crut vivement. Il lança un dernier caillou qui fit voler en éclats un carreau vers le haut de la fenêtre. Tous applaudirent. Aussitôt, ils virent un homme qui s'avançait au bas de la petite rue. L'homme leur cria :

– On a téléphoné à la police. Vous vous débrouillerez avec la police comme vous pourrez.

Cette menace jeta la panique, et les gamins d'un seul élan se mirent à courir. Tiburce s'écria :

– Par ici, suivez-moi, il faut dérouter les recherches.

Ils enfilèrent une ruelle vers la droite, puis une autre vers la gauche et ne s'arrêtèrent qu'après avoir parcouru un labyrinthe de petites voies qui les ramenèrent sur la route. Ce fut seulement alors qu'ils se rendirent compte qu'ils ameutaient les gens avec leur cavalcade. Tiburce déclara :

– Bande de... nous sommes une bande de... Il faut se disperser. D'abord en quatre groupes. Vous par ici, vous par là. Vous vous séparerez dans cinq minutes, et que chacun fasse un long détour avant de rentrer chez lui.

Ainsi finit à peu près cette équipée. Rien ne s'était passé qu'une petite histoire de rhum et de cailloux lancés. Cependant, le soir même, on entendit conter dans le quartier de Saint-Servais qu'une bande de voyous mettait à sac les maisons de campagne. Le lendemain l'affaire reprit des proportions normales et plus exactes, mais les gens n'en furent que mieux disposés à colporter qu'il existait un groupe de garçons prêts à tous les coups durs.

– J'espère que tu ne connais aucun de ces garçons, avait dit le père Marceau à Félix.

– Il y a longtemps que les petits gars traînent dans le quartier, disait la mère. C'est la bande à Tiburce.

Donc il fallait se tenir à carreau pendant un bon bout de temps. Vers la fin d'octobre, Tiburce lança des convocations et les Six et les Neuf, qui étaient maintenant réunis comme pour la vie, se retrouvèrent le long de la voie ferrée un beau soir.

– Je laisse cela à votre appréciation, déclara Tiburce avec solennité, mais personne ne nous empêchera de nous amuser. Ces gens-là, combien ils en éclusent des bouteilles de rhum, combien ils font de guerres, voulez-vous me le dire ? Nous, c'était par amour qu'on s'est laissé entraîner. Qui dit le contraire ?

On enchérit sur les paroles de Tiburce. L'amour... Quand le tumulte des approbations se fut apaisé, Tiburce demeura un long moment silencieux. Félix admirait ses yeux rêveurs, sa tignasse blonde, et ses moindres gestes qui toujours exprimaient un abandon plein de charme.

– Quoi faire ? Quoi faire ? reprit-il. On n'est pas en peine pour les inventions, savez-vous. Mais c'est quelque chose de fameux qu'il faudrait trouver pour leur damer le pion à tous ces bavards, pour qu'on se sente exister une bonne fois. Exister, messieurs, dans un monde qui en vaille la peine.

Les gens n'étaient pas si mauvais que ça, on le savait bien, mais les garçons ne pouvaient tolérer les soupçons, même justes, qu'on faisait tomber sur eux, et il y avait partout une injustice latente, à ce qu'il leur semblait. S'ils comprenaient aussi qu'ils avaient eu tort, ils trouvaient qu'autour d'eux on manquait d'idées.

Leur idée à eux, ce soir-là, fut modeste et magnifique. Il s'agirait de faire à vélo des courses forcées jusqu'à Bruxelles, jusqu'à Liège, jusqu'en France. Ils avaient tous des bicyclettes dont ils ne se servaient que pour aller à leurs cours et pour de petites allées et venues dans la ville.

On convint de se réunir chaque jeudi dès le début de l'après-midi. L'originalité de ces équipées fut de traîner sur les routes par tous les temps, malgré le brouillard, les pluies et même la neige. On visitait des monuments, c'est-à-dire qu'on les regardait cinq minutes, après quoi on repartait. On faisait des sortes de pèlerinages aux églises Sainte-Gudule, Notre-Dame-de-la-Chapelle, Saint-Jacques, Saint-Paul. Une religion de sauvages. Ils revenaient crevés. La vision des autels, des arcades et des verrières se mêlait pour eux à celle des arbres perdus dans les brumes et au vent qui leur coupait le souffle.

C'était cela : avoir le souffle coupé, ne plus rien être que des types battus, ne plus rien savoir et regarder la Vierge, les saints, le ciel, la boue, la neige. On était vaguement honnête par surcroît, ce qui ne devait pas durer.

Un jour de printemps, les familles leur accordèrent la permission de partir dès le matin et de revenir dans la soirée. Ils filèrent jusqu'à Audenarde. Ils eurent à peine le temps de regarder l'Hôtel de Ville. Mais ils entendirent le carillon du beffroi de Sainte-Walburge. Au retour, après cette course fantastique, ils s'affalèrent sur un talus dix kilomètres avant Namur. Il y avait une belle nuit étoilée.

– Le carillon, moi, je n'oublierai jamais, disait Félix pour braver sa fatigue. Mais voilà : je voudrais voir la mer.

– La mer, murmura Tiburce, moi, je ne l'ai jamais vue non plus. Les circonstances de la vie…

La voix de Tiburce était douce au cœur de Félix. Elle avait des accents nostalgiques et aussi bien joyeux. Les autres types parlèrent de la mer. Certains avaient fait un séjour sur une plage, mais ça ne comptait pas. Des récréations familiales et scolaires. La mer, c'était autre chose. C'était quoi ? Aussi incroyable que le carillon d'Audenarde. Bref, ils se trouvaient cette nuit-là fatigués et à bout de nerfs et ils divaguaient presque.

Mais on avait lancé l'idée : la mer, les voyages. Pas seulement pédaler, mais trouver, vraiment trouver des pays inédits. Il faut dire que pour régulariser leur situation, ils avaient dû faire partie d'un club sportif. Finalement, ils voulurent encore décrocher et abandonner cette raison sociale et ils prirent le train tout simplement.

La question grave fut celle des frais, et on la discuta pendant un mois. Tiburce et Félix allèrent trouver l'oncle Célestin Prestaume. L'homme ne leur donnait jamais de conseils pratiques. Mais de l'entendre parler, alors qu'il était si vacillant, c'était un encouragement à tout oser.

– Voyager, disait Célestin, vous voulez voyager. Chercher un autre pays bien sûr c'est l'idéal, toute la vie si on veut, et aussi bien une véritable catastrophe.

Le vieil homme, ce jour-là, tira encore vingt francs de sa poche.

– Avec cela vous n'irez pas jusqu'à Nivelles.

La bande délibéra, et ne parvint pas à des conclusions valables. Et puis une semaine plus tard, deux types vinrent avec de l'argent dans leur poche. C'étaient Félix et Tiburce. Ils avaient tout simplement volé dans le tiroir-caisse de la famille.

Cela devait finir ainsi. Depuis qu'on avait enterré les cerfs-volants et mitraillé la maison de l'Ange, le mal les menaçait.

– On s'est méfié de nous, dit Tiburce. Ils nous ont accusés d'être des bandits. Ils auront raison au moins pour une fois.

Les autres gars se procurèrent des subsides de la même manière. Un beau jour ils prirent le prétexte d'une promenade à vélo, et sautèrent dans le train pour Ostende. Ils allèrent tout de suite le long de la mer qu'ils suivirent sur des kilomètres en attendant l'heure du train qui devait les ramener. Il y avait une tempête et les écumes jaillissaient de toutes parts. L'horizon était bouché. Félix regardait et n'arrivait pas à comprendre que rien ne fût comme sur les gravures. Un désordre absolu. Qu'est-ce qu'ils étaient venus faire en ce lieu? Mais cela valait la peine justement parce que c'était sans signification.

L'équipée eut des suites étranges. Pendant un temps, on ne pensa plus à des voyages ni même à des promenades à vélo. La bande même se dispersa. Tous avaient envie de vivre n'importe comment. Félix et Tiburce avec quelques autres imaginèrent pendant l'été de s'adonner dans des coins de ruelles ou dans des terrains vagues à des parties de poker. Tiburce connaissait le poker. Sans doute, il avait assisté à des parties.

On joua d'abord avec des allumettes puis avec de l'argent qu'on déroba. C'était dégoûtant, mais on persévérait dans cette dégoûtation.

Cela finit par un scandale. Félix et Tiburce s'abouchèrent avec deux gars plus âgés qui d'abord les plumèrent, puis se servirent d'eux pour tricher dans quelque arrière-salle de boutique où se mêlaient d'obscures canailles et des filles. Tiburce et Félix prenaient en vain des allures d'hommes. On les tolérait parce que les deux vieux copains les présentaient comme leurs frères. On s'amusait d'eux. On les faisait jouer soi-disant pour rire et on leur apprenait à tricher. Cela n'allait pas tellement loin, mais c'était ignoble. Cela dura quelques semaines.

Un jour la police fit une intrusion dans la boutique, et on ramassa quelques spécimens de ce beau monde. Tiburce et Félix furent reconduits à leur famille.

Pour les Marceau, c'était le désespoir. Félix avoua ses larcins. On soupçonna les pires choses. Dans le quartier, on déclara qu'il avait le vice dans la peau. Un enfant abandonné... D'où sortait-il ? Qu'allait-on découvrir encore ? Qui avait volé le mois dernier à Mme Milot, la rentière, son portefeuille qu'elle mettait toujours imprudemment dans un sac à provisions, quand elle faisait son marché ?

Félix fut envoyé presque aussitôt au lycée de Charleville comme pensionnaire. Un an, deux ans plus tard, il y eut la guerre. Félix revint en Belgique pendant l'occupation, pour suivre les cours d'une école technique à Bruxelles. La guerre enfin effaça le passé. Surtout les études de Félix avaient été brillantes et il mena une conduite exemplaire. Il oublia, il sut oublier son ami Tiburce. Ce fut son plus grand mérite.

La dernière fois qu'il l'avait vu, Tiburce était venu rôder devant le magasin des Marceau où l'on avait d'abord cantonné Félix à l'abri d'un comptoir. Tiburce paraissait fatigué. C'était deux jours après l'algarade. On avait dû le rosser à mort. Ses magnifiques yeux bleus erraient sur les objets de la vitrine, étonnés que tout fût perdu même l'amitié. Depuis ce temps, au cours des années, Tiburce, d'après les rapports, avait mal tourné.

Tels furent donc les faits que Félix Marceau récapitula avec méthode lorsqu'il se prit à réfléchir sur la réapparition de Tiburce à ce moment même où le plus brillant avenir s'ouvrait devant lui.

En somme, des enfantillages qu'on pouvait mal interpréter à cause du mauvais sort de cet ami d'enfance et parce que lui-même était un enfant abandonné. Dans quelles combinaisons Tiburce s'était-il engagé ? Contrebande, petits commerces suspects, peut-être la drogue ? Comment conclure ?

C'était très simple finalement. Rien de commun entre lui,

Félix, et Tiburce. Mais ces histoires semblaient tellement contraires à l'esprit des Dorme qu'il fallait à tout prix que pas le moindre écho ne leur parvînt. Surtout ces histoires étaient bêtes, vulgaires. Se débarrasser de Tiburce, qui pouvait tenter on ne savait quel obscur chantage pour se procurer quelques subsides. Les antécédents... Rien de plus déplorable que les antécédents. Il ne fallait pas d'antécédents du tout.

Les pensées de Félix tournaient un peu en rond. Cette nuit-là, il s'endormit difficilement, bien qu'il se répétât avec une conscience de bon administrateur qu'il se livrait à de puériles imaginations.

II

Le lendemain soir, Félix eut la visite de Gilles Dorme dans son bureau.

Gilles ne venait jamais voir Félix au cours de la semaine et, quand ils s'étaient quittés l'autre dimanche, on n'avait fixé qu'un vague rendez-vous, qui se situait après ce voyage que Félix devait faire à Londres pour rencontrer Juliette dans le restaurant italien. Félix avait le sentiment qu'il avait commencé à se mouvoir dans l'invraisemblable, lorsqu'il avait fait à Juliette cette proposition inattendue. D'avoir revu Tiburce confirmait cette impression. La visite de Gilles rassura Félix tout à fait.

Gilles lui déclara qu'il venait le chercher pour essayer un hors-bord qu'il avait commandé et qui venait de lui être livré beaucoup plus tôt qu'il ne l'avait prévu. Ils allèrent donc ensemble sur le quai de la Meuse à un petit garage de bateaux. Gilles se montrait si amical que Félix se demanda s'il ne le préparait pas à entendre quelque nouvelle désagréable concernant les sentiments de Juliette ou les dispositions du père Dorme à son égard. Mais Gilles lui demanda s'il avait retenu son billet pour Londres. Félix dit qu'il ne s'en était pas encore préoccupé.

– Tu risques de ne pas trouver de place dans l'avion, assura

Gilles. Il faut te dépêcher. S'il y a quelque difficulté de ce côté, je pourrai te conduire en voiture à Ostende ou à Calais.

— Il y a des trains, observa Félix.

— Pas toujours commodes, les trains, dit Gilles, car je suppose que tu veux faire un voyage rapide.

— Assez rapide, oui, dit Félix qui ne songea pas à remercier son ami, tout à l'idée que son rendez-vous avec Juliette était une affaire aussi sûre et aussi claire que ces parties de ballon qu'on projette quand on est enfant et qui se réalisent à merveille. Si son enfance n'avait pas été sans angoisse, maintenant il découvrait en vérité ce bonheur dépourvu d'ombres et qui d'un seul coup éclaire toute la vie.

On monta dans le bateau, et les allées et venues que l'on fit à grande vitesse vers l'amont et vers l'aval comblèrent de joie Félix. Un jeu assez naïf qui répondait à ses exigences et à ses vœux les plus chers. Gilles n'avait plus parlé de Londres, et il ne fit aucune allusion à Juliette. En vérité tout était dit. La grande question ce serait bientôt l'apprentissage du ski nautique.

Quand ils abordèrent, il n'était pas tard dans la soirée. Ils remontèrent sans hâte l'avenue le long de la Meuse. Félix remarqua un homme jeune assis sur un banc et il reconnut Tiburce, bien qu'il aperçût à peine son profil. Tiburce avait passé le bras sur le dossier du banc et se tenait un peu de côté. Il respirait l'air du soir dans le plus parfait abandon. « Tout le monde est heureux aujourd'hui », songea Félix qui fut néanmoins satisfait de passer devant Tiburce sans qu'il y eût entre eux le moindre signe de reconnaissance. Félix se mit à parler à Gilles avec animation. Ainsi cela semblait tout à fait naturel qu'il n'eût pas prêté d'attention à un ancien camarade que d'ailleurs il ne pouvait s'attendre à rencontrer, après une si longue séparation. Cependant, il lança un coup d'œil rapide vers Tiburce et il eut l'incroyable impression que leurs regards s'étaient croisés comme pour une interminable interrogation.

Félix accompagna Gilles jusqu'à sa voiture qu'il avait laissée dans la Grande-Rue devant la maison Beursaut. Gilles dit :

– Pourquoi ne viendrais-tu pas dîner avec nous ce soir ? J'ai prévenu mon père que je te ramènerais peut-être avec moi.

– Excuse-moi, répondit Félix. J'ai encore du travail. Il faut que je règle quelques affaires, si je dois me rendre à Londres.

– Bien sûr il faut que tu ailles à Londres, dit Gilles. De toute façon, nous nous reverrons bientôt. Nous te ferons signe aussi quand Juliette reviendra. Je vais m'occuper de nos skis en attendant.

Gilles souhaita le bonsoir à Félix. Tout allait bien décidément. Lorsque la voiture de Gilles eut disparu au fond de la rue, Félix revint en hâte sur le quai de la Meuse. De loin il aperçut Tiburce qui était demeuré sur son banc, dans la même attitude. Félix songeait que les inquiétudes qu'il avait eues n'étaient en rien fondées et qu'il avait même eu tort de reprendre la veille au soir des souvenirs parfaitement vains. Il aurait avec Tiburce une conversation banale, après quoi il ne serait plus question de rien, et chacun oublierait l'autre, comme pendant ces dix ans.

Lorsqu'il aperçut Félix, Tiburce se leva sans se presser et s'avança.

– Bonsoir, Tiburce, s'écria Félix. Quelle joie de te revoir. Je t'avais cherché l'autre soir mais tu avais filé.

– Bonsoir, Félix, dit Tiburce sans la moindre gêne. Voilà bien longtemps…

Ni l'un ni l'autre n'eurent l'idée de revenir sur le fait que Félix avait passé tout à l'heure devant Tiburce sans se soucier de lui. Tiburce jugea bon de s'excuser.

– Je me trouve par hasard à Dinant, dit-il. J'avais appris que tu travaillais chez Beursaut, et j'ai eu la curiosité de regarder par les fenêtres, mais je ne tenais pas du tout à me jeter dans tes jambes.

– Tu aurais dû entrer tout simplement dans le bureau, dit Félix, au lieu de te sauver.

– Je ne me suis pas sauvé, dit Tiburce. Je suis allé acheter des cigarettes tout à côté.

Ainsi la course que Félix avait faite pour retrouver son ami, c'était de la fantaisie pure. Évidemment si Tiburce préférait ne pas tomber sur Félix inopinément, il se souciait peu de l'éviter.

– Allons prendre un verre dans un café, dit Félix aussitôt.

– Comme tu veux, dit Tiburce.

Ils ne songeaient pas à s'informer sur la vie qu'ils avaient menée depuis ce temps de leur enfance. Ils se retrouvaient comme s'ils s'étaient quittés la veille. Ils s'examinaient avec une attention curieuse. Non, Tiburce n'avait pas changé. Aucun des traits que peuvent laisser les soucis ou le mal n'avait marqué son visage. Félix ne portait pas non plus les traces du travail patient qu'il avait accompli ni celles qu'impriment, croit-on, les contraintes bureaucratiques. Lorsqu'ils eurent fait chacun de leur côté ces constatations, ils se mirent à rire.

C'était comme cela dans leur passé. On s'empêtrait dans des histoires, on avait bonne ou mauvaise conscience, mais il y avait surtout ces moments où l'on riait avec la conviction d'être demeuré étranger au monde.

Ils s'attablèrent à la terrasse d'un petit café en face de l'église. Quand la serveuse eut pris la commande, Félix dit :

– Quel beau temps !

Tiburce observa que les hirondelles criaient en haut des toits, sous la forteresse. Aussitôt il dépeignit en quelques mots la vie qu'il avait menée. Ses parents étaient morts deux ans après que Félix avait quitté Namur. Tiburce avait usé du plus que mince héritage par l'intermédiaire de l'oncle qui devint son tuteur. Il n'avait pas voulu continuer ses études. Il s'était engagé sur un bateau. A son retour, grâce aux relations qu'il s'était faites durant ses voyages, il avait été introduit dans une société de contrebandiers et de trafiquants qui l'avaient employé à des besognes diverses. Il s'agissait le plus souvent de passer de l'alcool. On travaillait en grand. Tiburce conclut :

– Je me suis disputé avec un personnage qui prétendait me frustrer d'une part de mes gains. Parce que nous autres nous dirigeons surtout les opérations. Il faut s'arranger pour disperser les risques, et se ménager des receleurs qui vous font chanter quelquefois.

Félix ne songea pas à observer qu'une telle vie mettait en jeu toutes sortes de tromperies dont on ne connaissait pas les limites. Il dit simplement :

– Moi, depuis Namur je suis resté en pension à Charleville, même pendant les vacances. Il y a eu la guerre. Alors j'ai étudié à Bruxelles. J'ai trouvé un bon emploi ici chez Beursaut.

– Nous avons fait des affaires avec la maison Beursaut, dit Tiburce. Pas moi bien sûr, ni les contrebandiers, mais des gens mieux placés. Il y a des tas d'intermédiaires.

Félix ne fut pas choqué. Le haut commerce ne l'intéressait pas. Il s'occupait pour sa part de la clientèle. Tiburce avait dit cela d'ailleurs sans la moindre intention.

– Tu restes longtemps à Dinant ? demanda Félix.

– Jusqu'à demain matin. Je loge chez une dame à Saint-Pierre, tout à côté.

– On dînera ce soir ensemble, dit Félix.

Quand ils eurent vidé leurs verres, ils allèrent se promener le long de la Meuse. Ils s'assirent sur un parapet. Félix ne se souciait plus d'être vu avec Tiburce, qui d'ailleurs avait une allure tout à fait convenable quoique sans élégance. Toutefois ils s'étaient rendus d'instinct dans un lieu désert. Tiburce se mit à chanter à mi-voix. C'était une rengaine avec des variations subtiles.

– J'avais oublié que tu chantais comme cela, dit Félix.

– Et toi… dit Tiburce.

Les hirondelles criaient très haut. Félix, sans réfléchir, se prit à lancer ce cri des hirondelles avec une perfection toujours inégalable.

– Cela, c'est du travail, observa Tiburce.

Ils éclatèrent de rire.

Tiburce déclara ensuite qu'il n'avait guère eu de nouvelles des anciens de Namur.

– Mon oncle, je ne l'ai pas vu depuis cinq ans. Il me répétait que je n'aurais pas dû abandonner mon métier de marin. Je suppose qu'il vit toujours. Mais La Banque, tu te souviens, il est employé à Bruxelles au Crédit du Nord justement.

– Puceronne, dit Félix.

– Je crois que je l'ai vue dans un port en Angleterre. Elle passait devant un magasin. Mais c'est une simple idée, parce que je n'aurais pas pu la reconnaître.

Ils se turent.

– J'abandonne la contrebande en tout cas, dit Tiburce. L'autre jour je suis entré dans une église et j'ai eu peur. Je voudrais élever des volailles.

– J'irai en Angleterre ces jours-ci, dit Félix.

Tiburce reprit une chanson. Au loin, un remorqueur lança la longue rumeur de sa sirène. Tiburce regarda Félix qui aussitôt imita à bouche fermée cet appel nostalgique.

– Allons dîner, dit Félix.

– Je ne demande pas mieux, dit Tiburce. Après nous nous dirons adieu, parce que j'irai retrouver l'oncle dès demain.

– Il doit être bien vieux, dit Félix.

– Il peut vivre jusqu'à cent ans, dit Tiburce. C'est un type très adroit qui se tient en équilibre sur un fil.

Félix ne conduisit pas Tiburce à son restaurant habituel, mais dans un établissement fréquenté par les étrangers, où l'on servait des repas remarquables.

Cependant, ils ne firent pas un festin. Tiburce avait des goûts sobres, et Félix se souciait peu de gastronomie.

– J'espère que tu n'as pas d'ennuis, dit Félix.

– Quelques ennuis sans importance, dit Tiburce. Et toi-même… Bien sûr tu as une situation stable, mais quelquefois on est obligé à des dépenses.

Félix, en effet, dépensait pas mal pour ses habits afin de faire figure chez les Dorme. Son costume de cheval lui avait coûté les yeux de la tête et Beursaut ne l'avait pas couvert d'or. La réflexion de Tiburce lui parut très juste.

– Cela se maintient, assura-t-il.

Tiburce et Félix se regardèrent, comme si toute leur vie se jouait dans les yeux de l'autre.

– Et tes parents ? demanda Tiburce.

– Les Marceau, je les vois de loin en loin maintenant. J'ai été des années sans retourner à Namur. On m'avait envoyé au lycée de Charleville après notre histoire.

– Ce qu'on pouvait être imbéciles dans ce temps-là, observa Tiburce.

– Toi, tu as continué à faire l'imbécile, lança Félix.

Tiburce médita quelques instants.

– Pas pareil, dit-il. On y allait sans réfléchir autrefois, et tout se perdait dans la nature.

– Depuis tu as réfléchi.

– Je n'ai pas réfléchi, dit Tiburce. Mais je me suis toujours trouvé sur le bord de la faillite et je regrimpais comme je pouvais. Il fallait inventer des trucs. Quand je suis revenu de mes traversées il y a deux ans, j'avais de l'argent. Je me suis nippé à cause d'une fille de Namur (tu ne la connais pas). J'ai mené un train de noblaillon parce que la famille était huppée, mon cher. Ils ont vite découvert que je n'avais rien de sérieux. La fille est allée à Paris. J'ai filé à Paris. Je n'ai pas pu la voir. J'ai appris qu'elle partait pour l'Angleterre par le bateau. Je suis allé à Calais où j'ai fait le guet pendant huit jours. Je ne l'ai jamais revue. Je n'y comptais pas. Mais c'était beau d'aller à Calais pour attendre. Quand je suis rentré à Namur j'étais fauché. Alors...

– Les aventures, dit Félix.

– Des petites aventures, des trafics. Mon vieux Félix, ma consolation c'est que toi tu as fait des progrès. Tu vas sûrement épouser une héritière.

– C'est banal, dit Félix.

Les yeux de Tiburce brillèrent. Cette fois ils s'animaient d'une sorte de colère.

– Banal ! Mais tais-toi donc, s'écria Tiburce. C'est la vraie vie. La paix, le travail, on fait des choses. Moi, je t'admire et je suis heureux pour toi.

Félix versa du vin dans les verres.

– Tu sais, mon vieux Tiburce, qu'il ne tient qu'à toi de changer de vie. Je peux t'aider.

– Je veux changer de vie, dit Tiburce. Je me suis déjà mis à dos une sorte d'apache, à cause de cela.

– Alors franchement pourquoi n'exercerais-tu pas un métier d'employé par exemple ? Je te trouverais une place dans une succursale de Beursaut, et puis tu pourrais faire ton chemin, tout comme moi, avec de la patience.

– Le métier d'employé ! s'écria Tiburce.

– Tu méprises ?

– Je ne méprise pas. Au contraire… Mais ce n'est pas pour moi.

– Pourquoi pas pour toi ? demanda brusquement Félix, persuadé qu'avec un peu de fermeté il était possible de mettre son ami dans la bonne voie. Pourquoi pas ? J'en parlerai à mon patron.

Ils menaient cette conversation avec une liberté totale. Félix ne songeait plus le moins du monde que se mettre sur les bras un type peu recommandable risquait de lui attirer des difficultés.

– Je dois me rendre à Londres pour deux jours à la fin de la semaine, poursuivit-il. Mais après, je serai tout à toi.

Tiburce regarda longuement Félix. Puis il dit :

– Pas possible, pas possible, mon vieux.

– Tu me parlais d'élever des volailles. Pourquoi cela serait possible et pas le métier dont je te parle ?

– Marchand de volailles, reprenait Tiburce, cela me paraît l'idéal, à moins que je ne me lance dans le commerce des petits ballons.

– Tu te rabaisses à plaisir, observa Félix. Tu ne vas pas faire le mendiant ?

– Je n'aime pas cela non plus, c'est sûr.

Félix trouvait équivoque l'attitude de son ami. Tiburce n'avait-il pas toujours été équivoque, et désirait-il vraiment renoncer à ses trafics suspects ?

Tiburce but le fond de son verre avec une sorte de patience. Il refusa lorsque Félix voulut lui verser une nouvelle rasade.

– Je ne sais pas très bien ce que je veux, dit Tiburce, mais il n'y a rien de ce que tu crois. Je n'ai aucun goût pour la vie de vagabond ni pour les affaires vaguement illégales.

– Tu es resté le même gosse qu'autrefois, observa Félix.

– Pas cela non plus. C'est loin ces sottises. Pour moi, comprends bien, il n'y a jamais eu que la vie au jour le jour.

On en revenait sans cesse à cette fichue mentalité.

– Clair comme l'aurore, disait Tiburce. Je ne peux pas entrer dans une affaire toujours la même. Vous autres, vous êtes nés pour la vie éternelle. Moi, je ne peux songer qu'à des choses passagères.

– Tu n'arrives pas à tenir en place, autrement dit, déclara Félix.

– Je tiens en place. C'est la place qui ne tient jamais. Effrayant ce que le Seigneur invente comme événements. Toi, il ne t'arrive rien ?

Certes, Félix ne répugnait pas aux aventures. La meilleure preuve, il irait à Londres pour déclarer son amour à Juliette. Mais c'était quand même du sérieux.

– Tu as l'air d'attendre toujours quelque chose, dit Félix. Qu'est-ce que tu attends ? Un miracle ?

Tiburce parut bouleversé. Il se versa une rasade et il dit :

– Ne prononce pas des mots comme cela. Je suis superstitieux. Une misère. J'ai besoin de tous les saints du paradis à chaque instant. Vous autres, vous avez la technique.

Félix regarda Tiburce avec curiosité.

– Ce n'est pas parce que je suis irrégulier, dit Tiburce encore. Je vais devenir régulier un de ces jours. Je l'ai déjà été autrefois.

– Tu n'as pas eu l'idée de repartir en mer ?

– J'espère que la fille dont je te parle reviendra dans la région un jour ou l'autre. Elle a dix-neuf ans, sais-tu ?

– Cela reste hasardeux, surtout si la famille…

– Je brûle des cierges. Ne te moque pas de moi. Pour toi, pas besoin de cierges. Moi, je n'ai pas de relations. Je risquerais plutôt d'être fourré en enfer.

Félix ne sut pas ce qu'il fallait répondre. Lui-même restait dévot, mais ce n'était pas pareil. Cela faisait partie de ce qui lui semblait nécessaire. Tiburce ne savait que trembler et resquiller. Ses yeux effarés inspiraient à Félix une étrange affection. Avec Tiburce rien ne semblait évident, sinon quelque affaire céleste terriblement improbable.

Ils se levèrent de table et regagnèrent la place de l'Église. Ils pensaient se quitter.

– Tout de même, si tu as besoin de moi, dit Félix.

– Non, tout va bien, assura Tiburce.

Ils retournèrent sur leurs pas. Ils reprirent l'enfilade de la Grande-Rue. Ils tâchaient, d'un commun accord, de retarder le moment de la séparation. Quand est-ce qu'on se reverrait maintenant ? La nuit était chaude et pleine d'étoiles sans un souffle de vent.

Ils tournèrent dans une petite rue et arrivèrent devant un estaminet.

– Entrons, dit Félix. On peut encore boire une chope.

– Non, dit Tiburce. C'est une taverne où on joue.

– Raison de plus, dit Félix qui semblait vouloir défier Tiburce.

– Allons, dit Tiburce.

Ils entrèrent. Tout de suite le patron, un grand diable, salua Tiburce d'un air entendu comme une vieille connaissance. La salle était déserte. L'homme alla ouvrir la porte du fond qui donnait sur un couloir. Au fond du couloir, il y avait une pièce meublée d'une longue table flanquée de bancs. Une demi-douzaine de clients étaient assis. Il y en avait quatre qui jouaient. Deux autres regardaient.

Tiburce et Félix se mirent au bout de la table. Félix commanda du champagne que le tavernier apporta sans retard. Les deux hommes qui ne jouaient pas regardèrent les nouveaux venus et ils interpellèrent bientôt Tiburce, quoique celui-ci gardât un air renfrogné.

– Alors on vient faire une petite partie ? dit l'un.

Tiburce haussa les épaules. Félix dit :

– Si vous voulez.

Les autres se glissèrent le long du banc, et on demanda des cartes.

La situation rappelait évidemment les petites séances que Tiburce et Félix se payaient si sottement quand ils étaient gosses, il y avait une dizaine d'années. Félix ne put manquer de s'en souvenir. Sans doute ne cherchait-il pas autre chose que s'accorder comme une fantaisie d'intellectuel. Ce soir-là on ne risquait rien. On pouvait seulement perdre quelque argent.

Les cartes distribuées, chacun sortit des billets et des pièces. Tiburce refusa l'offre de Félix qui voulait lui avancer une petite somme. On joua. Tiburce demeura très prudent. Félix perdit ce qu'il voulut. Ils sortirent du bistrot à une heure avancée de la nuit.

Comme ils traversaient la première salle, un grand diable accoudé au bar se tourna pour dévisager Tiburce. Lorsqu'ils se furent avancés dans la rue, Félix s'aperçut que l'homme les suivait.

– Qui est-ce ? Tu le connais ? demanda-t-il.

– Je le connais sans le connaître, dit Tiburce. Dans mon métier, on a des tas de vagues connaissances.

– Sérieusement est-ce que tu vas quitter ce métier ?

– C'est déjà fait, assura Tiburce. Je me suis même mis à dos quelqu'un qui prétend m'avoir avancé de l'argent pour un petit travail.

– Quel travail ?

– Des choses courantes, dit Tiburce. Tu sais, quand il y a une frontière… Mais j'en ai assez.

L'homme demeurait à une distance appréciable. Il paraissait aller son propre chemin et Félix ne se préoccupa plus de lui. Seule la situation de Tiburce l'inquiétait. Mais il semblait que tout avait été dit sur la question.

– J'aimerais, dit Félix, que tu me donnes de tes nouvelles de loin en loin. Tu peux m'écrire à mon bureau.

Justement ils passaient devant la maison Beursaut.

– Je n'aurai pas grand-chose à t'écrire, dit Tiburce. Je vais bricoler à Namur. J'irai voir de temps à autre l'arrivée des bateaux d'Angleterre. Elle reviendra sûrement par Ostende.

– Tu ne regrettes pas la mer ?

– Quand on travaille sur les bateaux on n'a pas le temps de penser à la mer. On est presque toujours enfermés, assurait Tiburce.

– Tu voudrais t'établir à Namur ? C'est ton pays.

– Ce n'est pas mon pays. Je suis né dans un village que je ne connais pas d'ailleurs.

– Tu as passé toute ta jeunesse à Namur.

– Oui, c'est mon pays et ce n'est pas mon pays. Comme pour toi.

Ils arrivaient sur la place de l'Église.

– Maintenant il faut nous quitter, dit Tiburce. Comme cela, en vitesse. Au revoir, Félix.

– Au revoir, Tiburce.

Ils se serrèrent les mains en hâte. Cette entrevue devait prendre fin comme elle avait débuté. N'importe comment. Se regarder une dernière fois. Pour cela, Félix offrit une cigarette à Tiburce et l'alluma. Il revit ainsi les yeux bleus de son ami qui tourna le dos tout aussitôt.

Félix demeura quelques instants immobile et se rendit compte enfin que Tiburce, au lieu de poursuivre son chemin vers Lippe, était reparti dans la Grande-Rue. « Alors pas la peine de se quitter si vite », murmura-t-il. Puis il songea à l'homme qui les avait suivis tout à l'heure. Il s'avança lui aussi dans la Grande-Rue pour regagner sa chambre. Est-ce que Tiburce cherchait à rejoindre le personnage ?

Félix avait fait à peine cent pas qu'il aperçut Tiburce et l'homme discutant sous un lampadaire. Le type avait saisi Tiburce par le col de la veste et le secouait rudement. L'instant d'après, il lui lançait son poing dans la figure. Tiburce tomba et se releva. Félix s'élança et, sans même qu'il y eût songé, il se trouva en pleine bagarre. L'homme n'avait pas hésité à foncer sur le nouvel arrivant et à l'envoyer d'une bourrade dans les volets de tôle d'un magasin qui rendirent un son de vieille casserole. Tiburce revint à la charge.

Comment l'affaire se passa, aucun des combattants ne le sut très bien. Félix ne manquait pas d'énergie, et Tiburce harcelait le grand diable avec beaucoup de conviction. Cinq minutes plus tard, l'homme était étendu inanimé sur le trottoir.

A ce moment, Félix et Tiburce s'aperçurent que des fenêtres s'étaient allumées et entrouvertes. Félix se pencha sur l'homme pour savoir dans quel état il se trouvait. La figure était en sang. Une voiture ronfla au fond de la Grande-Rue.

– La police, souffla Tiburce. Quelqu'un a téléphoné. Viens par ici.

Félix suivit son ami sans réfléchir. Ils filèrent vers le quai de la Meuse. Félix ne songea pas à protester qu'ils auraient dû attendre les policiers pour s'expliquer et alléguer la légitime défense. Il était emporté par il ne sut jamais quelle sorte de passion angoissée. En fuyant il voyait le ciel plein d'étoiles entre les maisons, au-dessus de la Meuse, rien que le ciel.

Cependant, on les avait poursuivis et on tentait de leur couper toute voie de retraite. Ils entendirent des pas de chaque côté de l'avenue.

– Viens, souffla Tiburce.

Il entraîna Félix sur l'extrême bord du quai. Il trouva une échelle de fer et l'obligea à descendre dans l'eau.

– Accroche-toi à l'échelle. Enfonce-toi jusqu'au nez et ne

bouge pas, dit Tiburce. Tu n'aurais pas dû te battre. Cela ne te concernait pas.

– Je n'ai pas pu faire autrement. Le type t'aurait écrasé, dit Félix.

L'eau était relativement douce, mais dans les vêtements qui lui collaient au corps Félix se sentait misérable. Il avait le visage meurtri par les coups. Il plongea la tête dans l'eau, et il fut soulagé.

– Ne fais pas de clapotis, souffla Tiburce. Ces gens-là ont des oreilles grandes comme des plats à barbe.

On entendit un moteur sur la rivière. Une vedette passa et la lumière d'un phare balaya la surface du fleuve et les quais. Le faisceau tourna juste au-dessus de la tête des deux amis.

– Ils ont mis tout en branle, dit Tiburce.

Il y eut un long moment de grand silence, au cours duquel Félix eut tout loisir de comprendre que même si on ne les découvrait pas, on ferait une enquête. L'homme qu'ils avaient assommé donnerait tous les renseignements désirables. Bien sûr c'était lui qui avait attaqué Tiburce, mais quand on est dans son droit, on ne commence pas par se sauver. Félix se dit aussi qu'il s'était engagé comme à plaisir dans une affaire qui allait tout gâcher. La veille encore, il prenait des dispositions minutieuses pour éviter qu'on eût la moindre idée de quelque relation entre lui et Tiburce, et il venait de donner en plein dans le pire scandale. Il eut la vision rapide du visage et des regards de Juliette. Inoubliables regards. Une merveille de paix et de bonheur. Il murmura : « Pourquoi ? Pourquoi ? » Et puis il dit sans conviction :

– Jamais on n'aurait dû se sauver.

– Une vieille habitude, répondit Tiburce.

Ils s'étaient fourrés dans une impasse. Jamais Félix ne pourrait faire admettre une aventure pareille à Juliette, ni à Gilles ni à personne. Ils avaient des idées larges mais pas à ce point. On doit savoir éviter certaines compromissions. Et quand même, si c'était à refaire, il le referait. A cause de quoi ? Peut-être que le monde était injuste de toute façon, et qu'il fallait protester.

Le ciel pâlissait. Les rochers de la Citadelle commençaient à se dessiner contre le ciel. Sur une péniche un coq chanta. Deux hommes passèrent sur le quai et s'arrêtèrent pour l'écouter. L'un d'eux dit :

— Cela me donne une idée : à mon avis, ils se sont réfugiés sur une péniche.

L'autre sans répondre s'avança tout au bord du quai, juste devant l'échelle. Tiburce et Félix furent aussitôt découverts.

— Qu'est-ce que vous faites là ? demanda un policier.

— J'ai vu un type tomber à l'eau, dit Tiburce. J'ai plongé pour le tirer de là.

— Vous pensez qu'on n'aurait rien entendu, lui répondit-on. Voici bien une heure qu'on se promène dans les environs.

Félix n'avait aucun désir de parler. Il était écœuré. Ils furent emmenés au poste de police. Là il fut facile de constater que l'un et l'autre portaient les marques d'une bagarre.

— J'ai été attaqué, déclara Tiburce. Ce monsieur, que je ne connais pas, est venu à mon secours.

On leur demanda leurs noms, et on les fourra dans une cellule, en attendant l'arrivée du commissaire qui ne tarda guère d'ailleurs à les faire comparaître. Félix fut appelé le premier.

— Voyons, que vous est-il arrivé, monsieur Marceau ?

Félix, qui pouvait compter parmi les notables de Dinant, ne fut pas surpris par ce ton amical qui lui semblait dû. Il n'eut pas le temps de s'en féliciter. L'homme ajoutait :

— Je ne peux rien pour vous en l'occurrence. Ceux qui cette nuit ont prévenu la police vous avaient parfaitement reconnu sous ce lampadaire. Quant à votre adversaire, on l'a transporté à l'hôpital assez mal en point. Voyons, vous connaissiez ce Tiburce Peridel ?

— Un ami d'enfance. Je ne l'avais pas vu depuis dix ans. Je l'ai retrouvé hier soir par un hasard.

— Pas de chance. Non, ce n'est pas un repris de justice, mais les gendarmes et les douaniers l'ont à l'œil. Et comment avez-vous pu passer la nuit entière avec cet individu, pour vous mêler finalement à une bagarre ? N'avez-vous pas voulu jouer au petit-bourgeois qui se pique de connaître la pègre ?

Félix sentit les mots s'étouffer dans sa gorge. Il lui apparut soudain que l'affaire la plus grave, c'était qu'on ne le prendrait pas au sérieux et que sa sottise n'en serait que mieux établie. On finirait par découvrir qu'après tout il n'était qu'un enfant abandonné que ses parents adoptifs avaient voulu dresser et qui s'était fourvoyé dans la bonne société. Sa nature équivoque aurait repris le dessus à la première occasion, c'était une vérité criante. Il ne pouvait compter sur la moindre indulgence. Il tenta bêtement de s'expliquer :

— Chacun pourra vous certifier que je n'ai rien de commun avec Tiburce Peridel. Mais je ne pouvais faire autrement que de lui parler et de chercher à l'aider et à lui persuader de faire un métier...

— Honnête, compléta le commissaire.

— C'est pourquoi je suis resté si longtemps en sa compagnie.

— Vous avez joué ensemble au poker avec des personnages peu reluisants, je crois.

— Nous... Bien sûr... Nous étions revenus sur la place de l'Église. Nous nous étions quittés, et il s'était éloigné dans la Grande-Rue. Je l'ai suivi, parce que ma chambre se trouve dans la Grande-Rue.

— Je ne comprends pas, dit l'homme, pourquoi vous vous êtes quittés pour suivre la même direction.

Tout se brouillait bien sûr. Félix continua son histoire :

— J'ai vu une espèce de géant qui le secouait et qui l'a jeté par terre.

— Et vous êtes intervenu généreusement. Maintenant pourriez-vous m'expliquer pourquoi vous vous êtes sauvés, au lieu d'attendre les policiers et de leur expliquer que vous aviez été attaqués ?

— Je ne le comprends pas moi-même, avoua Félix. Mon ami

m'a entraîné et lorsque j'ai songé que nous faisions une sottise, il était trop tard.

– Votre ami vous a entraîné. Cela prouverait plutôt que dès le début vous vous étiez concerté avec lui pour assaillir cet homme qui se trouve dans un piteux état.

Tout ce que pouvait dire Félix semblait suspect. On le renvoya dans une petite salle, sous la surveillance d'un agent, tandis que Tiburce était interrogé à son tour.

Félix croyait rêver. Était-il le même homme qui dimanche dernier chevauchait en compagnie de Juliette et de Gilles Dorme et qui était reçu comme un allié dans une des grandes familles de la région ? Ou bien s'était-il fait des illusions ? Avait-il alors rêvé et se trouvait-il maintenant bien éveillé et rendu à sa véritable position sociale qui était celle d'un homme d'origine incertaine ? Il ne parvenait pas à se faire une opinion à ce sujet. Il se rappelait avec quelle application il avait poursuivi ses études. Son travail chez Beursaut prouvait son caractère foncièrement sérieux, et qu'il était attaché avec la plus entière fidélité aux intérêts de la maison. S'il pensait se rendre à Londres, c'était pour parler librement avec Juliette et lui dire que malgré les encouragements que lui donnaient son frère ainsi que Beursaut, il n'estimait pas juste de lui faire sa cour et qu'il se tiendrait toujours sur la réserve afin de ne pas l'importuner. Ce serait à elle de décider plus tard s'il parvenait à une situation assez brillante. Non, rien dans sa conduite ne pouvait être taxé de légèreté. Mais tout cela était-il vrai maintenant ? N'avait-il pas fait maints calculs comme un petit intrigant ? Et n'était-ce pas naturel de se retrouver dans une situation misérable ?

L'amitié de Tiburce… Si cette enfance avec Tiburce était peut-être pure duperie, l'amitié demeurait quand même.

« Honnête, trop honnête, se répétait Félix. Je ne me suis méfié de rien et j'ai cru que j'étais un homme arrivé. Tout cela, c'est bien fait. Je me jetterais encore dans la bagarre, si c'était à refaire. » Il demeura dans la petite salle jusqu'à une heure avancée de l'après-midi. On lui apporta un léger repas, puis on le laissa seul. Quand le commissaire le rappela, il pensa qu'on allait lui rendre sa liberté et il ne s'était pas trompé.

– Nous avons interrogé votre adversaire à l'hôpital, dit le commissaire. C'est un personnage qui a eu déjà affaire avec la police. Il déclare avoir attaqué votre ami et même vous avoir attaqué. Selon lui, vous vous trouviez ensemble au moment où il a voulu régler son compte à Tiburce pour une affaire personnelle. Cette déclaration ne confirme pas tout à fait vos dires, mais on ne saurait mieux prouver que vous étiez en état de légitime défense. M. Beursaut, que j'ai vu, a demandé que vous vous rendiez chez lui.

Cette mise en liberté, ces paroles du commissaire semblaient assez ambiguës. Sans aucun doute Beursaut avait agi, mais de quelle manière ?

– Que ferez-vous de Tiburce Peridel ? demanda Félix.

– Nous lui conseillerons de quitter Dinant le plus tôt possible. Il est animé pour le moment des meilleures dispositions.

– Ne puis-je le voir un instant ? demanda Félix.

– Il vaut mieux que vous vous rendiez sans retard chez M. Beursaut, dit le commissaire.

Durant la nuit, les habits que Félix portait avaient séché sur son corps. Il les sentait coller à sa peau tant ils étaient fripés.

« Par quelle aberration… » murmurait-il comme il longeait les magasins de la Grande-Rue, avec la terreur d'être reconnu au passage. Des gens le considéraient de loin. Il gagna sa chambre. Dans le couloir de la maison, une porte s'entrouvrit silencieusement et se referma aussitôt. La digne propriétaire ne daignait pas lui parler, comme elle le faisait si volontiers d'habitude. Un simple regard dans la fente de la porte.

Lorsque Félix eut changé de costume et se fut rasé, il se sentit mieux et presque disposé à croire que son aventure c'était une plaisanterie sans importance. Il se rendit chez Beursaut où il arriva peu après six heures. Les dactylos étaient parties. Il trouva Beursaut assis dans le fauteuil du bureau.

– Je vous attendais, dit Beursaut. Je dois vous mettre au courant de ce qui s'est passé.

Beursaut ne pria pas Félix de s'asseoir. Après s'être éclairci la gorge il commença un discours, selon son habituelle méthode.

– Bien des choses ont changé depuis hier, dit-il. Certes je n'ai eu qu'à me louer de votre bonne volonté durant les semaines que vous avez passées ici. Hélas, on voit fréquemment de fidèles subalternes qui n'attendent qu'une occasion de tromper la confiance de ceux qu'ils servent. Ne protestez pas. La vie est ainsi. Vous ne m'avez causé aucun tort jusqu'à présent, mais vous avez réussi à vous introduire dans... vous avez réussi à vous introduire dans une excellente famille et à me prendre pour garant. J'ai eu le tort de n'avoir pas pris de renseignements assez précis sur votre compte. J'étais aussi émerveillé, je l'avoue, par la figure d'un jeune homme qui avait dû s'élever grâce à un effort méritoire. Je ne nie pas l'effort, mais je doute de vos intentions. Ne vous énervez pas. Vous avez beaucoup de chance d'échapper aujourd'hui à la justice. Bien sûr vous avez cette nuit commis une imprudence, dont vous devez vous mordre les doigts. Mais c'est un bonheur que votre nature ait eu l'occasion de se... que votre nature ait eu l'occasion de se manifester avant qu'il soit trop tard. J'en viens aux faits.

Beursaut fit une pause. Félix, qui aurait voulu interrompre plus d'une fois le discours de son patron, ne trouva plus rien à dire à ce moment-là.

– La nouvelle s'est répandue très tôt dans la matinée, et si rapidement que nous n'avons pu empêcher ce fait divers de dernière minute d'être publié sur le journal du lieu, qui est sorti à midi. On n'a mentionné que vos initiales, mais c'est déjà beaucoup trop. Le commissaire m'a prévenu aimablement et il m'a mis au courant de toutes les circonstances. J'ai pris aussitôt des renseignements sur ce Tiburce Peridel. Des personnes de Namur m'ont téléphoné et assuré que naguère...

assuré que naguère vous aviez été pris dans une maison de jeu en compagnie de cet individu qui était votre ami de cœur. Quoique bien du temps ait passé, rien ne prouve que vous ayez rompu les relations avec lui. Je ne veux pas faire d'allusion à vos origines. On dit à Namur, m'a-t-on rapporté, que les Marceau eurent bien du mal pour corriger autant qu'il se pouvait les penchants que vous auriez hérités d'un père... hérités d'un père malchanceux dont personne d'ailleurs ne connaît l'origine. C'est une raison pour que je m'efforce de rester votre ami. Voyons la suite.

Beursaut toussa.

– J'ai prévenu les Dorme, Gilles est accouru et nous nous sommes consultés. M. Dorme connaît personnellement le directeur de l'hôpital. On a pu s'entendre avec votre adversaire avant que le commissaire entreprenne son enquête. Nous l'avons persuadé de se faire passer pour l'agresseur afin d'établir la légitime défense. Gilles, je peux l'assurer, n'a reculé devant aucun sacrifice.

– Tiburce Peridel a été réellement attaqué par cet homme. J'ai pris sa défense, dit Félix sur le ton de la révolte.

– Vous avez pris sa défense, répliqua Beursaut, après quoi vous vous êtes sauvé avec ce Peridel afin de ne pas avoir l'occasion de prétendre que vous étiez dans votre droit. Concluons, s'il vous plaît.

Beursaut à ce moment fit signe à Félix de s'asseoir.

– Chacun peut se tromper, reprit-il. Les Dorme bien sûr ne veulent plus entendre parler de vous pour le moment. Vous-même vous seriez affreusement gêné d'avoir le moindre entretien avec l'ami qui vous a tiré d'affaire moyennant une somme... moyennant une somme que vous êtes incapable de rembourser. Je le répète, chacun peut se tromper. Voici ce que je vous propose. Nous avons une maison sœur à Liège, vous le savez. Je puis vous y réserver un emploi certes moins brillant que celui que vous occupiez ici. Mais vous pourrez avec le temps prouver votre droiture et attendre un poste meilleur, peut-être revenir après quelques années occuper celui que vous aviez auprès de moi.

– Après quelques années, murmura Félix.

Il songeait à Juliette. Tout espoir était perdu évidemment.

– Ce n'est qu'une petite aventure en apparence, poursuivit Beursaut. M. Dorme, avec qui j'ai eu un entretien, m'a gentiment assuré qu'il n'y avait pas de quoi fouetter un chat, et que son fils était trop heureux de vous venir en aide. Il a même fait votre éloge, une fois de plus, estimant que vous aviez su avec une aisance remarquable faire oublier vos origines (on en revient toujours à cela, n'est-il pas vrai?). Il a ajouté non sans humour que vous seriez peut-être parvenu à épouser sa fille, tant vous nous aviez éblouis.

– En somme il s'est toujours moqué de moi, et vous-même…

– C'était intéressant de vous voir grimper à l'échelle sociale, mon cher ami, et pour ma part je vous soutenais autant que je le pouvais, ne cessant de vous… ne cessant de vous encourager, si vous voulez bien vous en souvenir.

– Un jeu, dit Félix.

– En tout cas, je tiens à préserver votre avenir. Une petite aventure… Il en faut beaucoup moins pour perdre une situation. Le simple fait que vous ayez connu jadis le jeune Peridel ne vous mettait-il pas déjà en état d'infériorité?

Félix ne pouvait rien répondre à cela, s'étant fait lui-même maintes réflexions à ce sujet. Cependant, il eut un sursaut. Il s'écria :

– Sans doute, dans votre société, jamais il n'y a de compromissions ni rien de douteux.

Beursaut considéra Félix et il dit avec le plus grand calme :

– Vous ignorez l'art de maintenir l'honorabilité. Chacun peut mentir et tricher, cela est certain. Dans notre société, comme vous dites, il y a bien des tares, mais voyez-vous, il faut savoir jouer son rôle et le maintenir coûte que coûte. Le maintenir, me comprenez-vous? En cela vous manquez de conviction.

– De quelle conviction voulez-vous parler ? De quel rôle ?

– C'est une question que vous ne devriez même pas poser.

Beursaut réfléchit quelques instants, puis il dit sur un ton de grande amitié :

– Les ancêtres des Dorme étaient des paysans pauvres... Mais vous savez bien...

Oui, Félix savait. En dépit des malheurs et des erreurs qui peuvent être le partage de tous, la vie des Dorme avait un charme idyllique et toujours il en aurait le regret. Alors, par quel élan était-il entraîné loin de tout cela ?

– Coupons court, décida Beursaut. Dans une petite ville, les gens sont attachés à certaines convenances.

– Nous y voici, dit Félix. En ce qui concerne votre proposition, je vous demande quelques jours pour y réfléchir.

– A votre aise, conclut Beursaut. Revenez me voir lundi.

Félix rentra chez lui. Il s'enferma dans sa chambre et n'alla pas dîner ce soir-là. Il avait beaucoup de mal à comprendre que sa situation s'était soudain effondrée. Il pensait que Gilles lui rendrait visite, mais Gilles ne vint ni ce jour-là ni le lendemain. Félix alla prendre ses repas dans un petit café, auprès de la gare, où il ne risquait pas d'apercevoir des visages familiers. Sa propriétaire était restée invisible. Le samedi matin, Félix monta dans un train pour se rendre à Calais d'où il comptait prendre le bateau à destination de Douvres.

Dès qu'il fut dans le train, Félix eut le sentiment qu'il n'existait plus pour lui aucun problème. Rien que des difficultés. Une alliance avec les Dorme n'avait paru possible qu'à la faveur de circonstances exceptionnellement bénéfiques. Son amour avait été mêlé à certains obscurs calculs. C'était sûr qu'il s'émerveillait de toute fortune et de tout confort. Certes il n'oubliait pas cette brûlure quand il s'approchait de Juliette. La jeune fille semblait prête aussi à l'écouter. Mais il n'y avait rien là qu'incertitudes. Surtout il ne fallait pas maintenant jouer la passion désespérée. Quant à Gilles, celui-ci ne pouvait faire l'impossible ni le prendre en pitié. C'était bien qu'il ne fût pas venu lui rendre visite.

Félix ignorait pour quelles raisons il se rendait à Londres. Il était bien décidé à ne pas être au rendez-vous qu'il avait fixé à Juliette. Ce rendez-vous avait toujours paru assez problématique, malgré les encouragements de Gilles, et maintenant il était parfaitement imaginaire. A moins que Juliette, sans aucun doute prévenue de l'incident, fût prise de curiosité ? Il n'avait que faire de la curiosité de Juliette. Alors pourquoi allait-il à Londres ? Pour rien, c'était sûr.

Dès qu'il eut changé de train à Charleville et qu'il eut sauté dans le rapide de Calais, Félix considéra la campagne avec intérêt. Ces champs et ces bois n'avaient pas le charme de ceux qu'il parcourait il y avait si peu de temps en compagnie de Gilles et de Juliette, mais ils semblaient pénétrés d'une fraîcheur nouvelle. Après le dégoût qu'il avait éprouvé, une peine étrange prenait possession de lui. Une rupture... C'était ce qu'on appelle le cœur brisé, et cela faisait rayonner incroyablement ces chaumes, ces herbages, et ces bosquets à cause d'un espoir qui n'était pas l'espoir de ceci ou de cela, seulement l'espoir sans rien qu'on puisse attendre.

« Drôle d'affaire », songea Félix qui se mit à lire son journal.

Il n'y avait pas trois jours il lisait une anthologie des prosateurs du XIXᵉ siècle. Le journal était maintenant plus près de son cœur que n'importe quel livre. Il y trouvait les noms de toutes les villes du monde, celui de Londres bien sûr. Faits divers misérables, randonnées de voiliers, triomphes de la beauté et de la cruauté dans les cinémas et ailleurs, c'étaient autant de chansons pour passer le temps au milieu des rumeurs éclatantes du train. Maintenant la grande plaine du Nord. Hazebrouck, Saint-Omer...

A Calais, il se demanda s'il ne ferait pas demi-tour. Mais lorsqu'il aperçut le bateau, il suivit la foule des voyageurs qui embarquaient. Bientôt ce fut la mer. Il n'avait pas vu la mer

depuis cette virée à Ostende avec Tiburce et les autres gars. Il
se demanda pourquoi la mer lui parut bien plus belle
qu'autrefois. Il y avait une houle légère et par-delà apparurent
bientôt les côtes d'Angleterre.

Il était impatient de voir Londres, bien qu'il s'intéressât
déjà à tous les détails de la campagne anglaise, aux troupeaux,
aux houblons, aux villas, aux chats sur les perrons. Quand il
fut sorti de la gare de Charing Cross, il demeura, quelques instants stupéfait. Il y avait un ciel pur au-dessus des immeubles.
Les gens se pressaient comme s'ils étaient porteurs d'une nouvelle étonnante.

Il alla retenir une chambre dans un hôtel, puis il erra
jusqu'à la nuit au long des rues. Le lendemain aussi, il marcha
au hasard. Cependant, il avait acheté un plan de la ville, et il
prit à cœur d'examiner les monuments et les curiosités. Il se
rappela les courses à vélo qu'il avait faites, étant gosse, allant
visiter les églises aussi loin de Namur que c'était possible.

Il longea King's Road au début de l'après-midi et il se hâta
de s'éloigner de ce lieu où il avait donné rendez-vous à Juliette.
Peut-être avait-il obscurément espéré la rencontrer par une
chance inouïe. Mais lorsqu'il comprit que cette rencontre
devenait possible, il s'enfuit véritablement. Il n'était pas venu
à Londres pour Juliette.

Comme il se reposait sur un fauteuil à Hyde Park, il aperçut une jeune fille et eut l'idée que c'était Puceronne. Tiburce
supposait l'avoir croisée en Angleterre. Mais Félix n'eut pas
plus de certitude que lui à cet égard. Qu'avait-il à faire de
cette fille ? Elle lui était tout à fait indifférente. Il réussit, au
début de la soirée, à trouver une place dans l'avion de
Bruxelles.

Le lundi matin, Félix se présenta à la maison Beursaut. On
le fit attendre une petite demi-heure dans le vestibule.
Lorsque Beursaut ouvrit la porte de son bureau, il avait son
sourire aimable.

– Vous avez réfléchi ? demanda-t-il aussitôt.

– Je suis allé à Londres, dit Félix.

– J'ai appris hier que Juliette Dorme était en Écosse justement.

– Je ne suis pas allé à Londres pour voir Juliette Dorme, dit Félix.

– Alors pourquoi diable ?

– Comme cela, dit Félix.

– Vraiment je ne comprends rien à votre conduite, déclara Beursaut.

– Il n'y a rien à comprendre, assura Félix. Je suis venu vous remercier de l'offre que vous m'avez faite. Je ne pense pas que je puisse l'accepter.

– Voyons, dit Beursaut, vous êtes encore obsédé par votre mésaventure. Pourtant vous avez changé d'air, en faisant ce petit voyage.

– Je n'avais pas besoin de changer d'air. J'étais curieux de connaître Londres. J'ai vu les Turner dans un musée. Des années que je voulais voir les Turner.

– Moi aussi j'aimais Londres, dit Beursaut. J'y ai mené quelques affaires. Mais vous avez dû épuiser vos économies. Je vous ai déjà fait quelques avances et, si vous quittez la maison, vous n'aurez plus qu'une légère somme à recevoir.

– J'irai à Namur, dit Félix.

– Comment vous recevront les Marceau ?

– Je ne tiens pas à leur rendre visite, pour le moment.

– Alors, quoi faire à Namur ?

– Rien. Il faut que j'aille.

Beursaut ne trouvait plus rien à dire. Il se leva et se mit à arpenter le bureau.

– Je ne sais ce que vous avez en tête, non, je ne le sais pas, dit-il enfin. Mais je ne peux me résoudre à me séparer de vous. J'ai vu Gilles avant-hier. Le matin même où vous vous trouviez au commissariat il avait reçu une lettre de sa sœur qui était partie pour l'Écosse où elle devait rester une huitaine de jours. Gilles m'a avoué que vous lui aviez donné rendez-vous à Londres. Tout cela est assez confus. Sans doute nous nous sommes tous trompés. Nous vous avons sottement encouragé.

Est-ce que Beursaut et Gilles mentaient? Voulait-on éviter la moindre compromission entre lui et Juliette?

– Aimiez-vous Juliette Dorme? demanda Beursaut.

– J'aimais Juliette Dorme et j'aimais sa fortune, dit Félix brusquement. Peut-être elle m'aimait elle aussi.

Beursaut ne cessait d'arpenter la pièce.

– Je veux que vous restiez dans ma maison, déclara-t-il, c'est-à-dire que vous alliez dans ma maison de Liège. Ici la situation n'est plus tenable à cause de ces fichues convenances. Mais là-bas vous saurez faire du bon travail. Vous êtes capable... Plus tard vous vous établirez. Vous vous marierez. Je vous trouverai un bon parti.

– Je ne veux rien, dit Félix avec brusquerie.

Beursaut, qui croyait s'être montré compréhensif, parut choqué par ce refus. Il eut un mouvement de colère.

– Lorsque vous aurez suffisamment éprouvé qu'il n'est pas si facile de trouver un emploi, vous nous reviendrez, déclara Beursaut. Mais réfléchissez encore avant de partir aujourd'hui. Car peut-être je ne serai plus disposé à vous accueillir dans la suite.

– C'est tout réfléchi, dit Félix.

Ils se séparèrent après que Beursaut eut compté la petite somme qui revenait à son secrétaire. En regagnant sa chambre, Félix avait le sentiment d'un désordre total. Il ne jouait pas un beau rôle. Tout s'était défait non pas même parce qu'il s'était conduit comme un bravache avec Tiburce, mais parce qu'il y avait en lui une erreur foncière. S'il savait s'adapter aux astuces du commerce, il n'avait aucune idée déterminée sur la vie comme Gilles, Juliette, le père Dorme, qu'ils fussent riches ou pauvres. Lui, Félix, avait eu la folie de parvenir et il était livré à de petits mensonges et à de petites vérités. Pas la moindre passion cataloguée. C'est ce que les autres voulaient, qu'il se montre capable d'une passion.

Alors pourquoi n'avait-il pas accepté les offres de Beursaut? Un emploi qui lui procurerait plus tard de sérieux pro-
fits, et l'espoir d'un bon mariage par-dessus le marché?
Beursaut avait des relations. Forcément, il y reviendrait tôt ou
tard à cet emploi. Félix fit ses bagages et alla trouver sa propriétaire Mme Tolmais.

  – Je vous demanderai de vouloir bien mettre de côté les deux
grandes valises qu'il y a dans ma chambre, lui dit-il. Je les prendrai ou je les ferai prendre dans quelque temps. Je viens vous
régler mon mois.

La propriétaire, qui ne craignait rien tant que d'être obligée
de garder ce locataire qui n'était plus selon son rang, consen-
tit à prendre les valises et reçut avec hauteur la somme qui lui
était due. Elle n'eut pas un mot aimable. La réputation de
Félix Marceau à Dinant était devenue déplorable sans aucun
doute. La femme du notaire avait dit à la chapelière qui avait
dit à dame Tolmais et à cent autres qu'elle avait toujours
estimé que ce Marceau avec ses grands airs sortait d'un milieu
insignifiant. « C'est le mot : insignifiant », avait répété dame
Tolmais.

Lorsque Félix fut installé dans un compartiment, cet après-
midi-là, il se demanda ce qu'il ferait à Namur. D'anciennes
connaissances lui procureraient peut-être un emploi? Cela lui
paraissait improbable. Après tout, Namur c'était son pays.
Non, ce n'était pas son pays, pas plus que Lillers, mentionné
sur ses papiers d'identité. Il n'avait pas de pays. Il possédait la
nationalité française et qu'est-ce que cela pouvait faire
encore? Revoir Namur. Il n'y avait séjourné que quelques
jours, après ses études à Charleville, à la fin des grandes
vacances qu'il passait toujours au lycée ou dans une pension.
Et aussi quelques jours de temps à autre quand il avait été à
l'école technique de Bruxelles. Les Marceau l'avaient reçu avec
leurs façons austères. Il les aidait dans leurs besognes. Il leur
devait beaucoup en vérité. Mais cette fois il estimait impossible
de leur conter sa petite histoire qui les aurait désespérés de

bout en bout. Alors voir Namur, pourquoi ? Beursaut avait raison. Mais il fallait rompre.

Le train partit. En regardant défiler le paysage, il eut encore la vision d'une campagne qui lui parut singulièrement riante, et même un peu folle avec les lumières vives du fleuve que la voie longeait, les maisons, le ciel bleu, les bois. La Sambre était derrière le bois, là-bas où ils avaient emmené Puceronne et découvert son visage.

Lorsque Félix sortit de la gare de Namur avec son petit bagage, il ne songea pas à retenir une chambre dans un hôtel. A peine s'il regarda autour de lui. Sans aucun doute Beursaut donnerait sur son compte d'honorables renseignements et ses diplômes lui ouvriraient des portes. La difficulté c'était de faire des démarches, et il lui semblait difficile d'en appeler à son ancienne école qui lui avait procuré son premier poste à Dinant. Il faudrait rechercher d'anciens camarades qui le présenteraient aux gens du commerce. Le dénommé La Banque travaillait justement dans une banque, et il était sans doute resté en relations avec les vieux amis, puisqu'il n'avait jamais quitté Namur.

Félix ne cessa de retourner le problème tandis qu'il arpentait les rues. Pourquoi n'avoir pas accepté l'offre de Beursaut ? Non, cela jamais ! Pourquoi jamais ? C'était simplement l'évidence. Avait-il tant aimé Juliette ? S'était-il attaché à Gilles au point de ne pouvoir supporter d'être abaissé à ses yeux ? Orgueil. Mais il y avait une autre évidence : il ne chercherait pas de sitôt un emploi commercial. S'établir, trouver un bon parti, cette perspective lui paraissait maintenant inadmissible. Il avait trop désiré se poser en homme sérieux. Il ne serait plus jamais sérieux. Alors, comment vivre ? Il pouvait tenir quinze jours ou trois semaines, et après ? Que voulait-il ?

Il marcha au hasard, gagna Saint-Servais. Au passage, il reconnut des coins où la bande des Neuf se rassemblait. Ridicule... Quand il avait travaillé à Charleville et puis dans cette école technique à Bruxelles, il avait pensé trouver la vie vraiment, mais il n'avait fait que poursuivre des vues égoïstes.

Rien ne valait rien. Tout de même, autrefois, à travers la petite enfance désordonnée, il y avait de loin en loin des idées fulgurantes. Quelles idées ?

Félix aimait Namur et une ville aimée doit vous consoler. Mais bien loin d'éprouver un sentiment de paix même provisoire, il se prenait à remâcher des réflexions. Il se dit que d'abord il était horriblement vexé.

Il poursuivit sa marche. Des passants le regardaient. Non, personne ne le regardait. A travers Saint-Servais, il arriva en pleine campagne. Il redescendit sur la route de Nivelles et gagna la vallée de la Sambre toute proche. De petites rues de banlieue, des allées. Il s'arrêta, épuisé, à l'angle d'une allée et s'assit sur une borne. Il alluma une cigarette.

Tout cela pour revenir dans deux jours trouver Beursaut : « Je me suis trompé, je n'aurais pas dû. » Il murmura : « Jamais, jamais. » Il était huit heures du soir. L'ombre venait lentement. Il leva les yeux. Dans l'allée s'élevait, derrière une grille, une maison assez vaste avec un clocheton.

S'il avait voulu, il aurait été capable avec une pierre d'atteindre du premier coup ce mince clocheton de zinc. Personne ne pouvait lui disputer cette remarquable habileté. Le malheur, c'est qu'une telle habileté ne soit pas monnayable. Il eut un saisissement. Cette maison, c'était la maison de Puceronne, où certain après-midi on avait mené ce beau chambard. Puceronne, ou l'Ange comme l'appelaient ses amis… Il revit son visage qu'ils avaient dévoilé une fois, lui et Tiburce. Il tourna le dos et se sauva le long de la rue.

Si Puceronne (bien changée c'était sûr) avait ouvert la porte et l'avait aperçu et reconnu, ç'aurait été pour lui une humiliation pire que de se retrouver en présence de Juliette. Il l'aurait haïe si elle l'avait surpris dans des circonstances aussi piteuses. Haïe, c'est beaucoup dire, mais le mépris avec lequel Puceronne (ou l'Ange !) l'avait considéré jadis, quand ils l'avaient emmenée dans le bois, c'était encore plus amer que le mépris des Dorme. Un mépris splendide.

Félix retrouva la pleine campagne, comme la nuit tombait. Il ne désirait nullement se rendre dans un hôtel et dormir dans une chambre. Il ne pouvait pas même se dire vraiment malheureux. Il n'avait qu'à dormir et tout cela passerait. Mais surtout ne pas dormir dans une chambre… Il découvrit en dépit de la demi-obscurité un petit fossé entre un verger et un champ de betteraves. Il s'y coucha, et posa la tête sur son bras. Il s'endormit presque aussitôt.

Il s'éveilla au milieu de la nuit, et regarda les étoiles.

C'est à ce moment-là qu'il eut la sensation vive qu'une aventure commençait. Il ne parvenait pas à savoir de quelle aventure il s'agissait. Lorsqu'il avait rencontré Tiburce et s'était battu avec l'autre, lorsqu'il avait résolu de quitter la maison Beursaut, on pouvait parler d'incidents, mais cela n'avait rien de comparable à ce qu'il voyait soudain comme à travers les étoiles.

Il avait fait l'idiot. Il continuerait. C'était peut-être une nécessité qui s'emparait de lui, pour des raisons de famille, si l'on peut dire, parce qu'il avait eu un père qui avait mené une mauvaise vie et qu'il ne pouvait rien faire que la suivre par tempérament, par amitié aussi, malgré les efforts louables qu'il avait accomplis pour y échapper.

Mais il y avait encore autre chose : ces étoiles dont on devait tenir compte, ce pays qui dans la nuit lui paraissait tout à fait étranger. « Tu te montes la tête, se dit-il. Tu es fatigué. Tu regrettes Juliette tout simplement. » Il revoyait Juliette, ses yeux noirs, son visage adorable. En tout cas, cette idée d'une aventure ne pouvait concerner Juliette. C'était la misère du petit monsieur qui fait de vagues coups de tête, et s'empêtre dans les ennuis mesquins. Rien d'héroïque, une sorte de crasse, comme celle de ce fossé où traînaient de sales herbes. Alors, voilà, au-dessus de tout il y avait quand même les étoiles qu'il n'avait jamais regardées, et que ces gens prospères

ne regardaient pas vraiment. Rien que pour voir ce ciel, cela
valait la peine d'être le pire des imbéciles. Quelque chose arrivait qui devait être la vérité essentielle. Le temps n'avait rien
à voir à cela, ni Juliette, ni Puceronne, ni la profession qu'il
pourrait exercer.

Il resta une grande heure, les yeux ouverts, à considérer le
ciel, les arbres voisins, noirs sur le ciel, et puis sa main qu'il
leva au-dessus de son visage. Il y avait une disproportion
insensée entre cette main si proche et les distances tracées
dans le firmament. S'il n'était jamais né, la disproportion ne
pouvait être plus grande. Il aurait fallu peut-être s'assurer
d'une naissance illustre, trouver l'illustre pays où l'on n'est
plus jamais enfant abandonné. Il éleva encore sa main un peu
plus haut du côté du ciel. Ce n'était vraiment qu'une petite
ombre enfantine. « Je suis au-dessous de tout, c'est sûr, murmura-t-il, dans tous les sens. » Puis il se rendormit.

Il s'éveilla comme le jour était levé depuis longtemps. Avant
de sortir de son fossé, il s'assura qu'il n'y avait personne aux
alentours, et il reprit le chemin de Namur. Il avait faim. Il
entra dans une boulangerie.

Il arriva au pied de la Citadelle, puis il gagna par des rues
familières le confluent de la Sambre et de la Meuse. Le lieu
était solitaire. Il s'accouda à un parapet. Il n'arrivait pas à se
souvenir du temps de l'enfance, où il croyait que ce confluent
c'était la mer. Maintenant, pour quelques jours au moins, il
jouissait d'une liberté qu'il n'avait jamais connue. Il revint le
long de la Sambre. Qu'allait-il faire de ce côté ? L'oncle de
Tiburce habitait par là. Il parlerait volontiers avec lui.

Comme il arrivait dans les parages de la maison de l'oncle,
il aperçut entre deux murs de jardins un personnage étendu au
soleil, la tête posée sur son veston replié, et qui fumait en
s'appliquant à faire des ronds de fumée.

– Tiburce ! s'écria-t-il.

Tiburce acheva de composer un rond de fumée avant de
lever les yeux.

– Ils t'ont libéré enfin, dit Félix, je craignais pour toi.

– Toi aussi, ils t'ont libéré, dit Tiburce sans bouger de sa position confortable. On t'a même fichu dehors à ce que je comprends.

– Ils ne m'ont pas fichu dehors. Beursaut m'a proposé de m'employer à Liège dans une maison à lui. J'ai refusé.

– Tu n'as pas l'esprit pratique, dit Tiburce. Moi, à ta place, j'aurais accepté.

– Tu comprends, dit Félix.

– Je comprends. On a quelquefois des idées qui ne riment à rien. C'est comme les fleurs sauvages. Mais cela tombe mal. Moi qui voulais me ranger et te demander des conseils. Qu'est-ce que tu vas faire maintenant ?

– Je ne sais pas, dit Félix.

– Moi non plus, je ne sais pas, dit Tiburce.

Il aspira une nouvelle bouffée et lâcha une demi-douzaine de petits anneaux qui montèrent comme des ballons.

– Pour cela, il ne faut pas le moindre vent, expliqua-t-il. Ce matin c'est une chance rare.

– Tu as vu ton oncle ? demanda Félix.

Félix leva les yeux au ciel pour suivre un dernier anneau.

– Pour un peu j'arriverais à les enfiler sur les pointes de la grille là-haut, dit Tiburce. Mon oncle, j'ai appris qu'il était parti pour Charleville où il habite maintenant. Il ne pouvait plus supporter le voisinage de la maison où il n'y a plus mes parents.

Félix s'assit à côté de Tiburce contre le mur. Maintenant le temps ne comptait plus ni rien. Il alluma une cigarette.

– Si tu veux, je peux t'apprendre, dit Tiburce.

– Quoi ?

– A faire des anneaux.

– Je ne suis pas doué, dit Félix.

Derrière eux dans le jardinet, un merle chanta. Quand le silence revint, Félix se mit à reprendre le chant du merle.

– Ça, c'est un don, assura Tiburce.

– Alors ton oncle est parti ?

– Tout ce qu'il y a de plus parti.

– On déjeune ensemble tout à l'heure ? demanda Félix.

– Tu es riche ?

– Comme ça.

– Moi aussi, comme ça. Heureusement je t'ai volé un billet de cinq cents l'autre jour quand tu jouais au poker. Comme tu l'aurais perdu, de toute façon… Je crois que la première des choses en ce monde c'est de faire des économies.

– Tu as des économies ?

– Un billet de cinq cents, je te dis. Je t'invite à déjeuner, conclut Tiburce.

Il se leva et s'étira. Ils se dirigèrent ensemble vers le centre de Namur. Ce n'était pas encore l'heure du déjeuner, mais il n'y a rien de mieux qu'une petite promenade pour se mettre en appétit. Ils allèrent du côté du théâtre dont ils lurent les affiches puis ils longèrent les magasins jusqu'à la gare. Il ne leur venait pas à l'idée de parler de leur mésaventure de Dinant. Cela paraissait très loin dans le passé et ils étaient dans des dispositions telles que l'avenir aussi leur semblait très loin.

Ils revinrent par une petite rue dans les parages de l'église de Saint-Loup, et ils aperçurent une foule de gens massés devant l'église. On célébrait un mariage apparemment magnifique. Des voitures flambantes vinrent se ranger devant le portail. Quand tout le monde fut entré, Tiburce dit :

– On a le droit d'aller jeter un coup d'œil.

Il monta les marches avec Félix et ils prirent place dans le fond de l'église, tandis que l'office commençait. Ils pensaient demeurer là quelques instants, mais ils ne purent se détacher de la cérémonie, qu'ils suivirent avec une attention passionnée. Ils attendirent la sortie des mariés et de toute la procession des parents et invités. Quand ils se retrouvèrent dans la rue déserte, Tiburce dit :

– Voilà deux jours que je suis à Namur. J'ai eu le temps

d'apprendre que ma jeune garce ne devait pas revenir à
Namur. Où elle se trouve en ce moment, je n'ai pas pu le
savoir. Tu n'imagines pas ce qu'elle est belle. Une blonde aux
yeux bleus.

Félix dit aussitôt :

– Juliette avait les yeux noirs, un visage éblouissant, mon
cher.

– Tu ne m'avais pas parlé de Juliette, dit Tiburce.

– C'est la fille des Dorme, une grande famille qui a une
sorte de château près de Dinant.

– Les parents de la mienne n'ont pas de château, mais une
villa de quatorze pièces. C'est déjà trop pour moi.

– Tu sais, moi, je n'ai plus aucune chance, assura Félix.

– Moi non plus ! dit Tiburce. En tout cas ce mariage qu'on
a vu tout à l'heure, c'était vraiment un beau mariage.

– Extraordinaire, dit Félix.

Ils étaient revenus du côté du confluent.

– Tu ne crois pas qu'on pourrait aller trouver ton oncle à
Charleville ? demanda Félix.

– Une idée comme une autre, observa Tiburce. Une riche
idée même.

– J'ai dit cela sans réfléchir, murmura Félix.

Ils se rendirent à la gare afin de voir l'heure du train pour
Charleville, puis ils allèrent manger des moules dans un restaurant.

– Tu aimais mon oncle, disait Tiburce.

– Je ne sais pas pourquoi, constatait Félix.

Ils se mirent à parler de l'oncle. Certainement c'était un
homme comme on en rencontre beaucoup. Sa vie de marin
avait été sans grands événements, et celle qu'il menait à
Namur se partageait entre des occupations ménagères, son
petit jardin, le journal et la radio. Il allait de temps à autre
faire un tour du côté de la Meuse. Félix et Tiburce dans leur
enfance l'imaginaient très vieux. Il avait alors la soixantaine
sans doute.

– Guère plus de soixante-dix maintenant, assurait Tiburce.

– Tu comprends, il nous écoutait toujours, dit Félix. Il avait l'air d'attendre et de savoir des choses.

– Peut-être qu'il n'attendait rien et qu'il ne sait rien, mais il avait l'air, c'est sûr, reprenait Tiburce. Il ne faut pas espérer qu'il nous donnera des conseils.

– Quand même c'est le seul ami qu'on puisse trouver aujourd'hui, dit Félix.

– Évidemment. Mais toi, tu devrais bien retourner chez Beursaut, ça simplifierait tout.

– Je ne veux pas, dit Félix.

– Je comprends, je comprends, murmurait Tiburce qui aurait été bien en peine d'expliquer ce qu'il avait compris.

Ils sortirent du restaurant, et ils allèrent du côté de la gare.

– Toi, tu n'as pas de bagage ? demanda Félix.

– J'ai mon petit bagage à la consigne justement, dit Tiburce.

Ils se rendirent à la consigne, puis ils entrèrent dans la salle d'attente. Ils n'étaient pas décidés du tout à se rendre à Charleville, bien que ce jour-là et sans doute les suivants ils dussent simplement errer à droite et à gauche, très incertains de ce qu'ils devaient entreprendre. Tiburce avoua qu'il aurait songé vaguement à rejoindre les contrebandiers, mais qu'il aimerait mieux autre chose.

– Ça ne va guère, disait Félix.

– Qu'est-ce qui peut aller ?

Ils regardèrent les voyageurs qui entraient et venaient s'asseoir, comme si quelque inconnu devait soudain leur apporter un renseignement d'une valeur considérable. Ils entendirent l'annonce d'un train qui entrait en gare et partait pour Givet.

– Givet, tu penses, dit Tiburce, et puis Charleville.

Soudain un employé cria : « Dinant, Givet. » Félix se dressa et d'un bond se précipita au guichet. Il revint après quelques instants, criant qu'il avait les billets. Ils filèrent sur le quai, descendirent les escaliers et suivirent le passage souterrain en priant pour que le train ne fût pas parti. Ils eurent d'ailleurs largement le temps d'y monter et de choisir un compartiment. Quand ils y furent installés, ils éclatèrent de rire.

– Cela durera ce que cela durera, dit Félix, mais on va se payer des vacances, figure-toi.

– Des vacances, j'en ai toujours rêvé. J'avais un sale métier où on est tout le temps dérangé.

– Moi aussi, j'avais un drôle de métier, dit Félix. Toujours à recevoir des honorées lettres et à en expédier.

– Quand même, objectait Tiburce, tu avais une vraie position sociale.

– J'avais, reconnut Félix.

– Qu'est-ce qui t'empêche d'avoir encore ? insistait Tiburce.

– Je suis un incompris, dit Félix.

Ils rirent encore. Ils ne pensaient qu'au plaisir du voyage.

– Tu as des papiers en règle pour la frontière ? demanda Félix.

– J'en ai une collection. L'embarras du choix, dit Tiburce.

Ils arrivèrent à Charleville vers la fin de l'après-midi, et ils allèrent d'abord s'asseoir dans le square.

– On n'a pas pensé, dit Tiburce. Les voisins m'ont bien certifié que mon oncle était à Charleville, mais je n'ai pas son adresse.

Cela leur parut une nouvelle occasion de se réjouir.

– Il y a cent moyens de retrouver quelqu'un, dit Félix.

– Cent moyens et pas un de bon, dit Tiburce.

Ils s'ingénièrent à former un plan de recherches. D'abord l'oncle avait sûrement un jardin. Il fallait s'informer dans les rues de la banlieue.

– Tu connais Charleville, dit Tiburce.

– J'ai fait des promenades quand j'étais au lycée. On allait toujours sur les mêmes routes. Je sais qu'il faudrait plutôt chercher vers le nord, ou vers l'ouest.

Ils remontèrent jusqu'au-delà de l'Hôtel de Ville, contournèrent le cimetière, suivirent des rues peuplées de petites maisons, posèrent des questions inutiles à droite et à gauche, se perdirent dans la campagne et revinrent sur leurs pas. Ils s'assirent enfin épuisés contre une petite palissade de bois qui entourait le jardin d'une baraque à la limite d'un terrain vague.

– Qu'est-ce que vous faites là ? dit une voix.

La voix de Célestin Prestaume. Ils furent bouleversés comme si un ange leur était apparu. Ils se regardèrent et ne pensèrent même pas à se lever. Bien sûr, cette chance inouïe ne leur procurerait sans doute aucun avantage pour l'avenir, mais cela vaudrait la peine d'avoir connu cela, si seulement c'était vrai. Félix fit un signe de dénégation. Tiburce secoua la tête de la même manière. Ils regardèrent le bout de leurs souliers.

– Alors, vous rêvez ? reprit la voix.

– Sûrement on rêve, dit Tiburce qui tourna la tête avec une sorte de crainte.

Il aperçut le visage et les épaules de l'oncle au-dessus de la palissade, et se dressa brusquement. Félix se leva à son tour, et pas plus que Tiburce il ne songea à souhaiter le bonsoir à l'homme qui souriait.

– Allons, venez par là, dit Célestin.

– On t'a cherché dans toute la ville, dit Tiburce.

Ils le suivirent le long de la palissade jusqu'à la petite porte du jardin. L'oncle serra son neveu dans ses bras, puis il prit les mains de Félix.

– Entrez, dit-il. Vous allez vous restaurer un peu.

C'était une bicoque avec une cuisine et deux chambres, un très ancien baraquement qui avait subsisté en ce lieu on ne savait pourquoi. Alentour étaient bâties quelques villas de pacotille. Le lieu demeurait silencieux mais on entendait au loin la rumeur de la ville.

L'oncle s'affaira autour de son poêle et confectionna une omelette.

– Allons, raconte-moi ton histoire, dit l'oncle.

– Cela ne se raconte pas, répondit Tiburce. La mer et puis

des trafics, un peu de contrebande. Maintenant je veux me ranger.

— Je vois, murmura Célestin.

— Si on est ici, c'est à cause de Félix, dit Tiburce. Il a eu un chagrin d'amour.

Tiburce rappela dans quelles circonstances il avait rencontré son ami et ce qui s'était ensuivi. L'oncle servit l'omelette, apporta du pain et versa du cidre dans les verres. Il s'assit à la table et regarda les deux jeunes gens.

— Qui est Juliette Dorme ? demanda-t-il.

— Une fille de la haute, expliqua Tiburce.

— Une fille très belle et très riche, dit Félix.

— Et alors, on a tout envoyé promener, situation et le reste, si je comprends bien, dit l'oncle. Vous êtes des malins, c'est sûr, tous les deux. Félix pouvait très bien aller travailler à Liège et trouver une place à Tiburce. Mais on ne cédera pas, on s'ingéniera à crever de faim pour la gloire, pour s'amuser. On ira voir Célestin, le seul type qui soit capable de nous approuver. Je ne vous approuve pas.

— Alors, dit Tiburce.

— Mais je suis de tout cœur avec vous. Avec vos têtes d'enterrement, c'est sûr que vous ne céderez pas et que vous êtes prêts à faire n'importe quoi sauf ce qui convient.

— Je veux redevenir honnête, assura Tiburce, et jamais Félix…

— Prendrez-vous un verre de prune ? demanda l'oncle. Pour moi, je me suis retiré ici. Je travaille à moments perdus chez un jardinier fleuriste tout à côté d'ici.

— Tu travailles ? s'écria Tiburce.

C'est à ce moment que Tiburce et Félix considérèrent soudain la mine fragile de l'oncle, qui par ses manières et ses paroles réussissait comme naguère, mieux que naguère encore, à déguiser son état chancelant. Ses yeux éclairaient finement son visage défait.

— Je travaille, reprit Célestin, mais je ne vois pas quel travail je pourrais procurer à des artistes comme vous.

– On voulait te voir simplement, dit Tiburce. On ne cherchait pas de travail, du moins pas encore.

L'oncle but le fond d'un petit verre d'eau-de-vie.

– C'est bien, dit-il, de compter sur Dieu pour résoudre les questions. Savez-vous que c'est un peintre qui m'a permis de venir ici m'établir, un peintre qui avait fait mon portrait à Namur et qui a des relations de ce côté de la frontière. Peut-être vous tirera-t-il d'embarras.

Félix fronça les sourcils. Après avoir réfléchi il déclara :

– Tiburce a raison. Nous sommes venus vous voir seulement par amitié.

– Vagabonder, murmura l'oncle. J'ai connu cela. Un jour à Buenos Aires j'ai abandonné mon bateau pour errer dans les rues. J'ai fini par mendier. C'est alors que j'ai entendu les plus belles histoires de ma vie. J'allais écouter une vieille femme, une très vieille femme qui se nourrissait avec des débris de melon, je pense, et qui toujours avait un conte à me faire, lorsque je venais lui souhaiter le bonsoir. « Célestin, me disait-elle, on ne peut pas voir le Christ parce qu'il ne viendra qu'à la fin des temps. Mais on peut voir l'ombre du Christ aux pieds du premier venu. Un soir, j'ai vu cette ombre aux pieds d'un homme qui rêvait, immobile, sur le quai du port dans un lieu solitaire. J'ai vu son ombre qui s'étendait loin sur l'eau et sur la mer et je me suis écriée "C'est l'ombre du Christ !" Il m'a répondu : "Ma pauvre dame, ce matin j'ai volé le contenu d'un tiroir-caisse, et ce soir j'ai peur, j'ai peur. Comment voulez-vous que j'aille remettre l'argent à sa place ? Et maintenant vous me dites que cette ombre… Seigneur !" Je lui ai assuré que je ne croyais pas me tromper. L'ombre était vraie comme la mer. Cette nuit-là, il a distribué tout l'argent volé aux uns et aux autres. Le lendemain on l'a retrouvé ivre mort. » Voilà ce que me contait la vieille femme, et bien d'autres choses.

Célestin se leva pour allumer l'électricité.

– Moi aussi, j'ai eu peur, dit Tiburce.

– Quelles autres choses ? demanda Félix.

– En ce temps, dit Célestin, il y eut aussi l'histoire du garçon pauvre qui regardait passer une fille, le plus souvent le
long d'un grand mur qui devait être celui d'une caserne.
Amour impossible. Un jour il a dessiné sur le mur la silhouette
de la jeune fille avec une telle conviction que lorsqu'elle est
passée pour aller au marché, elle s'est trouvée immobilisée
dans ce beau dessin, elle et son panier. Elle a appelé au secours
le garçon qui la contemplait. Il lui a tendu la main et elle est
venue avec lui. Ils ont fait ensemble le marché, parlant et
riant, puis ils se sont quittés et jamais ne se sont oubliés.

Tiburce et Félix écoutaient les contes que leur faisait Célestin Prestaume. Bien sûr c'était le seul sujet de conversation
possible, puisqu'on ne pouvait parler de rien. Tiburce et Félix
n'étaient venus sans doute que pour cela. Pourquoi seraient-ils
venus ? Ils ne demandaient qu'à perdre leur temps. L'homme
les regardait avec un air de se moquer. Il leur dit quand
même :

– Vous ferez mieux de retourner d'où vous venez et vous,
Félix, de vous placer à Liège et d'aider Tiburce à se placer,
n'est-il pas vrai ?

– Raconte-nous encore une histoire, rétorqua Tiburce.

– Encore une histoire, murmura-t-il. Peut-être, quand vous
aurez des contes par-dessus la tête, vous reviendrez à des idées
positives.

Par la fenêtre entrouverte on voyait la lumière de la cuisine
projetée sur les poireaux et les dahlias.

– Un jour, dit l'oncle, comme je faisais escale à Édimbourg
(j'avais la quarantaine), je me promenais sur les quais du port.
J'ai vu une jeune fille descendre d'un bateau avec ses valises.
Je me suis présenté « Célestin, pour vous servir », et je lui ai
porté ses valises jusqu'à la station des voitures. Le lendemain
comme je passais l'angle d'une rue, je l'ai rencontrée et même
je l'ai heurtée. Nous nous sommes regardés un instant. Je me
suis excusé. Je ne l'ai jamais revue. Mais un soir à Londres je
me suis amusé à tracer un cercle sur un trottoir et j'y ai écrit

mon prénom, songeant que j'aurais voulu y joindre le prénom inconnu de la jeune fille. Deux jours après je suis repassé par ce coin désert, et il y avait écrit un prénom avec le mien : *Maggie*. Une autre fois au Havre j'ai fait la même chose, seulement un cercle très petit cette fois avec de fins caractères et j'ai retrouvé le lendemain encore le prénom de Maggie. Cela, c'est peut-être fabuleux, comprenez-moi bien : peut-être... Je vois encore cette fille comme je vous vois.

Tiburce et Félix écoutaient dans le plus grand silence. Un papillon vint tourner autour de l'ampoule électrique.

– Juliette Dorme, dit Félix, est aussi loin de moi que la fille dont vous parlez est loin de vous. Et moi aussi, je la revois avec la plus grande netteté. Alors j'ai seulement envie d'aller au bout du monde, expliquez cela. Tiburce est comme moi.

– On n'explique jamais rien, dit l'oncle.

– On va te quitter, dit Tiburce. On reprendra le train, et on se débrouillera.

– Voilà qui est parler, dit l'oncle. Un autre verre de prune ?

Ils bavardèrent encore un peu et quittèrent l'oncle.

Ils se rendirent à la gare, où ils arrivèrent aux environs de minuit. Ils allèrent s'installer dans une salle d'attente. Ils n'avaient rien d'autre à faire qu'à dormir en attendant le train du matin. Ils étaient décidés à regagner Namur où ils chercheraient un emploi. C'était simple. On ne *doit pas* se monter la tête avec des fables. C'est bon pour passer un moment, les fables. Célestin Prestaume sans en avoir l'air les avait parfaitement convaincus de leur sottise. Ils ne purent guère que somnoler. De temps à autre, l'un d'eux relevait le nez et s'inquiétait de l'heure. Au lever du jour, ils dormaient à poings fermés quand on annonça leur train et ils se réveillèrent pour constater qu'ils l'avaient manqué.

Cela leur parut tout naturel. Ils regardèrent par la fenêtre le va-et-vient sur la place autour du square.

Félix avait encore la conviction qu'une aventure impossible à éviter suivait son cours. Lorsque Tiburce eut étiré ses longs bras, il demanda comme dans un rêve ce qui était arrivé et Félix ne fut pas surpris par cette question.

– On a manqué le train simplement, dit Félix.

– Ah ! je croyais… murmura Tiburce.

Que croyait-il ? Que croyait Félix ? Enfin, il faudrait attendre le train suivant qui partait vers le milieu de l'après-midi.

Par la fenêtre, ils aperçurent une jeune fille qui portait un châle vert.

– On dirait Juliette, souffla Félix.

– Moi, j'aurais juré que c'était Gilberte, dit Tiburce, tu sais bien, Gilberte…

Ils gagnèrent en hâte la salle des pas perdus et sortirent de la gare. La jeune fille avait disparu. Ils tournèrent autour du square, arrivèrent à un croisement et aperçurent au loin un châle vert se balançant au milieu des passants le long de la rue qui montait. Ils s'attachèrent à poursuivre la fille au châle. Ils la perdirent de vue et ne la retrouvèrent que dans la rue qui menait à la place Ducale.

C'était jour de marché. Sur la place, parmi les dizaines de boutiques, circulait une petite foule. Ils se glissèrent au milieu des gens, empruntèrent une allée entre les étals, redescendirent vers le milieu de la place puis ils revinrent vers les arcades et firent le tour du passage couvert, après quoi ils allèrent au hasard à droite et à gauche. Ils finirent par gagner la station des cars.

A la vitre d'un car, ils virent la jeune fille au châle vert. Elle tourna la tête pour regarder à la vitre. Son visage était éblouissant. Elle avait des yeux bleus et le châle découvrait un peu sur son front des cheveux dorés.

– Juliette a les cheveux presque noirs, dit Félix.

– Et Gilberte a des cheveux châtains, dit Tiburce.

Ils se mirent à rire. Le car partit à ce moment. Bien qu'ils eussent affaire à une inconnue, ils firent ensemble un geste de la main, comme pour lui souhaiter bon voyage. La fille ne pouvait croire que ce signe d'amitié s'adressait à elle plutôt qu'à un autre voyageur. Pourtant elle leur répondit en agitant la main, sans aucun doute pour s'amuser.

Félix et Tiburce revinrent sur le marché. Le carillon de la mairie débita *Le Chant du départ* avant de sonner les onze heures.

– Onze heures, dit Félix.

Cette heure ne signifiait rien pour eux.

– Pourtant on aurait juré qu'on la connaissait, cette fille, affirma Tiburce.

– Qu'est-ce qu'on fera si on ne retourne pas à Namur? demanda Félix.

– On n'y retourne pas?

– On a raté le train.

– Tu crois qu'on va rater tous les trains?

Ils étaient plantés entre un marchand de biscuits et un marchand de légumes. A chaque instant, les acheteurs les bousculaient et ils ne s'en rendaient même pas compte.

Ils déambulèrent, et regardèrent les boutiques.

Sur un étal, il y avait de petits oiseaux de verre mêlés à d'autres bibelots. Ils y prêtèrent une grande attention comme si cela pouvait les renseigner sur leur sort. Un peu plus tard, ils suivirent une rue. Ils s'arrêtèrent devant les vitrines. Ils furent particulièrement éblouis par les fleurs chez un fleuriste et les diamants d'un bijoutier. Ils achetèrent des petits pains pour déjeuner.

– Notre train est à trois heures, dit Tiburce.

– Non, à deux heures.

– De toute façon, nous avons le temps.

– On va à la gare tout de suite? demanda Tiburce.

– Tout de suite.

Ils arrivèrent à la gare à deux heures moins cinq. Mais leur train était parti à treize heures cinquante, comme leur déclara un employé.

— Du coup je reste à Charleville, déclara Félix.

— Qu'est-ce que tu y trouves d'intéressant ? Ce n'est même pas ton pays, observa Tiburce.

— Je n'ai pas de pays, dit Félix. Cette ville-là ou une autre. Il faudrait trouver un petit meublé et nous raser.

— Il vaut mieux se raser, avant de chercher ton petit meublé, observa Tiburce. Quand on est fait comme des voleurs, on ne déniche jamais rien.

Félix approuva Tiburce et comme ils arrivaient sur un quai de la Meuse, ils décidèrent de suivre le fleuve jusque dans la campagne où ils feraient toilette. Ils avaient leur petit bagage et tout le nécessaire. Lorsqu'ils se furent baignés et eurent remis en état leurs vêtements et leurs cravates, ils se rendirent d'un pas plus fier dans un village où ils découvrirent une auberge où déjeuner.

— Un bon repas bien arrosé et nous serons d'attaque pour faire toutes les démarches possibles, décida Félix.

Quand ils entrèrent à l'auberge, midi avait sonné depuis longtemps. Les rares clients sortaient et ils se trouvèrent seuls dans une grande salle. Une jeune servante leur apporta tout de suite le plat du jour.

— Elle avait des seins splendides, déclara soudain Félix.

— Qui donc ?

— La fille du car.

— Je pensais à elle aussi, avoua Tiburce. C'est la petite servante qui m'a fait penser à elle.

— Elle est bien aussi, la servante, observa Félix.

Ils mangèrent en silence.

— On est volage, déclara soudain Tiburce. Ne serait-ce pas malheureux qu'on ait déjà oublié Juliette et Gilberte ?

— Je ne sais pas si ce serait malheureux, répondit Félix. En tout cas, j'ai l'impression que nous ne savons plus où nous en sommes. Dans le mensonge jusqu'aux yeux... Moi qui jadis avais un plan de vie tout tracé.

– Moi aussi, j'avais un plan de vie, répondit Tiburce. Ces jours-ci je voulais devenir honnête et je me demande si je ne me suis pas trompé.

– Je commande une nouvelle bouteille de vin, dit Félix.

Quand ils furent de nouveau dans la rue du village, il y avait autour d'eux une sorte de rayonnement. Ils regagnèrent Charleville, afin de se mettre en quête d'un meublé. Une fois installés, ils chercheraient un métier, de préférence un métier indépendant.

– Tu crois qu'il y a des métiers indépendants ? demanda Tiburce.

Dès qu'ils longèrent les premières rues, ils reconnurent leur embarras. Certes, dans une ville dont certains quartiers avaient été ruinés au cours de la guerre, il n'y avait place pour personne. Ils gagnèrent le haut de la ville, afin de se donner le temps de réfléchir, et après de nombreuses allées et venues, après avoir consulté en vain l'employé d'un bureau administratif du logement, ils se retrouvèrent dans une rue de banlieue populeuse, où les gens bavardaient sur le pas des portes.

– La seule chose à faire c'est de causer, décida Tiburce. On trouvera bien quelqu'un qui nous renseignera.

Ils abordèrent plusieurs personnes. On parla logement sans grand succès.

– Je crois qu'il vaudrait mieux retourner à Namur, dit Tiburce.

– On n'a pas non plus de logement à Namur, dit Félix.

– Il y a dans la vie des tas de problèmes, dit Tiburce.

Enfin, ils lièrent conversation avec une vieille femme qui se traînait le long d'un trottoir. Ils lui souhaitèrent le bonsoir et lui dirent qu'il faisait beau. Elle s'exclama :

– Je parie que vous cherchez à vous loger ! Tous les gens qui se mettent en quête d'un logis commencent toujours par discuter sur la température.

– C'est curieux, dit Félix.

– Vous êtes sûrement des maçons ? Tout le monde ici a

besoin de maçons. Pourquoi ne demandez-vous pas à votre
employeur ?

– Nous ne sommes pas maçons, dit Félix.

– Nous n'avons pas d'employeur, dit Tiburce.

– Quelle misère ! dit la vieille.

Elle les regarda, et se mit à gémir, après quoi elle déclara :

– Allez demander à cette maison là-bas. Il y a encore des
greniers. Je ne sais pas si elle les loue.

– Qui ça, elle ?

– Madame Agathe. Vous direz que c'est moi qui vous envoie.
Je suis la comtesse de Launeuve.

Elle s'éloigna avec une sorte de hâte.

– Une comtesse, murmura Tiburce.

– C'est possible, dit Félix.

– Moi, je suis habitué aux affaires irrégulières, dit Tiburce,
mais quand même…

Ils se rendirent à la maison que leur avait indiquée la vieille
dame. C'était une énorme maison. Sur le toit une double ligne
de mansardes. La porte ouvrait sur un vestibule dallé où descendait un escalier d'une largeur inaccoutumée avec des
rampes de bois dont ils voyaient les entrecroisements s'écha-
fauder jusqu'au quatrième étage. D'une porte latérale surgit
une femme qui avait un visage pâle comme un cierge et alentour une chevelure de Méduse.

– Que voulez-vous ? demanda-t-elle.

– Nous cherchons Mme Agathe, répondit Félix. C'est la
comtesse de Launeuve qui nous envoie.

– Et que lui voulez-vous à Mme Agathe ?

– Un logement, un petit logement pour mon ami et pour
moi, dit Félix.

– La comtesse ne s'est jamais intéressée qu'aux hors-la-loi,
dit la dame qui devait être Mme Agathe. Mais vous me paraissez assez convenables. Dans quelles sortes de vols êtes-vous
spécialisés ?

– Nous ne sommes pas des voleurs, dit Félix avec indignation.

– De petits vagabonds alors ? dit la dame. Je n'aime pas les fainéants. Vous me paraissez des personnes faciles à décontenancer. Si vous me payez d'avance je peux vous louer une mansarde.

– C'est tout ce qu'il nous faut, dit vivement Félix.

La dame leur fit signe de la suivre et monta l'escalier avec une rapidité singulière. Ils grimpèrent à ses trousses et après avoir franchi quatre paliers vastes comme des salles de bal et où s'entassaient des caisses et toutes sortes de bibelots, il fallut grimper une échelle de meunier. Dans le grenier était installé une sorte de dortoir.

– Des ouvriers du bâtiment logent ici, dit la dame. Venez !

On trouva une autre échelle dans un angle et on parvint à un deuxième grenier où régnait une chaleur étouffante. Il y avait là des immensités de linge étendu sur des cordes. Après avoir parcouru une allée bordée d'une demi-douzaine de draps on parvint à une porte qui ressemblait à une porte de placard. Mme Agathe ouvrit cette porte et on fut dans une pièce sous la pente du toit. Il n'y avait là qu'un lit-cage et une table avec un pot à eau et une cuvette.

– Voilà, c'est libre, dit la dame. On a arrêté mon locataire avant-hier. Pour l'eau, vous allez la chercher dans la rue.

Félix et Tiburce eurent la gorge serrée. Néanmoins, ils acceptèrent ce logis tel qu'il était et payèrent une somme qui leur parut exorbitante.

– C'est difficile de trouver des meublés, disait Mme Agathe en empochant les billets. Vous avez eu la chance de m'être recommandés par la comtesse.

Félix et Tiburce ayant laissé leur petit bagage s'en furent encore dans les rues. Ils achetèrent un journal pour regarder les petites annonces. On demandait des ouvriers spécialisés ou des manœuvres. Ils n'étaient pas taillés pour être des manœuvres.

– Il faut attendre un emploi dans le commerce, conclut Tiburce.

– A qui s'adresser ? répondait Félix.

Le soir, ils rentrèrent dans leur chambre. Pour cela, ils durent traverser le dortoir. Les ouvriers leur lancèrent des plaisanteries, où il était surtout question des gendarmes. La chaleur les empêcha de dormir pendant une grande partie de la nuit. La lucarne qui éclairait leur cambuse était trop élevée pour s'y hausser. En montant sur le lit on parvenait à glisser un œil par-dessus le toit et on pouvait contempler toute la ville, la Meuse, la forêt, les étoiles.

Vers la fin de la semaine, quand ils eurent visité le bureau de placement et rencontré visage de bois dans les deux maisons de commerce qu'on leur indiqua, Félix écrivit à Beursaut. La reddition. C'était mille fois prévu.

– Cela m'ennuie, disait Félix, mais il vaut mieux céder tout de suite. Nous ne trouverions jamais ici qu'un emploi misérable en comparaison de ceux qui nous attendent à Liège. Et nous ne faisons que nous embourber.

– Le confort, c'est une grande chose, dit Tiburce.

Félix répliqua furieusement qu'il se moquait du confort, mais lorsque, quelques jours plus tard, parvint la réponse de Beursaut, il entra dans une véritable colère. La lettre :

« Cher Monsieur,

« J'ai dû pourvoir le poste que je vous avais offert à Liège, et je ne pense pas qu'une vacance puisse se produire dans mon personnel cette année ni même au début de l'année prochaine.

« Croyez-moi votre bien dévoué. »

– Des mois à attendre maintenant, s'écriait Félix, et aussi bien toute l'éternité. Beursaut a sans aucun doute l'intention de m'écarter de façon définitive. Il a dû apprendre que nous avions filé ensemble et soupçonner je ne sais quoi. Il ne me prendra plus jamais au sérieux, et nous voici dans cette cahute réduits presque à mendier par notre faute, par ma faute, parce que j'ai voulu rêver. Tu m'entends bien, Tiburce, *j'ai voulu* rêver.

Il déchira la lettre en petits morceaux. Tiburce observa :

— Si tu écrivais à ton ami Gilles ?

— Impossible, dit Félix. Je ne veux pas m'adresser à lui, pas plus qu'à ton oncle. Je ne céderai plus à rien maintenant. Oui, j'ai voulu rêver, mon vieux Tiburce, aussi bêtement qu'on peut le faire, quand j'ai songé à épouser Juliette, quand je me suis battu avec ton zèbre à Dinant, lorsque j'ai refusé un emploi à Liège, lorsque nous sommes venus à Charleville, lorsque ton oncle nous a conté des histoires à vous envoyer au bout du monde. Maintenant, après cette fichue lettre, tout est encore changé. Maintenant, comprends-moi bien, il ne s'agit plus de s'amuser à des rêves, il *faut* rêver sérieusement. Nous n'avons plus d'autre ressource. A bien réfléchir, je ne voulais pour rien au monde retourner chez Beursaut, mets-toi bien cela dans la tête.

Tiburce haussa les épaules. La situation n'était pas brillante. Il leur restait peu d'argent. A la fin du mois, il faudrait encore payer ce meublé dérisoire.

— J'ai une idée, dit Félix.

— Oui, dit Tiburce.

Félix entraîna son ami dans l'escalier. Ils ne voyaient jamais personne en descendant ni en montant, mais à peine étaient-ils passés que des portes claquaient derrière eux.

— On nous observe, disait Tiburce.

— Ne t'occupe pas de cela, répondait Félix.

Ils sortirent dans la rue inondée de soleil. Félix marchait d'un bon pas. Il se dirigea vers la campagne. Ils gagnèrent un petit bois. Il y avait là une fondrière où on jetait toutes sortes de débris. Félix fouilla dans ces décombres. Il ramena une sorte de pot ébréché qu'il mit sous son bras et il poursuivit son chemin à travers les prés, jusqu'à la lisière d'un autre bois. Là il se mit à cueillir des fleurs dont il chargea Tiburce qui le regardait avec étonnement. Puis ils regagnèrent la ville. Félix fit un détour jusqu'à une rue bordée de belles villas et avec son canif il coupa quelques roses grimpantes débordant d'une grille. Ensuite ils revinrent à la maison de Mme Agathe. Félix en passant remplit son pot à la fontaine.

Il était midi lorsqu'ils traversèrent le dortoir. Trois ou quatre ouvriers qui étaient revenus se reposaient sur leurs lits. Comme l'un d'eux se levait pour saluer d'un quolibet les deux compagnons, Félix lui donna une rose et puis il grimpa à l'échelle qui menait à leur garni.

– Nous voilà riches, dit Tiburce avec dépit, lorsqu'il vit Félix disposer les fleurs dans le pot ébréché et placer le bouquet sur la petite table.

– Pas du tout riches, convint Félix, mais j'ai encore une autre idée.

– Tu vas te fatiguer, dit Tiburce.

– J'écris à ma propriétaire qu'elle m'envoie mes deux grandes valises. Il y a dedans une petite fortune en vêtements. Qu'elle me les envoie en port dû.

– En port dû, répéta Tiburce sur un ton mélancolique.

Félix tira de son bagage du papier et une enveloppe. Il fit la lettre et ils la portèrent à la poste, après quoi ils achetèrent chez le boulanger un peu de pain qu'ils allèrent grignoter sur les quais de la Meuse.

Plusieurs jours furent employés à la quête d'emplois improbables, puis on reçut les valises un beau soir. La propriétaire de Dinant les avait expédiées à ses frais.

– Le monde est plus intelligent qu'on ne croit, observa Tiburce.

Ils passèrent un après-midi dans leur mansarde à inventorier le contenu. Tiburce compta cinq costumes y compris le costume de cheval. Il découvrit deux épingles de cravate.

– On peut vivre presque un mois avec tout cela, dit Tiburce. Mais d'abord j'ai une envie folle d'essayer le costume de cheval.

– Essaie-le, dit Félix. Moi, je vais enfiler ce costume noir et on va se pavaner dans la rue…

Ils firent ainsi. Quand ils revinrent à la nuit, ils redoutaient de traverser le dortoir avec leurs habits flambants. Ils firent sensation, cela est sûr. Les ouvriers, qui étaient occupés à leur café autour d'un réchaud à alcool, levèrent le nez sans oser rien dire. Un Algérien les interpella avec respect :

– S'il vous plaît, messieurs, pourriez-vous écrire une lettre à ma fiancée ?

– Ce que c'est que d'être bien habillés, murmura Tiburce.

L'homme présenta du papier à lettres à Félix et ils allèrent s'asseoir sur un banc à la grande table faite de planches posées sur des tréteaux.

– Une lettre d'amour ? demanda Félix.

– Une lettre d'amour, répéta l'homme avec un grand sérieux. Tu diras que je suis riche.

Félix composa l'épître de son mieux. Il dut la recommencer trois fois. L'autre n'était jamais satisfait, parce qu'il désirait seulement quelques mots d'écrit et pas une tirade ni une déclaration. Il fallait aussi surtout faire miroiter cette richesse dont on ne devait pas savoir si elle était ou non imaginaire. Lorsque la missive fut parachevée, il restait, semblait-il, encore beaucoup à dire. L'homme voulut remercier Félix en lui offrant un biscuit. D'autres ouvriers, qui s'étaient approchés pour assister à l'élaboration de cette épître, sortirent de leurs boîtes diverses fantaisies alimentaires, des figues, des dattes, des oranges, des oublies et en comblèrent Félix et Tiburce. Comment savaient-ils que ceux-ci, par souci de l'avenir, n'avaient dîné que de croûtons de pain ? Mais ils savaient, et ils honoraient leur élégance, leurs connaissances et une sorte de génie qu'ils voulaient croire qu'ils avaient.

Le lendemain matin, Tiburce et Félix, habillés de façon modeste cette fois, repartirent en campagne.

Comme ils sortaient la propriétaire les appela.

– J'ai des dommages de guerre à toucher, leur dit-elle. On m'a envoyé des papiers. Je n'y comprends rien. Mais vous, monsieur Marceau, vous, monsieur Peridel…

Ils passèrent deux heures à éplucher les papiers et à expliquer la marche à suivre. La dame leur jura une éternelle reconnaissance et leur annonça qu'elle diminuait leur loyer de 10 %. Le plus étrange, c'était l'admiration qu'elle avait soudain conçue pour Félix et pour Tiburce.

– Tu vois, disait Félix, on se trompe tout le temps sur notre compte. On nous prend maintenant pour des gens qui comprennent tout. Nous ne crèverons pas de faim tout à fait, mais cela m'ennuie d'être dans une situation encore plus fausse que chez Beursaut et chez les Dorme. On n'en aura jamais fini de se tromper sur nous.

– Mon vieux, ici-bas, il n'y a que des situations fausses, assura Tiburce.

III

L'automne vint tout d'un coup. De grands vents prématurés se levèrent et les pluies se mirent à voyager sur les forêts.

Tiburce et Félix s'étaient habitués très vite à leur nouvelle situation, bien quelle fût à peu près intenable. Les habits des valises, tous les objets superflus, les épingles de cravate avaient été recédés à la propriétaire qui pratiquait volontiers de petits commerces et qui les vola non sans pleurer sur leur condition d'hommes distingués réduits à cette misère.

– Qu'avez-vous donc fait pour en venir là ? Quelle sorte de gens êtes-vous ?

Ils gardèrent néanmoins deux costumes flambants pour se pavaner le dimanche malgré leurs estomacs creux. Ils ne trouvaient aucun emploi, et ils vécurent sur leur maigre capital qu'ils épargnaient avec la plus grande subtilité. Ils profitaient aussi des victuailles que leur offraient les ouvriers ainsi qu'un infirme du premier à qui ils faisaient des commissions. Mais comme ils ne voulaient pas être en reste, il leur arriva d'acheter quelques bouteilles que l'on but dans le dortoir à la ronde, et leur bourse fut bientôt dans un état désespéré.

– Nous sommes trop difficiles, disait Félix, ou bien nous manquons d'imagination.

L'opinion de leur entourage, c'était néanmoins qu'ils

devaient attendre quelque splendide affaire, digne de leur
intelligence et de leur instruction. Mais ils n'avaient réellement
aucune possibilité. Les marchands de journaux, les commis-
sionnaires et commis de toutes sortes, les bricoleurs défen-
daient leurs emplois comme des privilèges. Tiburce était
étranger par surcroît. Félix ne parvint à convaincre aucun
commerçant de ses capacités de secrétaire. Charleville devenait
pour eux un patelin horrible auquel ils s'attachaient avec désespoir. Un dimanche soir de la fin septembre, ils rencontrèrent
l'oncle de Tiburce.

Ils ne voulaient à aucun prix avoir recours à Célestin Prestaume qui leur aurait offert sans aucun doute le gîte et le couvert.

– Je vous cherchais, dit l'oncle. Voilà des jours que je par-
cours les rues pour vous trouver. J'étais sûr que vous n'auriez
pas quitté Charleville et que vous crèveriez la faim.

– Nous ne crevons pas la faim, assura Félix.

– Nous avons d'excellentes situations, reprit Tiburce en se
rengorgeant, tout fier de son beau costume.

– Je n'en doute pas, répliqua l'oncle. Qu'est-ce que vous
diriez d'un emploi de commissionnaire chez mon fleuriste, en
attendant mieux ?

– Cela demande réflexion, dit Tiburce.

Un seul emploi à se partager, c'était presque la fortune,
quoique le salaire dût se révéler très inégal, et dépendre le plus
souvent des pourboires. Le fleuriste, à qui Célestin donnait un
coup de main de temps à autre par simple amour des plantes,
recevait des clients assez nombreux dans son jardin, mais la
difficulté c'est qu'il n'avait pas de magasin en ville et ne livrait
pas les commandes. S'il hésitait à engager un commis, il était
disposé à employer des aides à demi bénévoles qui prendraient
le travail et les gains selon les chances du jour. Il mettrait une
bicyclette avec remorque à leur disposition.

L'oncle présenta Tiburce et Félix au jardinier qui fut étonné
par leur distinction et les considéra d'abord avec méfiance.

Célestin Prestaume lui conta que son neveu et l'ami de son neveu avaient dû traverser de sérieux malentendus.

Un mois donc se passa à attraper quelque menue monnaie. L'un d'eux attendait à l'abri d'une serre les commandes possibles, tandis que l'autre poursuivait les recherches d'un emploi confortable et improbable. Chacun à leur tour ils prenaient la garde et convoyaient des pots de fleurs, ou des bouquets ou des couronnes. Ils firent des bénéfices presque honorables à l'époque des chrysanthèmes, après quoi vint la morte saison.

En hiver, le fleuriste n'entretenait que quelques plantes qui ne pouvaient concurrencer les espèces méridionales dont s'approvisionnaient les magasins de la ville. Félix et Tiburce s'ingénièrent alors à faire de la réclame, allant proposer dans les rues et sur le marché tout ce que le jardinier pouvait encore fournir.

Les premiers froids de novembre les avaient surpris. Il y avait dans leur turne un petit poêle à bois qu'ils alimentèrent avec des débris de planches ou de branches qu'ils ramassaient dans la banlieue. Cela ne faisait qu'une flambée le soir, et ils demeuraient assis contre le poêle avant de se coucher. C'était l'heure des méditations.

– Je me demande, disait Félix, si on peut trouver dans le monde un plus sale pays que celui-ci.

– Rappelle-toi quand on filait à Liège sur nos vélos, reprenait Tiburce. Une ville où il y a un trafic énorme et où on peut trafiquer. Rappelle-toi aussi Saint-Paul, Saint-Jacques, Saint-Jean.

– Vraiment je ne comprends pas comment nous avons pu échouer ici, disait Félix.

– Si tu ne m'avais pas rencontré… observait Tiburce.

– Oui, si je ne t'avais pas rencontré… peut-être Juliette m'aurait quand même balancé. Mais je me serais nourri d'illusions. J'aurais espéré le bonheur. J'aurais trouvé des compromis.

– Maintenant pas de compromis. On claque des dents purement et simplement.

Ils parlaient, parlaient sans réussir à justifier leur sort.

– C'est aussi bien ma faute que la tienne, reprenait Félix. Est-ce que j'avais besoin d'aller jouer au poker dans cette boîte ? Est-ce que je n'aurais pas dû te quitter après avoir bu un verre avec toi et te donner rendez-vous pour plus tard et m'occuper de toi. Quel besoin j'avais de me battre ?

– C'était l'ordre des choses, disait Tiburce.

– Il n'y a jamais eu d'ordre des choses, rétorquait Félix.

Les jours passaient sans qu'on puisse prévoir une issue. Ils envièrent les employés des postes, ceux des chemins de fer. Comment ces gens pouvaient-ils n'être pas contents de leur sort ? Comment eux-mêmes avaient-ils été assez aveugles pour ne pas s'attacher à un gagne-pain qui était à leur portée, lorsque Beursaut restait animé d'excellentes dispositions.

– On n'est jamais content de son sort, disait Félix.

– Tais-toi, répondait Tiburce, tu vas bientôt faire de la philosophie. Tu n'as plus de religion.

– Et toi, tu en as ?

– Des fois, disait Tiburce.

Par la lucarne ils virent passer les nuées et la neige. C'était une sorte de miracle de ne pas mourir, alors qu'on avait tout ce qu'il fallait pour cela, le froid et la faim. Mais il arrivait un secours de loin en loin qui remettait la vie sur les rails pendant une semaine. Leur immense maison était abondamment peuplée d'habitants. Ils en découvraient encore. Familles du sous-officier en retraite, de l'employé des assurances, du garçon coiffeur, deux vieilles demoiselles qui donnaient des leçons de violon et de comptabilité.

Félix et Tiburce, sans doute hautement recommandés par la propriétaire, se voyaient ainsi engagés de temps à autre pour scier du bois, poser des planches dans un placard, réparer des robinets, déboucher les waters, détecter les pannes des appareils ménagers, débrouiller des papiers administratifs, aider les gosses dans leurs devoirs. Cela leur rapportait de menus cadeaux en nature et leur réputation grandissait en même temps que leur pauvreté. Des conversations leur apprirent qu'ils étaient des ingénieurs ou des professeurs manqués qui auraient pu réussir s'il y avait encore de la place en ce monde pour l'intelligence.

— La fin de tout, constatait Tiburce. Nous sommes candidats au paradis des esprits supérieurs écrasés par la sottise du monde.

— Et en plus, disait Félix, on ne démordra quand même pas de l'idée qu'il y a une aventure entre nous et l'infini.

— Voilà donc toute l'histoire, gémissait Tiburce. Si l'infini n'existait pas…

Du pain et du mauvais camembert pour entretenir le feu de ces discussions…

— J'aurais voulu retrouver la comtesse, disait Tiburce. Qu'est-elle devenue ?

— Je lui offrirais bien quelques fleurs, disait Félix. Nous lui devons la vie, du moins cette drôle de vie. Quand même, tu as beau geindre, j'aime la vie.

— Je ne geins pas, c'est toi qui geins.

Et ainsi de suite. Ils étaient de plus en plus convaincus qu'ils vivaient dans un mensonge total, et ils ne parvenaient pas le moins du monde à retrouver l'origine de leurs ennuis.

— Moi, j'ai voulu être honnête, rabâchait Tiburce.

— Et moi, c'était pour l'honneur, rétorquait Félix.

Ils avaient de plus en plus tendance à cacher leurs embarras aux yeux du monde. Ils vivaient et respiraient dans un brouillard. Cela leur donnait de temps à autre une sorte d'espoir magnifique, parce qu'ils se disaient que tout d'un coup ils pouvaient devenir très riches, de la même manière qu'ils étaient tout d'un coup tombés dans la crasse.

L'infirme du premier avait une curieuse bibliothèque composée d'anciens livres de chimie, de géographie, de piété, mêlés à des ouvrages de poètes inconnus, et à des recueils de lettres à écrire dans toutes les circonstances de la vie. Ils empruntèrent de ces livres, qu'ils lurent à leurs moments perdus dans les serres du jardinier, à la salle d'attente de la gare, où ils trouvaient quelque chaleur.

Ce qu'ils pouvaient découvrir dans ces livres on ne le sait guère. Ils les déchiffraient comme des grimoires. Ils aimaient se répéter des phrases le soir dans leur turne au moment unique de la flambée dans le poêle. Par exemple : « Dans ce pays, récitait Tiburce, on extrait du minerai de fer et on cultive des hortensias. » Tiburce ajoutait :

– A Charleville il n'y a rien de rien.

– Rien que du fromage à faire peur aux rats, disait Félix.

– La prochaine fois qu'on aura des économies, reprenait Tiburce, on filera loin d'ici et même loin de Liège et de Namur et de tout ce sale continent.

– La prochaine fois… reprenait Félix. J'ai l'idée que jamais on ne pourra quitter Charleville.

– De l'entêtement pur et simple, observait Tiburce.

– Je n'en sais rien, disait Félix.

– Moi, je rêve d'élever des volailles, poursuivait Tiburce.

– Tu les élèveras peut-être, tes volailles. Peut-être nous sommes sur la voie, répondait Félix.

– Sur quelle voie, Seigneur ?

En février, il se mit à neiger. La ville changea. L'oncle fit envoyer un stère de bois aux deux amis. Il y eut néanmoins un passage particulièrement dur. Tiburce prit le parti de choisir aux étals du marché différents produits alimentaires, dont il comptait régler le prix dans des temps meilleurs. Mais il procéda avec tant de délicatesse qu'ils crevèrent de faim un jour sur deux. Pour la nourriture, ils ne voulaient pas avoir recours à l'oncle qu'ils ne voyaient plus que de loin en loin chez le jardinier et qui lui-même semblait les tenir à distance et attendait peut-être que la famine leur fît prendre une décision raisonnable.

– Nous resterons ici, bon gré, mal gré, répétait Félix. Bien sûr ce n'est pas le pays du bonheur.

– Alors le pays de quoi cela peut bien être ? s'exclamait
Tiburce. Le pays de la mesquinerie et du cauchemar.

– Tu l'as dit : le pays du cauchemar. Je voudrais bien savoir
où cela mène une bonne fois le cauchemar ?

– Quand est-ce que tu sauras ?

– Un de ces jours.

– Oui, et puis tu retomberas dans un autre cauchemar.

– Je te promets qu'on va élever de la volaille très bientôt,
disait Félix.

– Tu te montes la tête. C'est l'estomac creux qui fait ce beau
travail.

Un détail dans leur vie les laissait vaguement étonnés. Ils
rapportaient toujours des serres du jardinier quelques brins de
fleurs provenant des plantes qui n'étaient pas présentables,
parfois même une plante entière qu'ils offraient à leur logeuse
ou à leurs voisins, primevères ou papyrus.

– Tout de même on prend un mauvais pli, observait
Tiburce. Tous ces morceaux de fleurs qu'on distribue à droite
et à gauche on aurait pu les vendre.

– Tu crois que c'est vendable ?

– Si on avait seulement le don du commerce. Toi qui as fait
des études commerciales…

– Tu me dégoûtes, disait Félix.

Certain soir de mars, comme il neigeait encore, Félix rapportait un bouquet qui n'était presque pas défraîchi et songeait sérieusement aux moyens de le vendre, pourquoi pas
dans la rue.

Mais la nuit était tombée et les rues restaient à peu près
désertes. Les rares passants se hâtaient. Vraiment Félix ne
voyait pas la possibilité de proposer son bouquet comme cela
au premier venu. « Encore un projet utopique, se disait-il, et de
la plus mauvaise qualité. » En outre il était, ce soir-là, fait
comme un mendiant. Il portait un costume tout fripé, il n'avait
pas de cravate. Cet appareil convenait parfaitement aux rares
livraisons et apitoyait sans doute la clientèle. Mais Félix risquait

plutôt d'inspirer quelque dégoût aux gens de la rue, ou une vague crainte, dès lors qu'il ne représentait plus une maison sérieuse, mais se livrait à la commisération publique. Dans un mendiant, il y a toujours une obscure menace. Telles furent du moins les réflexions qu'il reprenait sans parvenir à une conclusion valable. Depuis qu'ils étaient tombés dans cette misère, par leur sottise (une sottise passionnée mais quand même...), ils ne savaient que mâcher et remâcher des problèmes sans issue, sinon dans ces moments où il y avait une sorte de fissure par laquelle ils voyaient soudain un éclair de bonheur insensé.

Félix, ce soir-là, dans son extrême embarras, eut la vision de cet impossible éclair. Animé d'un enthousiasme soudain, au lieu de revenir tout droit au logis, il fit maints détours dans la ville pour chercher un client improbable et il finit par se perdre dans un quartier désert.

Il longea une rue, revint sur ses pas, et s'engagea dans une voie étroite qui lui paraissait être la bonne direction. C'était une ruelle montant entre de hauts murs et des jardins. Il y avait un réverbère au milieu. Bientôt il constata qu'il s'était fourvoyé dans une sorte d'impasse, car la ruelle se prolongeait par un chemin champêtre. Il n'avait pas cru pourtant s'être avancé jusqu'à la périphérie de la ville. Au moment même où il faisait cette constatation, il aperçut une passante qui longeait le mur et arrivait bientôt sous le lampadaire.

Il se dirigea vers elle, avec la vague intention de lui demander son chemin, et tenant aussi son bouquet de telle manière qu'il semblait vouloir l'offrir. La passante eut un mouvement de recul. Elle portait une capeline, et comme elle levait la tête vers lui, il aperçut soudain son visage, un visage de jeune fille, frais et rayonnant.

Il demeura tout saisi, fixé dans son attitude de mendiant, avec des yeux brillants dont la demoiselle ne put manquer de saisir l'avidité de mauvais aloi. Pendant deux secondes, ils se dévisagèrent.

Félix était furieux de se trouver incapable de cacher sa misère en une telle circonstance et ce sentiment qu'on lisait sur son visage ne pouvait que lui donner un air encore moins rassurant. Il aurait eu envie de déclarer qu'il avait à la maison un costume étincelant. La jeune fille se tourna, toute prête à s'enfuir mais elle hésita comme si elle était traquée. Il dit :

– Je vous en prie, ne craignez rien. Prenez ce bouquet, si vous voulez.

– Passez votre chemin, s'écria-t-elle d'une voix claire qui le bouleversa.

– Je ne fais que cela, passer mon chemin, dit-il.

A cet instant parut au bout de la ruelle un autre personnage, un jeune homme qui avait la même taille et la même apparence que Félix, sinon qu'il était correctement habillé et cravaté. Ayant aussitôt compris la situation, il pressa le pas, pour sortir la jeune fille d'embarras. Il cria à Félix :

– Allez-vous-en !

– Merci, monsieur, dit la jeune fille.

– C'est beau de secourir une demoiselle dans la peine, dit Félix.

– Je pense que vous ne tenez pas tellement à avoir affaire avec la police, dit le jeune homme.

Félix garda le silence. La jeune fille s'était avancée et elle le considéra cette fois avec une sorte de curiosité. Il fut encore ébloui par son visage. Il demeura planté dans ce coin de ruelle à la regarder s'éloigner sans hâte avec son sauveteur. A l'angle de la ruelle, le jeune homme et la jeune fille s'arrêtèrent pour échanger quelques mots de politesse. Ils firent encore quelques pas. Lorsqu'ils eurent disparu, Félix s'avança et vit la jeune fille tourner l'angle d'une avenue assez proche. Il se hâta vers l'avenue. La jeune fille avait disparu. Il retrouva enfin son chemin et regagna la maison. Il murmurait : « Voilà ! Une sale nuit de neige sous un réverbère un beau jeune homme sauve la vie et l'honneur d'une pucelle en mettant en fuite le plus dangereux des mendiants. » De plus en plus, Félix en venait à ces sortes de pensées idiotes qui ressemblent aux rengaines d'un orgue de Barbarie. « Merde », conclut-il.

Félix entra dans la mansarde avec son bouquet. Tiburce venait d'allumer dans le poêle de tôle la flambée du soir. Ils partagèrent leur fromage et leur pain sans mot dire.

— A qui vas-tu donner ce bouquet cette fois ? demanda Tiburce. Il est fameux, et il vaut bien cinquante francs.

— On le garde, dit Félix.

— Pourquoi on le garde ?

— En souvenir.

— En souvenir de quoi ?

— J'avais envie de le vendre, dit Félix, mais c'est énormément difficile. J'ai couru tout le patelin, et puis…

Il raconta ce qui était survenu dans la ruelle. Il n'avait pas joué un rôle brillant, mais cela lui importait peu. A la réflexion, il lui semblait qu'il avait déjà vu cette jeune fille.

— Méfie-toi, tu vas tomber amoureux d'une image, dit Tiburce. Il n'y a rien de plus dangereux dans notre situation.

Félix baissa la tête, sans lui répondre, puis s'écria soudain :

— La fille du car ! Celle qui avait un châle vert et que nous avons suivie un matin, le matin où nous devions revenir à Namur et où a commencé notre malheur. Il y a des rencontres fatales, mon cher monsieur.

— Des seins magnifiques, dit Tiburce. Oui, la fille du car, cela arrive ces hasards, et après ?

— Et après ? Rien, bien entendu.

Tout se perdait dans le rien. Ils avaient renoncé à s'en étonner.

— C'est peut-être une leçon, cette rencontre, observa Tiburce. Nous ne nous occupons plus assez des filles. Nous avons une vie sans noblesse. A propos de noblesse, j'ai vu mon oncle cet après-midi. Je ne l'ai pas abordé tout de suite, je l'ai observé de loin. Il a une conduite bizarre en ce moment.

— Il n'a plus l'air de se soucier de nous, dit Félix. C'est vrai qu'on ne veut rien lui demander.

— Pour moi il combine quelque chose, affirma Tiburce.

Cet après-midi-là, Tiburce était allé du côté de la gare et il avait aperçu de loin son oncle qui entrait dans la salle des pas perdus. Tiburce l'avait suivi jusqu'au guichet où Célestin avait pris un billet de quai. « Il va accueillir une connaissance », conclut Tiburce. Et il attendit l'arrivée de l'express pour tâcher de savoir. La foule des voyageurs débarqua, et l'oncle réapparut parmi les derniers. Il était seul et, tout de suite, il se dirigea vers Tiburce qui croyait l'observer sans être remarqué.

– Bonjour, Tiburce, dit Célestin. Voici des semaines que je viens assister à l'arrivée des express matin et soir.

– Et pourquoi donc ? demanda Tiburce.

– Il y a, dit Célestin, des personnages extraordinaires qui se baladent. Je les vois faire des allées et venues sur le quai pour se dégourdir en attendant que le train reparte, ou bien ils descendent à Charleville avec des valises formidables.

– Je veux bien, avait dit Tiburce, mais qu'est-ce que ça peut nous faire ?

– Il ne faut pas, répondait l'oncle, se contenter de considérer les gens de son quartier. On se met à croire que l'humanité n'est ni riche ni variée. Quand j'assiste aux arrivées des express, chaque fois je découvre des visages prodigieux. Je te répète, il existe des personnages qui sont fabuleusement riches ou fabuleusement courageux, risque-tout, aventureux ou dévorés par une passion ou une religion qui les enchante, des princes, des vagabonds, des moines…

Tiburce avait gardé le silence, persuadé que l'oncle se moquait une fois de plus et pourtant avec l'idée qu'il disait la pure vérité.

Félix prêta au récit de Tiburce une attention vive, et puis il déclara :

– Les moindres agissements des gens ont une importance. On peut toujours croire qu'un rajah perdra un diamant par hasard, et qu'on va pouvoir le ramasser, et que cela aura des conséquences superbes, on ne sait comment. C'est pour cela que tu lis les journaux. Ton oncle…

– Je suis sûr, à son air, qu'on aura des nouvelles de lui un de ces jours, assura Tiburce.

Tiburce ne se trompait pas. Le samedi suivant, le jardinier leur annonçait que l'oncle voulait les voir chez lui, le soir même. Ils se rendirent donc à la maison de Célestin, comme la nuit tombait. Pour cette visite, ils eurent l'idée d'enfiler leurs costumes de gala.

Avant de frapper à la porte, ils entendirent une conversation à l'intérieur. L'oncle n'était pas seul. Il vint leur ouvrir et ils aperçurent un grand diable assis au coin de la cheminée.

– Je vous présente un homme célèbre, leur dit aussitôt Célestin. Je l'ai cueilli sur le quai de la gare. Je pensais bien qu'il passerait par Charleville un de ces jours.

Tiburce et Félix saluèrent. L'oncle ne leur avait pas nommé l'étranger, mais eux, il les présenta :

– Félix Marceau, bachelier ès lettres, diplômé d'une école commerciale, ancien secrétaire général de la maison Beursaut à Dinant ; Tiburce Peridel, ancien contrebandier. L'un et l'autre sont venus à Charleville rien que pour vivre à la grâce de Dieu, aussi honnêtement qu'il est possible. Pour l'instant, ils sont dans le marasme.

L'homme toussa et il s'adressa aux deux amis.

– Je ne pensais pas revenir en cette ville natale avant longtemps. Mais en allant vers l'Allemagne, j'ai eu l'idée de passer une nuit à Charleville. Et comment ne pas rendre visite à M. Prestaume lorsqu'il vous en prie ? J'ai fait son portrait, il y a quelque temps, et je lui dois beaucoup d'égards. Je suis surtout enchanté par ses récits. Non, ne me croyez pas très célèbre.

Il dit son nom. Félix et Tiburce ne l'ignoraient pas tout à fait. Peut-être l'avaient-ils lu sur un journal ? Le peintre reprit :

– Il fallait donc que je vienne ici. Qu'y a-t-il de nouveau dans la ville ?

Ce fut Célestin qui répondit :

– On reconstruit tout doucement. On projette d'installer un musée. Quant aux gens, ils n'ont guère changé, depuis que vous êtes venu. Je ne fréquente pas les notables que vous connaissez bien, mais j'ai de leurs nouvelles de façon indirecte.

Célestin parla de la situation de famille de M. Untel, des intrigues de la mairie. Le peintre posait des questions sur certains personnages qu'il avait rencontrés naguère, s'informant s'ils avaient gardé leurs allures et leurs manies.

Félix et Tiburce écoutaient de toutes leurs oreilles. Il fut parlé du trafic de la Meuse, des forêts exploitées, des nouvelles plantations d'épicéas, des chasses, des différentes espèces d'oiseaux de proie qui tournaient dans le ciel, non loin de la ville. On mêlait à ces leçons de choses quelques racontars décousus, faits divers locaux et petites horreurs quotidiennes.

– Et la comtesse ? s'écria soudain le peintre.

– Vous connaissez la comtesse ? dit Tiburce.

– Elle vit toujours misérablement, dit Célestin. Elle possède encore des bois, et une propriété avec des ruines et des ronces.

– Qui est donc cette personne ? demanda Félix.

Célestin expliqua qu'elle restait la dernière de sa famille, et que sa seule activité consistait à composer des tableaux avec des fleurs séchées, et à aller faire des piqûres aux malades. Elle avait encore des relations étendues. Elle s'en allait parfois dans une vieille voiture qu'elle conduisait elle-même, et rendait visite à des demeures perdues dans la forêt. On l'accusait de faire de la contrebande parce qu'elle s'était liée avec Mme Agathe qui n'avait pas une bonne réputation.

– Madame Agathe ! s'écriait Félix.

– J'ai joué avec elle quand j'étais gosse, dit le peintre. Ses parents étaient marchands de draps. Elle adorait nager dans la Meuse.

– Maintenant elle est un peu décatie, dit Tiburce.

– Elle est restée une enragée, observa Célestin. Elle tire

profit de tout et, de loin en loin, elle part pour un long voyage ou bien elle participe à des ventes de charité avec la comtesse.

– Elle ne nous a pas fait de cadeaux jusqu'ici, observa Tiburce.

– Elle nous a consenti un rabais de 10 % sur notre loyer, un beau jour, dit Félix, mais c'est encore trop cher.

– Les gens sont compliqués, dit le peintre.

Félix et Tiburce avaient conscience qu'eux-mêmes étaient assez étranges. Mais ils se sentaient pris dans l'agrément indéfini de la conversation, et ils ne songeaient plus que Célestin avait dû les faire venir pour que le peintre les tire d'embarras. Cette soirée s'en irait encore dans le vide, presque merveilleusement. Célestin servit son eau-de-vie de prune.

Tirer les gens d'embarras, c'est très beau, mais comment en trouver le moyen ? Au vrai, en déroulant souvenirs et informations, Célestin et le peintre semblaient chercher une idée.

– Un arc-en-ciel, dit le peintre en regardant au travers de son verre. L'écharpe d'Isis.

Ce propos banal le fit sursauter. L'idée sans doute était venue. Il regarda soudain Félix.

– Vous avez fait des études, s'écria-t-il. Pourquoi n'en feriez-vous pas encore de toute manière ?

– De toute manière ? bredouilla Félix. Que voulez-vous dire ?

– Il n'est pas impossible qu'on ait besoin d'un maître d'études dans quelque établissement scolaire de cette ville. Vous avez votre bac, et vous pourriez aussi, vous devriez même, en occupant ce poste vous inscrire à la faculté et poursuivre vos propres études.

Cette proposition inattendue suffoqua Félix et Tiburce.

– Bien sûr il est capable, dit Tiburce.

– Je connais des personnes au siège de l'Académie et même au Rectorat, reprit le peintre. J'ai des relations parmi les intellectuels et les universitaires, figurez-vous.

Tiburce poussa du coude son ami, qui paraissait hésitant.

– Mais fonce, lui souffla-t-il, toujours il faut foncer.

Le peintre surprit ces mots.

– Vous avez l'habitude de foncer, observa-t-il.

– Oui, c'est-à-dire... bégaya Tiburce. J'ai un peu perdu l'habitude.

– Mon cher neveu, dit Célestin, je suppose que tu savais foncer sur les barrières de douane et sur les passages à niveau.

Tiburce regardait avec inquiétude son oncle et le peintre, comme si on allait lui proposer (à lui) quelque besogne acrobatique.

Le peintre but son verre et déclara :

– Je connais aussi deux ou trois industriels par ici. Ce sont des gens qui ont parfois besoin d'un bon conducteur de voiture.

Tiburce et Félix restèrent muets. Un mois plus tard l'un et l'autre se trouvaient placés et bien placés, Tiburce chauffeur particulier, Félix maître d'externat au lycée. C'était pour eux aussi solennel qu'une catastrophe, quoique ce fussent des affaires tranquilles. Ils gardaient le souvenir des paroles du peintre et de cette conversation plus qu'ordinaire et charmante au travers de laquelle on avait cherché sans grand espoir et soudain trouvé leur vocation.

Si on pouvait parler de vocation... Pour Tiburce l'affaire fut rapidement résolue. Un industriel de la vallée l'engagea aussitôt comme chauffeur, sur la recommandation d'un ami du peintre. Quant à Félix il dut constituer un dossier, et ce fut une chance s'il se trouva un poste vacant qu'on lui octroya à titre provisoire.

Félix et Tiburce furent d'abord préoccupés par leurs nouveaux métiers auxquels ils craignaient de ne pouvoir s'adapter. Au mois de juin seulement, ils eurent le loisir d'échanger leurs impressions. Ils se rencontraient assez rarement. Tiburce était logé chez l'industriel. Félix garda la mansarde chez Mme Agathe pendant quelques semaines avant de trouver une chambre plus convenable où Tiburce venait le rejoindre lorsque ses heures de liberté coïncidaient avec celles de son ami.

Ils s'estimaient heureux de leurs nouvelles situations qui leur permettaient d'échapper à la misère, mais leurs sentiments demeuraient confus, et ils parlaient de leurs emplois avec embarras. On avait confié à Félix les classes de seconde et de troisième dont il surveillait les études. Les élèves se montraient un peu narquois à l'égard de ce pion qui avait tout l'air d'avoir manqué sa vie. Quant à Tiburce, il se révélait un parfait chauffeur, mais n'acceptait pas sans difficulté un état domestique. Pourquoi s'étaient-ils l'un et l'autre montrés de fortes têtes pour en venir à des conditions qui les effaçaient du monde encore mieux que la pire misère ?

Cependant ils éprouvaient une singulière satisfaction. Félix imagina de faire avec Tiburce l'ouverture de la pêche. Ils ne connaissaient rien à la pêche, et lorsque Tiburce attrapa une ablette, ils furent l'un et l'autre dans le plus grand étonnement.

– Tu sais ce que m'a chanté Mme Agathe, quand je lui ai fait mes adieux ? avait dit Félix. Elle se trouvait justement avec la comtesse.

– Mille choses sûrement, dit Tiburce.

– Elle m'a déclaré que toi et moi nous étions voués à un avenir. La comtesse l'a hautement approuvée.

– Et qu'est-ce que cela signifie ? demanda Tiburce.

– Nous sommes devenus des gens invisibles pour ainsi dire, répondit Félix. Alors nous devons avoir des chances fantastiques.

– Je ne sais pas si une casquette de chauffeur cela rend invisible, dit Tiburce.

Félix prit un gardon.

– Ça, c'est la fortune, dit Tiburce. A propos, figure-toi que j'ai eu l'occasion de retrouver la servante de l'auberge où nous avons déjeuné en arrivant à Charleville. Je me disais, une servante, et moi, un chauffeur, c'est l'idéal. Malheur, mais elle n'est pas servante du tout. C'est la fille de la maison, si bien qu'elle est pour moi hors de portée.

– Qu'est-ce que tu en sais ? dit Félix. Il y a quelque chose qui se prépare, c'est sûr.

Ils demeurèrent silencieux pendant une grande heure, sans prendre le moindre poisson.

– Et les Marceau ? demanda Tiburce.

– Je ne veux pas leur écrire pour le moment, dit Félix. Ils doivent avoir eu de mes nouvelles par la rumeur publique. Je pense que je vais faire des études. Alors peut-être je donnerai signe de vie. La grande affaire, c'est que je me passionne pour le grec. Cela peut mener loin peut-être.

– Le grec ! s'écria Tiburce. Ça fait distingué.

– Non, monsieur, dit Félix, c'est à cause de Nausicaa. J'aime Nausicaa.

– J'en ai entendu parler, murmura Tiburce. Mais le grec n'a rien à voir là-dedans. Pour toi comme pour moi c'est une histoire de fille, une *autre* fille, tu comprends ?

Une autre fille. Ils furent tout illuminés rien que d'en parler. Pas de doute, une affaire courait dans l'ombre de l'été, et leurs cœurs s'y préparaient glorieusement. Voilà à quoi sert la pêche à la ligne, à préparer les cœurs et l'avenir.

L'affaire ne devait pas tarder. En tout cas, Félix ne s'attendait guère à une telle rencontre.

La semaine suivante, certain soir, Félix, après être sorti du lycée, avait fait un détour pour passer le long du quai de la Meuse. Il était d'abord venu s'accouder sur le parapet, auprès du vieux moulin. Il s'amusait à exprimer ce qu'il voyait en des phrases simples de grec ancien : le soleil brille, le fleuve est vert, l'eau porte les ombres des arbres. Il se récita ensuite les paroles de Nausicaa : « Je te salue, étranger, pour qu'une fois en ta patrie tu te souviennes de moi, car c'est à moi, la première, que tu dois le prix de ton salut. » Bref lorsque Félix poursuivit sa démarche, il avait l'esprit si occupé qu'il ne remarqua pas une jeune fille qui venait vers lui le long du trottoir.

La jeune fille elle-même avait dû s'avancer sans très bien savoir où elle portait ses pas, parce qu'elle se trouva soudain juste en face de lui et dut d'abord s'arrêter pour l'éviter. En fait elle ne l'évita pas, elle le regarda en souriant et lui tendit la main. En levant les yeux il la reconnut aussitôt : c'était la fille du car, celle-là même qu'il avait effrayée certain soir dans une ruelle en lui présentant, comme un mendiant qu'il était, un bouquet de fleurs. Sans réfléchir, il prit sa main et la serra vivement. Aussitôt elle dit :

— Bonjour, monsieur. Je suis ravie de vous rencontrer depuis tout ce temps et de vous remercier une fois encore.

Félix comprit sans tarder qu'elle commettait une grossière erreur. La jeune fille le prenait pour le beau chevalier qui l'avait tirée d'un embarras à vrai dire imaginaire. La confusion pouvait sans doute s'expliquer par le fait que Félix était habillé aujourd'hui avec la même élégance que le jeune homme en question et que certainement il avait même allure. Et puis quand on a dans l'idée qu'on va tomber sur quelqu'un...

— Je suis très heureux, mademoiselle, dit Félix, persuadé qu'elle allait aussitôt s'apercevoir qu'elle se trompait.

Bien au contraire, elle s'écria :

— Je vous ai tout de suite reconnu à votre façon de marcher, pas tellement à votre visage que je n'avais guère eu le temps d'examiner.

La fille et le jeune chevalier n'avaient dû rester ensemble, en ce fameux soir d'hiver, que pendant quelques minutes. Une courte entrevue a parfois plus d'importance qu'une longue familiarité. Et à la première occasion... Mais comme on se trompe ! Félix lui répondit sans réfléchir :

— Moi, je ne vous ai jamais oubliée. C'était impossible que j'oublie...

Elle ne s'attendait pas à ce ton sérieux. Elle observa :

— Vous aviez eu le temps de me raconter qu'à ce moment-là vous vous trouviez à Charleville seulement pour deux jours. Vous étiez professeur dans le centre de la France. Seriez-vous revenu définitivement dans votre pays ?

– Je suis au lycée en effet, dit Félix, tout à fait intéressé cette fois par la situation ambiguë.

Certes il était loin d'accéder à un poste de professeur, mais c'était vaguement possible d'y parvenir un jour, s'il apprenait le grec et la philosophie. La jeune fille le considérait sans embarras et lui-même rayonnait, véritablement enchanté d'une erreur passagère beaucoup plus qu'il ne l'eût été d'une amitié réelle.

– Vous alliez de ce côté ? demanda-t-il. Voulez-vous me permettre de vous accompagner le long du quai.

– J'allais au hasard, dit-elle. Mais vous-même vous devez savoir exactement où vous vous rendez.

Elle prononça ces derniers mots sur un ton soudain assez âpre, qui certes décelait un caractère abrupt. Comme Félix n'avait rien à perdre ni à gagner dans cette affaire, il ne fit qu'admirer plus vivement cette fille, qu'il rencontrait pour la troisième fois dans des circonstances désintéressées. Il répondit :

– J'irai où vous voudrez.

– Eh bien, marchons le long du quai ! décida-t-elle.

Après quoi la conversation aurait dû tourner court. Félix n'avait rien à dire, et de quoi la jeune fille pouvait-elle bien parler ? Cependant elle paraissait tout à fait à l'aise, et elle lança quelques paroles avec son accent sauvage :

– Je constate que vous brillez toujours par la politesse. Vous devez être le plus correct et le plus distingué des professeurs.

– Je peux vous réciter, si vous le désirez, certains passages du chant VI de *L'Odyssée*, dit Félix.

– Vous êtes pédant.

– Je suis très attaché à l'étude du grec, répondit Félix.

– Moi-même, on m'a fait étudier le grec autrefois. Je déteste toutes ces études.

Éprouvait-elle quelque doute sur l'identité de celui qu'elle avait cru reconnaître ? Voulait-elle maintenant le provoquer et se débarrasser de lui ?

– C'est vous qui avez raison, dit-il. Je ne suis pas fait pour une vie vraie et je m'étourdis avec des bribes d'érudition. Comment parler à une jeune fille comme vous ?

— Elle parut surprise et le regarda avec amitié. En fait Félix, sans le savoir, avait les yeux tout éblouis.

– Je vais vous conter ce que je fais moi-même, reprit-elle.

Comme ils marchaient côte à côte, leurs épaules se touchaient parfois.

– Je vis seule avec ma mère dans une grande maison, car nous recevons souvent notre famille et des amis. Mais je ne reste pas toujours à Charleville. Je voyage souvent. Je suis allée récemment en Angleterre. Je gagne un peu ma vie en faisant des dessins pour des journaux ou des livres. Maintenant je vais vous dire ce que vous faites.

Félix demeurait tout à fait ahuri.

– Un de nos amis, un pianiste, a fait un séjour dans la région où vous exerciez, à Clermont-Ferrand, n'est-il pas vrai ? Il nous a appris que vous étiez un brillant professeur, dont chacun parlait. Vous prépariez un doctorat ainsi qu'un livre de poèmes.

– Pourquoi me dites-vous tout cela ? s'écria Félix.

– Ce n'est pas pour vous faire la cour. Les gens énergiques m'intéressent. Je ne songe pas à me marier, soyez-en sûr.

– Jamais je n'aurais prétendu… bégaya Félix avec une sincérité profonde. Mais vous vous trompez…

– En quoi est-ce que je me trompe ? expliquez-moi.

– Je ne vois pas du tout la vie comme vous la voyez, dit Félix qui ne se décida pas encore à lui expliquer qu'elle faisait erreur sur la personne.

– Comment la voyez-vous donc ?

– Tantôt sous un aspect commercial, tantôt avec l'idée que je suis perdu dans un monde vraiment digne d'une attention meilleure que celle que je peux lui donner.

– Vous avez un esprit plein de contradictions, si je comprends bien, dit-elle. Sûrement il vous vient souvent des idées saugrenues.

– En ce qui concerne les idées saugrenues, je ne crains personne, dit Félix.

– Pouvez-vous m'en donner un exemple ?

– J'ai un ami qui désire plus que tout au monde élever des volailles, et moi-même je serais heureux de régir une exploitation avec des abeilles, des oiseaux, des fleurs. Je connais très bien la comptabilité.

La jeune fille le regarda avec un sérieux étonnement. Elle paraissait intéressée par les propos désordonnés de Félix qui aurait voulu à demi-mot lui faire comprendre son erreur, et s'attendait d'un instant à l'autre à ce qu'elle lui tournât le dos sans explication.

– Et votre grec, votre thèse, qu'en faites-vous alors ?

Elle avait repris son ton âpre.

– Mon grec, c'est par moments.

– Vous mentez, dit-elle brusquement.

– Bien sûr je mens.

Ils étaient allés jusqu'à l'extrémité du parapet qui borde la Meuse et revenus jusqu'au pont. Comme ils se retournaient ensemble, elle déclara :

– Il se fait tard, monsieur Félix Dessaux. Je n'ai pas oublié votre nom. Vous ai-je dit le mien le soir de cette fameuse rencontre dans une ruelle ?

– Certainement pas, déclara Félix.

– Angélique Valderling. Maintenant, adieu. Comptons sur le hasard pour une nouvelle rencontre.

– J'aimerais vous revoir demain ou après-demain.

– Après-demain soir, dit-elle.

La jeune fille tourna les talons, et traversa la chaussée pour prendre une petite rue qui conduisait vers l'église.

Félix resta un moment immobile. Puis il sauta sur le parapet et s'assit les jambes pendantes au-dessus de l'eau. Il avait besoin de la compagnie du fleuve où passaient de petites ablettes ignorantes des complications du monde.

« Estomaqué, murmura-t-il, voilà le seul mot possible.

Encore une erreur absolue, bien pire qu'au temps de Juliette.
Mon vieux Félix, à cause de tes faux airs, on t'a encore pris
pour ce que tu n'étais pas, mais pas du tout. Enfin pourquoi
est-ce que tu lui as demandé un rendez-vous ? »

Le bluff était tout à fait impossible. S'il s'appelait lui-même
Félix, aucun rapport avec un nommé Dessaux. La thèse de
doctorat, le livre de poèmes… La méprise ne pouvait durer
longtemps. Mais tant qu'elle durerait, Seigneur… Félix dévo-
rait des yeux les images dans l'eau de la Meuse. Enfant abandonné… Le ciel d'un bleu transparent environnait une
péniche reflétée qui transportait sa lessive éclatante.

Félix ne retrouva Tiburce que la semaine suivante.

– Quoi de nouveau ? demanda Tiburce.

– Moins que rien, dit Félix, littéralement.

– Pourquoi littéralement ?

– La fille du car… commença Félix.

Il raconta l'histoire, la première rencontre, et puis la
deuxième. Il avait bien pensé que la jeune fille se douterait et
que ce n'était pas la peine de se démasquer. Mais ils s'étaient
retrouvés et elle s'était plutôt enfoncée dans son erreur.

– L'amour est aveugle, dit Tiburce.

– Pas question d'amour, expliqua Félix. Elle en est toujours sur ce que je fais, sur mon avenir et sur mes idées. Elle
a construit un personnage, c'est sûr. Il suffit de trois mots
pour le démolir, son personnage. Peut-être on arrive à
emprunter le nom d'un autre, mais pas sa carrière, pas sa
conduite.

– C'est tout de même toi qu'elle regarde et qu'elle entend,
ce n'est pas l'autre, insistait Tiburce.

– Tu ne comprends pas. Tout ce que je raconte, elle l'attri-
bue à une sorte de type instruit et génial.

– L'amour, rabâchait Tiburce.

– Non, je te répète, disait Félix. Elle *veut* que je sois Untel,
que j'aie passé par l'École normale supérieure, que j'aie composé des poèmes. D'une minute à l'autre elle peut apprendre

les avatars du nommé Marceau, et sa vie stupide. Alors rien n'aura plus de sens, littéralement encore une fois.

– Pourquoi est-ce que tu es allé la retrouver ? Tu pouvais rester chez toi.

– Elle a des seins magnifiques, dit Félix.

– C'est une raison, reconnut Tiburce.

– Heureusement, elle part en voyage.

La jeune fille avait annoncé à Félix qu'elle devait se rendre à La Haye pour assister à un congrès. Elle devait avoir dans les milieux artistiques une certaine réputation, dont elle paraissait peu se soucier, comme si c'était une affaire qui allait de soi. Félix se disait que Juliette sans doute était fortunée, mais qu'elle ne pouvait prétendre à une intelligence extraordinaire, tandis qu'Angélique semblait appartenir à une élite intellectuelle. Donc elle était encore plus inaccessible que Juliette. On a beau railler, on se sent petit lorsqu'on est un maître d'études attardé dans la profession et encore par une chance inestimable, après avoir pas mal dégringolé le long de l'échelle sociale. « Maudite échelle », se répétait Félix. Mais cette fois, il n'avait pas la moindre illusion.

Deux mois passèrent. La jeune fille prolongeait son voyage. Il reçut au lycée une carte postale adressée à Félix Dessaux, que le concierge lui montra par hasard.

– Il s'agit de moi, déclara Félix. C'est un pseudonyme. Quand j'écris dans les journaux…

Sur la carte il y avait simplement : « Souvenir amical » et en guise de signature les initiales A. V. La vue représentait un port.

Cette carte adressée à un autre lui-même l'éblouissait avec son ciel trop bleu. En revenant à la maison, le long de la rue déserte, il s'amusa à contrefaire la rumeur d'une sirène de bateau.

Juste à la veille des vacances il se lia avec un professeur, qui lui proposa d'écrire pour le journal local un article sur un auteur moderne. Félix avait beaucoup lu naguère et il accepta sans y réfléchir.

– J'ai trop de travail pour m'en occuper moi-même, avait dit le professeur. Vous me rendriez service, car j'ai promis de fournir cet article.

Félix s'appliqua à cette besogne qu'il exécuta avec une peine infinie, comme un écolier. Il signa le papier Félix Dessaux, comme pour une suprême dérision.

– Tu vois, mon vieux Tiburce, lui dit-il un jour, je suis né pour les situations fausses.

– Toutes les situations sont fausses, disait Tiburce. Moi, j'ai revu la petite fille de l'auberge. J'ai raconté que je conduisais des voitures de course.

– Mais toi, tu fais cela de propos délibéré, objectait Félix. Moi, je suis faux corps et âme et on se trompe sur moi sans que je fasse rien.

– Alors tu es innocent, dit Tiburce.

– Pas innocent, puisque je n'ai pas détrompé Angélique.

– Angélique ! dit Tiburce. Quel beau nom ! Tu l'appelles déjà ainsi ?

– Je ne devrais pas, dit Félix.

Angélique prolongeait son séjour à l'étranger. Félix restait sans nouvelles et il s'en félicitait. Ne sachant même pas où elle demeurait à Charleville, elle aurait pu revenir sans qu'il en eût le moindre soupçon. Il évitait maintenant les rues passantes afin de ne pas courir le risque d'une rencontre. Mais il avait le sentiment que la jeune fille était encore en voyage.

Dès que les vacances arrivèrent, Félix occupa la plus grande partie de son temps à la bibliothèque. Une fois par semaine, il faisait une longue course à pied avec Tiburce. Ils allaient dans les villages en bordure de la forêt. Ils se baignaient dans la Meuse.

– Des amoureux transis, voilà ce que nous sommes, disait Tiburce.

– Je ne suis ni amoureux ni transi, prétendait Félix.

Ils allaient à ce moment-là le long d'un chemin de terre et, comme ils parlaient, l'angélus sonna dans un village en contrebas, si bien que la rumeur des cloches montait des champs de blé.

– C'est passionnant, dit Félix.

– Qu'est-ce qui est passionnant ?

– Une vie d'imbécile, c'est quand même passionnant, dit Félix.

Il y avait un ciel mêlé de nuages purs, et plein d'angoisse. Ce soir-là, ils revinrent ensemble chez Félix. On entrait dans la maison par un couloir. Sur la droite c'était un petit salon toujours fermé. Pour une fois la porte du salon était restée ouverte. Comme les amis entraient, la logeuse, Mme Anselme, se précipita.

– Venez, dit-elle, oui, venez avec votre ami. J'ai des visites. Je vous présenterai. Nous avons une affaire à débrouiller. Vous qui savez tout…

Félix était en bons termes avec cette logeuse qui avait presque autant de dignité que son ancienne propriétaire de Namur. Il fut néanmoins agacé par ses paroles aimables.

– Oui, je sais tout, dit-il brusquement, réparer les appareils ménagers, interpréter les papiers administratifs, déboucher les vatères, ânonner le latin et le grec.

Mme Anselme ne savait comment elle devait prendre cette tirade. A ce moment, une dame de forte carrure et d'un âge respectable apparut dans l'encadrement de la porte du salon.

– Monsieur, vous me plaisez, dit-elle. Vous en savez certainement encore plus long que vous ne dites.

Mme Anselme fit les présentations :

– Madame Filian, monsieur Félix Marceau, professeur au lycée.

– Pas professeur, murmura Félix sans qu'on l'entendît.

Ils entrèrent dans le salon. Il y avait aussi la comtesse de Launeuve dans son accoutrement misérable. Félix présenta Tiburce :

– Monsieur Peridel. Pour le moment, il est à l'essai des voitures de course.

Tiburce le regarda d'un air de reproche. Mais, puisqu'on était dans le mensonge jusqu'au cou, mieux valait s'en payer une bonne fois. La comtesse de Launeuve, qui n'ignorait pas les avatars des deux amis, les considéra néanmoins avec une sorte d'admiration.

Une fois qu'on fut installé sur des fauteuils rigides et vieillots, ce fut Mme Filian qui prit la parole.

– Mme de Launeuve et moi-même nous possédons dans les environs deux propriétés contiguës. Notre ennui vient de ce qu'elles sont restées en friche. On veut nous les louer pour une somme dérisoire. En vérité elles sont envahies par les ronces, les épines et tous les rejets de la forêt. Mais, suivez-moi bien, Mme de Launeuve a sur ses terres une demeure qui était déjà branlante avant la guerre et qui se dégrade de plus en plus. Nous supposons qu'elle a pu être atteinte par le souffle d'une bombe. Il y a plusieurs entonnoirs dans le voisinage. Ainsi l'ensemble s'est effondré et il ne reste qu'une aile.

– Encore une affaire de dommages de guerre, s'écria Félix. Il faut persuader aux bureaux que ladite maison est sinistrée et obtenir aussi quelques subsides pour remettre les terres en état.

– Vous avez deviné, s'écria Mme Filian. C'est ce que Mme Anselme nous conseille, mais je ne me chauffe pas de ce bois-là. Nous cherchons une solution honnête sans être réduites à une location désastreuse.

Félix regarda Tiburce.

– Il y a un moyen, dit-il. Vous pouvez vous entendre avec quelqu'un qui n'a pas le sou et qui soit un bon artisan, capable par exemple d'élever des volailles et de soigner des ruches. Vous avancez les frais d'une petite installation dont l'homme et vous-mêmes tirerez quelque profit. Peu à peu, vous pouvez faire aménager les terres par des journaliers et consacrer à ce travail vos petits bénéfices.

Félix parlait sans avoir réfléchi le moins du monde, afin d'être le plus tôt possible délivré d'un colloque ennuyeux.

L'idée de l'élevage de volailles lui avait d'abord traversé l'esprit. C'était un des thèmes nostalgiques qui flottaient à l'horizon de la vie de Tiburce.

– Je constate et je déclare hautement, dit Mme Filian, que M. Marceau a un esprit d'une merveilleuse promptitude. Il valait la peine d'agiter la question rien que pour entendre cet avis remarquable. J'estime que c'est une solution à laquelle nous songerons, Mme de Launeuve et moi.

– Certainement nous y songerons, répliqua la comtesse. Nous ne faisons que songer. Mais ce serait dommage que ma propriété ne reste pas en mauvais état. Vous dirai-je que cette demeure ruinée abrite de précieux souvenirs. C'était jadis un véritable château. Enfant, je me suis perdue au fond de ses couloirs, et jusque dans ses caves immenses. Savez-vous que mes ruines sont magnifiques ? La nuit on y voit des lumières qui se promènent. Des vagabonds et aussi bien mes aïeux qui reviennent voir les lieux avec leurs lanternes d'autrefois.

– Vous vivez aisément des revenus d'une ferme, dit Mme Filian. Mais pour ma part je serais satisfaite si je pouvais tirer profit de ces lopins que j'ai trop souvent négligés.

– Nous sommes à l'époque des lotissements. S'il est facile d'y amener l'eau… avança Félix.

– Encore une idée, dit Mme Filian. Vous êtes vraiment extraordinaire. Il faudra, monsieur, que nous nous revoyions. Vous seriez un remarquable agent d'affaires.

– Je vous l'avais dit, s'écria Mme Anselme. Et c'est un homme qui écrit dans les journaux. Il a tous les talents.

La comtesse et Mme Filian poussèrent de petites exclamations extasiées. On échangea encore quelques propos. Enfin Félix et Tiburce purent prendre congé, et gagner la chambre.

– Tu te lances dans le monde, dit Tiburce.

– Je suis furieux, dit Félix. Faut-il que je me sois fait complimenter par ces incroyables vieilles dames ! Qu'est-ce que j'ai fait pour être obligé de jouer de telles comédies ?

– Avec des relations on arrive à tout, dit Tiburce.

Félix le considéra avec tristesse. Il garda le silence, jusqu'à ce que Tiburce lui eût proposé d'aller faire une partie de billard au café le plus proche.

Félix songea pendant des jours à cette petite scène dans le salon de sa logeuse. Naguère chez Mme Agathe il avait été simplement misérable. Maintenant il risquait de jouer le rôle du raté prétentieux, qui se fait fort d'éblouir quelques bonnes âmes. Que penserait Angélique ? D'aucune manière, sans doute, il ne pourrait prétendre intéresser cette fille, dès qu'elle apprendrait qui il était, ce qui ne pouvait tarder. Maintenant il désirait s'effacer tout à fait, de façon qu'elle n'ait de lui pas la moindre idée et qu'il puisse garder son image tout à fait pure.

Il profita des jours de septembre pour rôder dans les campagnes, et en marchant il se livrait à maintes réflexions. D'abord il était tombé amoureux d'Angélique, l'affaire allait de soi. Cela lui donnait le droit d'extravaguer certes, et peut-être le droit de se débrouiller pour se faire agréer par tous les moyens, mais pas du tout le désir d'entretenir une erreur foncière, ce qui était d'ailleurs difficile.

Félix avait surtout le sentiment que l'erreur présente venait de très loin et que jamais elle ne s'effacerait, même s'il détrompait Angélique et qu'elle l'acceptât tel qu'il était. Tel qu'il était ! C'est-à-dire… abandonné (cela lui revenait), prétentieux, visant toujours à côté, incapable de mener un vrai travail… « Mon vieux, quand on est marié, on devient sérieux », disait Tiburce. Marié ! C'était cela même qu'il ne pouvait admettre : le pire des mensonges en l'occurrence et par bonheur hautement impraticable.

Il cessa de raisonner là-dessus, décidé simplement à tout envoyer promener. Angélique… Cette ligne gracieuse des sourcils. Ces lèvres douées d'une voix irremplaçable. Les seins merveilleux. Elle demeurerait avec une beauté d'autant plus vive qu'il serait pour toujours séparé d'elle.

– Mon vieux Tiburce, dit-il un jour, je crois que je vais quitter Charleville.

– Pour aller où ? demanda Tiburce.

– J'irai supplier Beursaut.

– Supplier Beursaut ?

– Je veux revenir à ma vie quotidienne. Nos vagabondages, le grec, les études, tout cela c'est des manigances.

Le lendemain, il rencontrait Angélique sur le quai de la Meuse. Il l'aperçut au moment où il ne pouvait plus l'éviter.

– Vous êtes demeuré à Charleville ? lui dit-elle.

– J'ai essayé de travailler.

– Moi, j'ai fait de l'auto-stop jusqu'à Copenhague. Pas mal de difficultés, mais j'ai visité les musées hollandais.

– Oui, dit Félix.

– Je suis tombée un jour sur l'article d'un journal belge, qui faisait quelques commentaires sur le livre de poèmes de Félix Dessaux. Il y avait des citations.

Elle le regardait avec des yeux passionnés.

– Est-ce que des poèmes cela signifie quelque chose ? demanda-t-il.

– Ceux-là signifient quelque chose.

Félix se sentait de plus en plus empêtré. Tout de même, il n'avait qu'à dire : « Moi, je n'ai rien de commun avec votre beau chevalier, et je me moque de vos prétentions esthétiques. » C'était tout simple finalement. Mais elle dit :

– Ce ne sont que des ébauches, à mon idée, et je n'y entends rien, mais cela me paraît vrai, même si c'est peu de chose.

– La vérité, murmura Félix.

Il lui prit la main :

– Écoutez-moi !

Il avait cru qu'elle retirerait aussitôt sa main. Elle la lui abandonna et il ne savait comment dénouer cette légère étreinte. Ceux qui se rencontrent après une absence ont de soudains élans même s'ils ne sont pas très liés. Il ne savait plus que dire. Il déclara :

– Je ne sais plus ce que je voulais dire. Marchons.

Ils allèrent d'abord en silence le long du quai. Au lieu de

revenir sur leurs pas, lorsqu'ils arrivèrent au pont, ils traversèrent le pont.

Ils allèrent la main dans la main presque sans le savoir. Ils
parlaient de choses ordinaires à tout hasard.

– Cette péniche me rappelle Namur, dit-il. Vous connaissez
Namur ?

– Non, dit-elle brusquement.

Elle retira sa main. Ils s'accoudèrent sur le parapet. C'était
sûr qu'Angélique gardait son caractère intraitable, même si
elle acceptait un semblant de flirt.

– Pourtant vous avez beaucoup voyagé vers le nord. Le
confluent de la Meuse et de la Sambre, c'est beau, dit-il.

– Vous m'avez envoyé une carte d'Italie il n'y a pas si longtemps. Je croyais que vous préfériez les pays de la Méditerranée.

Il faillit s'écrier : « Moi ! » Il comprit en un éclair qu'elle avait
dû échanger avec Félix Dessaux une vague correspondance.
Elle pensait à ce Dessaux, c'était sûr, et lui n'était qu'un personnage de remplacement très provisoire, sans qu'elle s'en dou-
tât encore. Comment pouvait-elle commettre une telle bévue ?
Peut-être se doutait-elle obscurément d'une étrangeté, et se sen-
tait-elle attirée par cela même, comme par une énigme. Il avait
quitté le parapet et s'était avancé sur le trottoir. Elle l'avait
suivi.

– L'Italie, dit-il enfin, c'est un pays de rêve peut-être bien.
Venez, j'ai quelque chose à vous dire.

Ils montèrent sans parler sur la colline, le long de l'allée du
jardin public. Vers le haut ils trouvèrent un banc désert. Ils s'y
assirent. Ils regardèrent le fleuve et la ville. Félix ramassa de
menus graviers et se mit à les lancer devant lui contre un petit
piquet de fer dressé à la bordure du gazon. A chaque coup il
touchait le piquet qui résonnait vivement. Non loin de là un
gamin s'abîmait dans la contemplation de cet exploit. La
jeune fille tourna la tête, cherchant les yeux de Félix comme
pour l'interroger. Que signifiait ? On entendit chanter un
merle dans un buisson.

– Écoutez, dit-il.

Quand le merle eut terminé son couplet, Félix siffla le même thème avec une telle perfection qu'on ne savait plus si c'était lui ou l'oiseau. La jeune fille restait stupéfaite. Le gamin ouvrait des yeux grands comme des lunes. Félix regarda la jeune fille.

– J'ai de singuliers talents, déclara-t-il. Je parviens à imiter presque tous les bruits. Cela m'amuse et je ne peux pas m'empêcher à certains moments de faire une petite démonstration. Excusez-moi, mais mon chef-d'œuvre, cela a toujours été le sifflet des trains. Tournez la tête de ce côté et écoutez bien.

Elle tourna la tête, ne sachant plus certainement que penser. Félix produisit quatre ou cinq sifflements à vrai dire extraordinaires, les premiers comme rapprochés et les autres se perdant dans un lointain qui pouvait être aussi bien le lointain de la ville que le lointain du monde.

– Un peu mélancolique, avoua-t-il. Mais c'était nécessaire avant de vous raconter mon histoire.

– Votre histoire ? dit-elle sur un ton machinal.

– Je suis né à Lillers, commença Félix, mais on ne peut pas dire que c'est mon pays. Ma mère m'a abandonné alors que j'avais cinq ans et j'ai été recueilli par une famille qui est venue habiter Namur, la famille Marceau. Je m'appelle Félix Marceau. Je ne sais pas si Namur ne serait pas mon vrai pays. Je crois plutôt que c'est Charleville.

La jeune fille garda le silence. Elle semblait attachée aux paroles de Félix. Peut-être ne comprenait-elle pas encore.

– J'ai fait mes études au lycée de Charleville, où m'avaient envoyé mes parents, puis dans une école technique de Bruxelles.

Tout d'un trait il raconta comment il avait occupé un poste de confiance dans la maison Beursaut, l'accueil que lui avait fait la famille Dorme et son espoir d'épouser Juliette, comment il avait tout envoyé promener après une histoire qu'il avait eue à la suite d'une querelle qui avait surgi entre un de ses anciens amis et quelque contrebandier. Sa fuite dans les rues, le départ pour Londres, le retour à Namur, et puis la vie difficile qu'il avait menée à Charleville avant qu'on lui procurât un poste de maître d'études.

La jeune fille s'était écartée de Félix. Elle ne parvenait pas sans doute à s'expliquer comment elle avait pu se tromper à ce point. Félix conclut :

– Cependant vous me connaissiez bien, peut-être mieux que Félix Dessaux.

Elle sembla déroutée, et le considéra avec attention.

– Un soir, dans une ruelle, dit-il, une sorte de mendiant vous a offert des fleurs.

Alors tout s'éclaira pour elle. Peut-être devait-elle supposer que le visage du mendiant avait marqué dans son souvenir, de telle manière que son image s'était substituée à celle de son sauveur. La conversation entre elle et Félix Dessaux avait été rapide et confuse et l'avait séduite pour cette raison. Les entretiens récents avec Félix Marceau s'étaient révélés aussi déroutants.

Elle voulut parler. A ce moment, on entendit dans la ville le long sifflement d'un vrai train qui quittait la gare. Il murmura :

– J'aurais dû… mais j'étais tellement étonné.

Il regarda le jardin qui descendait vers le fleuve comme si toute sa vie était maintenant dans les arbres, dans les fleurs, dans l'eau miroitante, et comme s'il ignorait la jeune fille qui demeurait immobile, se demandant sans doute comment échapper à cette situation douteuse. Félix se leva :

– C'était passionnant, dit-il, d'être aimé par erreur, mais cela ne pouvait durer. Excusez-moi.

– Allez-vous-en, dit la jeune fille avec autant d'indifférence que de mépris.

La vie de Félix ne fut pas changée. Il n'avait pas le moins du monde attendu une parole aimable. La jeune fille lui avait signifié son congé, cela allait de soi. Lorsqu'il vit Tiburce, il lui conta la petite scène très rapidement et parla beaucoup d'Angélique, de sa façon de marcher, de sa voix, de ses yeux.

– Pas moyen de raccrocher? demanda Tiburce après avoir écouté patiemment.

– Cela ne m'est jamais venu à l'idée, dit Félix. Je filerais plutôt au bout du monde que d'échanger deux mots avec Angélique. Elle est bien cette fille, et absolument intacte, tu comprends?

Ils allèrent ensemble voir l'oncle qui les félicita de leur bonne mine. Ils parlèrent de la comtesse, de Mme Filian.

– Bien sûr, je la connais cette dame, dit Célestin. Elle a des idées violentes.

– J'ai cru que nous ne nous en sortirions pas l'autre jour, dit Félix.

– Vous n'en êtes certainement pas sortis, dit l'oncle.

Célestin Prestaume avait le don de transformer les personnes et les circonstances les plus ordinaires de telle façon qu'elles paraissaient absolument nécessaires, malgré leur futilité.

Tandis qu'il montrait son jardin à Tiburce et à Félix, il comparait Mme Filian à un artichaut.

– Quoi de plus incongru qu'un artichaut, disait Célestin, et qui peut l'avoir malicieusement inventé?

Il désignait les toits de la ville en contrebas, comme s'il y avait mille idées qui couraient sur les toits avec les graines de l'automne. Il disait que la dame faisait son marché avec un cabas immense où elle plaçait pour tout achat un ou deux petits fromages et une baguette de pain.

– Grande dame tout à fait dont les revenus sont à peu près imaginaires, ce qui est une marque de noblesse.

– Elle m'a paru bien décidée dans ses paroles, disait Félix.

– Une femme qui ferait marcher un régiment, observait Tiburce.

Lorsqu'on parle d'une personne à tout hasard, il est rare qu'elle ne se jette pas dans vos jambes, un jour ou l'autre. Une semaine plus tard, à la veille de la rentrée, comme Félix revenait d'une promenade, Mme Anselme le héla.

– Il faut, dit-elle, que vous alliez prendre le thé chez Mme Filian qui tient à vous entretenir. La comtesse y sera et d'autres personnes peut-être.

– Je n'ai pas le temps, dit Félix. J'ai une course à faire.

– Mon cher monsieur, dit Mme Anselme, ne négligez pas, je vous en prie, de vous lancer dans le monde. Vous qui écrivez dans les journaux.

– J'ai horreur du monde et des journaux, répondit Félix.

– Faites cela pour moi. J'ai promis à Mme Filian que vous auriez à cœur de lui présenter vos hommages. On ne refuse pas une pareille invitation. Si vous avez quelque affaire, réglez-la rapidement et venez aussitôt. Je vous précéderai là-bas et j'excuserai votre retard.

Puis, après un instant :

– Cette dame est sûre, monsieur Marceau, que vous avez une sorte de génie. Je ne sais ce qu'elle entend par là, mais j'avoue que je la crois dur comme fer.

Félix pensa : « L'artichaut, mieux vaut se défiler. » Il promit et se jura de ne pas se rendre à l'invitation. Il alléguerait plus tard quelque circonstance imprévue, et cela le mettrait sans doute pour l'avenir à l'abri de ces entreprises mondaines qui ne pouvaient tourner qu'à sa confusion. Il alla dans sa chambre, revêtit son meilleur costume, et mit une cravate étincelante. Mme Anselme, lorsqu'il sortit, ne put douter qu'il se rendrait chez Mme Filian.

– Voici l'adresse, lui dit-elle. C'est dans la rue Vieille. Si vous saviez !

– Si je savais quoi ?

– Rien, je n'ai rien dit, murmura Mme Anselme avec un regard profond. Voilà, je serai bientôt prête.

Félix se hâta de filer. Il alla au hasard des rues. Il se proposait de flâner devant les magasins et de revenir dès qu'il pourrait croire que sa logeuse avait déguerpi. « C'est insensé, se disait-il, à quoi vous obligent des personnes qui se dépensent en tortillements gratuits. Il faut maintenant que je fasse les cent pas pour préserver une liberté dont je n'ai que faire d'ailleurs. »

Il s'arrêta à une librairie. Il y avait devant la vitrine une série de longs casiers avec des livres d'occasion. Il se mit à feuilleter les livres du premier casier : un roman d'aventures, un tome de *L'Odyssée*, une anthologie poétique, encore un roman d'aventures. Comme il passait au second casier, il aperçut Angélique, elle-même occupée à examiner les volumes à quelques pas de là. Il se retourna brusquement, et fila le long du trottoir. Il prit la première rue sur la gauche et il continua à marcher rapidement. Il suivit une ruelle, retomba dans une rue parallèle où il heurta un gamin qui flânait. Il s'arrêta et s'excusa. Puis il se demanda pourquoi il avait couru ainsi, comme si la jeune fille pouvait le poursuivre, ce qui était impensable.

Pourtant, il eut quelque peine à reprendre son allure normale. Il avait le désir passionné de fuir dans la campagne. Il ne pouvait se défaire de l'image d'Angélique, dont le visage tout à l'heure était penché sur les livres si bien que ses cheveux retombaient le long de ses joues. Il songea à l'étonnante joie qu'il aurait à l'embrasser sur la joue. Et aussitôt il eut la vision précise de ses yeux verts qui lui étaient tout à fait étrangers. Les regards peuvent être le plus beau don qui puisse se faire, mais d'elle à lui c'était sûr que jamais, *quoi qu'il arrive*, il n'y aurait le moindre don. Alors il la revit tout entière, sa robe, ses jambes et ses épaules.

Il avait la gorge serrée. Des larmes lui vinrent aux yeux. Cela lui paraissait incroyable d'être ainsi bouleversé. « Pas possible, murmurait-il, pas possible. » Mais il devait reconnaître qu'il avait été tout entier saisi par elle, comme si elle était devenue lui-même et que pourtant elle fût irrémédiablement absente. Il regarda le ciel qui était bleu et déchirant. Il avait continué à marcher au hasard des rues, sans savoir où il se rendait. A un croisement, il vit une jeune fille qui venait au-devant de lui. Angélique ! Il rebroussa chemin, mais il éprouva la nécessité de se tourner pour la voir une fois encore. Ce n'était pas la jeune fille. Il se dirigea ensuite vers le croisement. Là il se trouva nez à nez avec une vieille dame. Mme Anselme ! Cette fois, il ne se trompait nullement.

– Comme c'est gentil, s'écria Mme Anselme. Vous vous êtes hâté de faire votre course. Ainsi nous pourrons arriver ensemble chez Mme Filian.

Félix était trop ahuri pour protester, n'ayant pas la moindre idée qu'il se trouvait dans le quartier où habitait Mme Filian. Il accompagna donc sa logeuse qui s'était revêtue de ses plus chers atours et n'avait pas oublié de mettre son chapeau à fleurs. En somme il fut satisfait de la circonstance qui rompait le cours de ses pensées.

La maison de Mme Filian était un lieu où il aurait pu réellement rencontrer Juliette Dorme par exemple. Il ne tenait pas particulièrement à une telle rencontre, mais, s'il songeait à Angélique, Juliette lui apparaissait maintenant comme une fille familière avec qui on pouvait s'entendre.

Une maison assez vieille, cossue, massive, dont le perron élevait ses urnes de pierre dans une courette minuscule où se mêlaient des fusains et des rosiers affreusement négligés.

Mme Anselme et Félix furent accueillis dès le vestibule par la maîtresse de maison, qui les conduisit tout de suite dans le salon aux dorures écaillées. Ce qu'il y avait de décrépi dans cette maison gardait le même air d'insolence que Mme Filian et semblait vous mettre en demeure d'honorer de nobles débris.

Dans le salon se trouvaient déjà la comtesse, deux autres

dames, et un vieil homme à monocle qui était un général. Les présentations faites, Félix songea encore à Juliette. Mme Anselme lui avait dit : « Si vous saviez ! » et il avait l'impression qu'on attendait quelqu'un d'important. La conversation en effet prit un tour superficiel comme lorsqu'on va assister à un lever de rideau.

On parla des journaux, et de ce qu'on devrait écrire dans les journaux et qu'on n'y lit jamais. Félix se demandait ce qu'il faisait là. Néanmoins il se laissa entraîner dans la conversation, tout heureux quand même de trouver, après des mois de misère noire, des gens bien, qui consentaient à prêter attention à ses paroles. Il déclara que c'était tout à fait par hasard qu'il avait collaboré au journal du lieu, mais qu'il s'intéressait à la littérature. Comme le général parlait de William Blake, Félix aperçut par la fenêtre une jeune fille qui entrait dans la petite cour. C'était Angélique. Il se leva brusquement et se rassit.

— Ma fille, dit Mme Filian. Je reconnais son pas sur le gravier.

— Sa fille !

— C'est la fille du second mari de Mme Filian, lui dit à l'oreille Mme Anselme, croyant parler d'une voix étouffée.

— Je suis trois fois veuve, déclara la dame qui avait parfaitement entendu. Trois maris qui n'étaient pas résistants hélas. Parmi mes nombreux enfants, seule cette fille me reste pour me tenir compagnie. Je serai heureuse, monsieur Marceau, de vous la présenter.

Angélique Valderling était donc la fille de Mme Filian, et celle-ci s'était peut-être mis en tête que Félix Marceau était un prétendant possible. Elle le croyait professeur au lycée, elle aussi, et par-dessus le marché elle lui attribuait une sorte de génie. Grands dieux !

Félix entendit dans le vestibule les pas de la jeune fille qui s'éloignait vers le fond de la maison. Il réfléchit deux secondes, et sans prononcer le moindre mot ni saluer la compagnie, il ne fit qu'un bond vers la porte du salon, l'ouvrit et se précipita pour sortir. Au moment où il mettait le pied sur le perron, la jeune fille était revenue dans le vestibule, et elle dut l'apercevoir.

Quand elle entra au salon, elle trouva des visages stupéfaits. Mme Filian n'était nullement démontée. Elle dit à sa fille :

– J'aurai à te parler tout à l'heure. Pour le moment veux-tu nous servir le thé, s'il te plaît ?

Il y eut, ce soir-là, chez Mme Filian, un thé non dépourvu d'animation. Deux autres dames, et deux messieurs assez graves arrivèrent peu après le brusque départ de Félix. Le général avait voulu raccrocher avec William Blake, et Mme Filian lui avait assuré qu'elle n'était pas d'humeur à entendre parler du Paradis ni de l'Enfer, quoique elle fût sensible à la mysticité. Elle estimait qu'il était meilleur pour ses nerfs de considérer les aspects de la prochaine bataille électorale. Le premier visiteur était candidat au conseil municipal, et elle le secoua vivement, afin de le convaincre qu'on ne devait jamais lever les bras.

Le temps passa ainsi en discussions qui firent à peu près oublier Félix Marceau. Lorsque les invités eurent pris congé, Mme Filian posa à sa fille des questions assez vives.

– Tu connais ce jeune homme qui est parti comme un voleur au moment où tu arrivais ?

– Je l'ai rencontré par un hasard, dit Angélique.

La jeune fille parlait avec indifférence, tandis que la mère avait pris le ton du commandement. Ce fut une conversation rituelle pour ainsi dire, au cours de laquelle la fille et la mère s'affirmaient absolument étrangères l'une à l'autre. Selon une vieille habitude elles maintenaient leur volonté propre, et ne se laissaient atteindre par aucun sentiment. Pour cette raison d'ailleurs il y avait entre elles une affection solide, du fait même que chacune estimait le caractère intraitable de l'autre.

– Tu l'as rencontré dans la rue, tout simplement ? dit la mère.

– Exact, répondit la fille.

– Sans avoir le moindre souci de te compromettre. Je veux que ce soit un jeune homme intéressant, dont la famille a une bonne

naissance. Je me suis renseignée sur les Marceau de Namur. Des
commerçants, le père musicien. Mais je n'admets pas que l'on
fasse connaissance dans la rue. Maintenant, explique-moi pourquoi ce jeune homme s'est sauvé à ton approche.

– Ce serait trop long à expliquer, dit Angélique.

– Trop long ? Jusqu'où donc les choses sont-elles allées ? Ce
n'est pas sans motif que cet amoureux a déguerpi. Serait-il de
ceux qui abusent des jeunes filles, serais-tu de celles qui font
bon marché de leur vertu ?

Angélique ne fut nullement choquée de ce langage.

– Nous n'avons eu que des conversations très superficielles.
Mais tu peux croire ce que tu veux.

– Je croirai ce que je voudrai, assura la mère. Ce jeune
homme n'a pas réussi comme il le méritait. Mais il me paraît
avoir une sorte de génie, et il héritera d'un bien assez considérable. Est-ce que je parle clairement ?

– Je peux parler de façon encore plus claire, dit la jeune
fille. Il m'est tout à fait indifférent. Il le sait et il ne tient pas
plus que moi à prolonger nos entrevues.

– Vos entrevues ! Je répugne à vos entrevues. Ce jeune
homme reviendra ici. Nous parlerons ensemble et nous éclair-
cirons la situation. C'est sûr que l'un et l'autre vous vous y êtes
pris comme des imbéciles.

– Je ne tiens ni à le voir ni à ne pas le voir, dit Angélique.
Pour moi, l'affaire est réglée. C'est inutile d'en parler plus
longtemps.

– Mademoiselle refuse tous les partis. Elle ne songe qu'à
flirter, sans se préoccuper de l'avenir. Cette fois cela ne se pas-
sera pas comme tu le crois.

– Pas non plus comme tu le crois.

– Mais moi, je vois l'avenir, dit Mme Filian. Allons dîner.
Ce soir, j'ai envie d'aller dîner au restaurant. Angélique,
embrasse-moi.

Elles s'embrassèrent, persuadées qu'elles ne céderaient en
rien. Angélique d'ailleurs *ne pouvait* céder, depuis que ce Félix

Marceau lui avait révélé son erreur qui devait apparaître tôt ou tard. Même s'il s'était agi de Dessaux, Angélique ne pensait pas que cela serait allé beaucoup plus loin.

Elles allèrent dîner au buffet de la gare. Mme Filian ne revint pas sur la question. Elle se plaignit du monde et de la comédie qu'elle jouait pour tenir un rang.

– Je cherche les moyens de maintenir mon petit capital, disait-elle. Pour cela il me faut des relations. Ma pension de veuve est assez mince.

– Tu me l'as dit cent fois, observa Angélique.

– J'aimerais exploiter une plantation en Afrique, reprenait la mère. Une exploitation où tout soit à faire ou à refaire. Je me sens capable de commander.

– Je n'en doute pas, murmurait Angélique.

– J'ai besoin d'air, disait Mme Filian. Ces gens sérieux m'agacent. Je crois que je finirai comme une mendiante.

Angélique répondit à quelques questions que sa mère lui posa sur son métier de dessinatrice.

– Toi aussi, tu finiras comme une mendiante, déclara Mme Filian. C'est la vie.

– Quelle vie ? dit Angélique.

– Je me le demande, mais je ne céderai jamais.

– Sur quel point ?

– Sur aucun point. Si je vais à l'église, c'est pour demander au ciel de rester indépendante et cabocharde.

– Tu es exaucée, dit Angélique.

– Tu tiens de moi, ma chère fille. Dieu, que j'aime entendre les trains !

Après le repas, elles revinrent sans hâte à la maison. Il tombait une pluie fine au long des rues, puis un grand vent se leva.

Quelques jours plus tard, Mme Filian déclara à sa fille qu'elle se proposait d'inviter Félix Marceau à déjeuner tout simplement.

– Il n'acceptera pas, dit Angélique, parce que j'irai lui parler auparavant.

– Moi aussi, je lui parlerai.

– Tu ne me comprends pas, reprit Angélique. Je ne lui défendrai pas d'accepter, au contraire, et je ne refuserai nullement d'assister à ce repas. Je vais lui expliquer seulement que c'est une comédie que tu as imaginée. Il est parfaitement d'accord avec moi pour cesser toutes relations.

– Qu'est-ce que tu en sais ?

– Il viendra te le dire lui-même, si cela t'intéresse, mais pour le déjeuner il n'y a pas beaucoup de chances.

– Je ne céderai à aucune raison, tu le sais bien. Puisque j'ai décidé…

Angélique n'hésita pas à se rendre chez Mme Anselme le soir même.

La dame l'accueillit dans le couloir à bras ouverts et pleurant presque :

– M. Marceau est parti il y a deux jours. Il a eu son changement.

– C'est parfait, dit Angélique.

A ce moment survint Tiburce qui descendait l'escalier.

– Voici M. Tiburce Peridel à qui j'ai loué sa chambre. C'est un de ses amis, déclara Mme Anselme.

– Mademoiselle Valderling, murmura Tiburce en saluant la jeune fille.

– Vous me connaissez ?

– Il m'a parlé de vous. Il m'a tracé votre portrait avec une grande précision.

– Je désirerais vous parler, dit Angélique.

– C'est que… commença Tiburce. Enfin, oui c'est possible. J'ai rendez-vous avec ma fiancée, auprès du pont. Si cela ne vous ennuie pas de venir avec moi.

Ces derniers temps, Tiburce avait eu la chance de séduire la fille de ses rêves, sinon les parents de la fille. En tout cas, elle avait consenti à lui donner quelques rendez-vous, et il semblait qu'il n'y eût pas entre eux le moindre problème. Ils s'étaient tout de suite parfaitement entendus, sans avoir échangé aucune promesse. Noémie Gandeur, dont la famille tenait cette auberge à côté de Lumes, ne songeait qu'au plus simple des mariages. Tiburce lui avait plu par cette volonté naïve d'être honnête, qu'il manifestait sans qu'il s'en rendît compte. On lisait comme à livre ouvert sur son visage. Par ailleurs, il venait de trouver une place de conducteur de camion dans une entreprise de Charleville.

Angélique sortit de la maison avec Tiburce, laissant Mme Anselme tout ébahie.

– Vous êtes vous aussi de Namur ? demanda Angélique.

– Je suis de Namur. Vous connaissez Namur ?

– Je voudrais surtout savoir si vous êtes très lié avec ce M. Marceau.

– Un ami d'enfance, dit Tiburce. Nous avons été séparés pendant des années. Mais nous nous sommes retrouvés et nous avons vécu ensemble dans une misère noire il n'y a pas longtemps. C'est dommage qu'il soit parti au moment où tout a l'air de bien marcher.

– Est-il parti à cause de moi ? demanda brusquement Angélique.

Tiburce regarda la jeune fille droit dans les yeux.

– Qu'est-ce que cela peut vous faire ?

– Rien du tout, dit Angélique.

Elle expliqua que sa mère s'était mis en tête de lui présenter et de lui faire agréer Félix Marceau.

– Où qu'il soit, dit-elle, ma mère va le relancer et aussi bien lui faire croire que je suis prête à l'écouter. Je voudrais éviter des malentendus, surtout si lui-même avait éprouvé à mon égard un semblant d'amour. Cela ferait des histoires inutiles s'il se montait la tête. Moi je m'en fiche, mais je veux éviter les histoires.

– Voilà exactement ce qu'il m'a dit avant de partir, déclara Tiburce : « J'ai eu la chance d'obtenir un poste dans une ville de faculté, à Lyon. Je vais pouvoir faire une licence. » Cela l'ennuyait de me quitter bien sûr, mais il m'a parlé surtout de l'étude du grec qui le passionne. Moi, je n'y entends goutte.

Angélique et Tiburce gardèrent le silence. Ils arrivaient au pont.

– Je vais vous présenter Noémie, dit enfin Tiburce.

Angélique ne voulut pas protester, comme elle voyait s'avancer vers eux une jeune fille, qui pouvait trouver étrange que son fiancé fût en compagnie d'une autre. Tiburce embrassa Noémie sur les deux joues et lui dit qui était Angélique.

– Une amie de Félix, c'est-à-dire, non, pas une amie, mais plutôt…

– Disons une relation, expliqua Angélique.

– Félix est parti, dit Noémie.

– Cela m'est égal, lui dit Angélique, mais ma mère s'est mêlée de ce qui ne la regardait pas. Il n'y a rien entre moi et M. Marceau. J'avais voulu parler à M. Peridel afin qu'il puisse rapporter à son ami qu'il n'y a pas de sentiments possibles entre moi et lui quelles que soient les idées de ma mère.

– Je vois, dit Noémie qui semblait tout à fait perdue.

Elle prit la main de Tiburce qu'elle regarda en souriant. Angélique en les quittant leur dit :

– C'est vous qui avez raison, et je fais tous mes vœux pour votre bonheur.

– Je n'y comprends rien, confiait Tiburce à Noémie. Félix m'a dit aussi que jamais plus il ne consentirait à parler à cette fille. Bien sûr, ils se sont rencontrés par erreur et on ne peut rien raccommoder. Ils ne sont même pas fâchés.

Aux vacances de Noël, Félix fit le voyage de Namur. Il avait informé ses parents adoptifs de sa nouvelle situation et de la carrière qu'il avait entreprise, prétendant être dégoûté du commerce et avoir le plus vif désir de sacrifier quelques années à un travail qui l'intéressait.

Félix n'avait pas vu les Marceau depuis plus d'un an. Il fut reçu par eux avec la plus fidèle affection. Rien n'avait changé dans le magasin ni dans la demeure. Les Marceau semblaient s'être accoutumés à l'absence de Félix, de la même manière qu'ils se faisaient aux routines de leurs occupations. « Donc te voilà », dit le père. « As-tu fait un bon voyage ? » demanda Mme Marceau. Tout fut dit et il ne resta plus qu'à se mettre à table.

Félix songeait que jamais il n'aurait dû quitter Namur, et que pourtant c'était nécessaire qu'il soit parti et qu'il s'en aille encore. Le père Marceau lui expliqua tout de suite où en étaient les choses, à leur idée.

– Nous avons vu Beursaut il n'y a pas longtemps. Ton ami Gilles est venu nous trouver. Nous avons répondu que nous n'avions pas de nouvelles de toi. Tu as envoyé promener Beursaut et les Dorme, mais eux, ils ne t'ont pas oublié, sois-en sûr.

Félix ne se demanda pas ce que lui voulaient Gilles et Beursaut. Il dit :

– Je suis d'abord allé à Charleville avec Tiburce.

– Tiburce ne vaut pas cher. Enfin c'était un ami, observa le père.

La mère dit :

– Nous aurions souhaité que tu gardes ta situation, mais nous pensons que du côté des Dorme rien n'est encore perdu.

Que voulaient signifier les Marceau ? Félix ne se souciait guère de leur poser des questions. Juliette…

On parla de l'Harmonie de Namur. Soudain Félix :

– Avez-vous entendu parler d'une Mme Filian ?

– Qui est Mme Filian ? demanda le père.

– Une dame de Charleville.

– Non, pas du tout, pas du tout, dit la mère.

Félix avait soupçonné que la dame intraitable aurait fait Dieu sait quelles démarches pour mener à bonne ou mauvaise fin ses idées en l'air. Donc, de ce côté-là, rien à craindre. Et du côté des Dorme, quoi penser ?

Félix passa quelques jours chez ses parents adoptifs. Il ne quitta guère la maison et ne chercha à revoir aucun de ses anciens amis. Il servit les clients au magasin et accompagna

M. Marceau pour assister à une répétition de l'Harmonie. Il fit une seule promenade. Il monta le long de la route de Bruxelles. Il retrouva à peu près l'endroit où il avait dû dormir dans un fossé, après avoir quitté Dinant et se souvint qu'il avait eu l'idée d'une aventure considérable. La saison avait changé et il soufflait un vent gris qui annonçait la neige. Il se dit que peut-être il finirait comme un bon commerçant. Cela aussi c'était une aventure, puisque de toute façon l'aventure (ou l'erreur) reste unique.

En tout cas, il était attaché aux Marceau bien plus vivement qu'autrefois. Il les admirait maintenant comme il admirait l'oncle de Tiburce. Les Marceau l'accompagnèrent au train lorsqu'il partit.

– Peut-être à bientôt, dirent-ils.

– Je vais passer à Charleville, dit Félix. Il faut que je revoie Tiburce.

Ils lui souhaitèrent bon voyage, et revinrent lentement à la maison.

Quand Félix sortit de la gare de Charleville, la neige tombait à gros flocons. C'était le milieu de l'après-midi. Il se dirigea vers la maison de Mme Anselme, pour tâcher de trouver Tiburce qu'il n'avait pas prévenu de son arrivée. Il ne s'était décidé que la veille à s'arrêter à Charleville. D'ailleurs il pensait reprendre le train cette nuit même, qui était celle du 2 janvier. Il arriverait à Lyon juste à l'heure de son service.

Devant la maison de Mme Anselme, il hésita. Cette dame allait encore se livrer à des tas de façons. C'est dommage que… etc. Après avoir fait les cent pas pendant un bon bout de temps, espérant que Tiburce montrerait son nez, il alla frapper à la porte. Mme Anselme vint ouvrir, et non sans exprimer son étonnement, elle lui dit d'entrer. C'était bizarre, il semblait que tous les détails de cette journée banale devaient avoir une importance considérable.

– Non, je n'entre pas, dit Félix. Tiburce est-il chez lui ?

– Il ne va pas tarder, mais entrez donc. Vous l'attendrez !

– Je n'ai pas le temps, répondit Félix. Dites-lui que je serai au café de la Gare entre six et huit. Je reprends mon train cette nuit même.

Félix comprit, aux regards de Mme Anselme, qu'il devait paraître affolé.

– Je vous assure que je n'ai pas un moment, dit-il. Je dois faire une course. Il faut que je reparte cette nuit.

– Mais M. Peridel sera peut-être ici d'un moment à l'autre. Vous n'aurez pas plus tôt tourné les talons…

– Excusez-moi. Je vous souhaite le bonsoir.

Félix laissa la dame stupéfaite et fila le long du trottoir.

La neige était de plus en plus épaisse et il devenait même assez difficile de marcher. La nuit tombait. Des lampadaires s'allumaient.

Félix était satisfait d'avoir évité toute discussion avec Mme Anselme. Il marcha dans les rues au hasard. La neige lui inspirait une sorte de passion. C'était merveilleux de voir dégouliner les flocons devant les magasins, et les longues traînées de la neige sur les trottoirs déserts. Pour s'amuser, il monta jusqu'en haut de la ville. A ce moment les nuages se déchirèrent et la lune apparut dans l'ouverture, éclairant les toits blancs. C'était magnifique.

Félix ne se rendait pas compte que le temps filait. Il songea enfin à descendre pour gagner le café de la Gare. D'ailleurs à quoi bon revoir Tiburce ? Il y pensait maintenant : avec Tiburce on risquait de ressasser le passé et il n'y avait pas de vrai passé. Il fila devant la maison de Mme Anselme. Il ne se soucia pas d'entrer pour demander si Tiburce était revenu et si on lui avait fait la commission. Comme il tournait l'angle de la rue, il lui sembla qu'on l'appelait. Mais non. Il poursuivit son chemin.

Le vent glacial lui fouettait le visage et il baissait la tête, fermant presque les yeux. Comme il contournait un réverbère, il faillit heurter une passante. Il s'excusa et poursuivit son chemin. C'était une fille qui portait de hautes bottes. Une gamine.

Il n'eut pas conscience d'avoir vu son visage. Elle devait avoir un châle rabattu sur ses lèvres. A peine eut-il fait dix pas, qu'il eut la certitude soudaine et poignante que c'était Angélique.

Il ne voulut pas se retourner. « L'erreur, toujours l'erreur, toujours se tromper bêtement », songeait-il. Félix s'arrêta un peu plus loin pour regarder encore la neige qui s'était remise à tomber. Puis il reprit sa marche et il se trouva soudain devant un pont de la Meuse. A demi aveuglé, il s'était trompé de chemin.

Il s'avança sur le pont. Comme il arrivait au milieu, la neige cessa de tomber. La lune éclaira vaguement le fleuve. Il s'arrêta, appuya ses mains dans la neige sur le parapet. Il regarda le fleuve, les quais blancs. Il eut l'impression que quelqu'un arrivait là-bas sur le quai. Peut-être Tiburce sortant de chez Mme Anselme, au moment où il passait, avait tenté de le rattraper. Une idée qui ne tenait pas debout. En tout cas, il n'avait que faire de Tiburce ni de personne. Il désirait marcher dans la neige peut-être jusqu'au matin. Il acheva de traverser le pont avec une nouvelle hâte, longea le quai de l'autre rive, monta sur la colline.

La lune éclairait de nouveau avec vivacité la ville blanche en contrebas, mais surtout les arbustes qui étincelaient tout près de lui. Il ne voulait pas penser à Angélique. Il ne voulait plus jamais. La colline neigeuse était infiniment belle. Il aurait fallu se mettre à genoux dans la neige, se coucher dans la neige, dormir jusqu'à la mort et se réveiller dans l'oubli le plus total, avec une certitude totale et la vision définitive d'un visage aimant et aimé. Il fut surpris lui-même d'avoir poussé un cri bizarre. Sa manie de chanter des cris… Mais aussitôt, non loin de là, un cri modulé de la même manière lui répondit.

« Tiburce, songea Félix, seul Tiburce peut… » Puis il se demanda s'il n'avait pas rêvé. Il s'élança dans la direction d'où la voix imaginaire s'était élevée. Il se retrouva sur le quai. Vers la droite un lampadaire allumé. Une silhouette se dessinait sous le lampadaire. La neige avait repris et tourbillonnait dans le vent glacé. Il s'avança. Il reconnut la fille. Il s'écria :

– Angélique ! Qu'est-ce que vous faites là ?

C'était bien Angélique. Elle avait écarté le châle dont elle se couvrait les lèvres. Elle le regarda sans lui répondre. Il se demanda s'il ne s'agirait pas encore de quelque hallucination. Il répéta :

– Qu'est-ce que vous faites dans ce coin désert ?

Enfin elle dit :

– Cela ne vous regarde pas, si je vais en visite chez des amis dans le voisinage.

– On avait crié par ici, tout à l'heure, dit Félix. Je croyais trouver Tiburce.

Il était décidé à se sauver simplement. Mais ses pensées étaient bouleversées. Une rencontre sans signification. Tout à l'heure c'était bien Angélique qu'il avait déjà aperçue dans une rue. Il n'avait pas voulu le croire. Et il la retrouvait comme par miracle.

– Le hasard, dit-il.

– Écoutez-moi bien, dit la jeune fille.

– Je vous en prie, dit Félix, inutile de me redonner congé. C'est chose faite depuis toujours. Je m'en vais à l'instant.

– Écoutez-moi, reprit-elle. Je voudrais d'abord que vous prononciez un mot, vous entendez bien, pas un mot avec la moitié ou le quart d'un autre, un seul mot.

Elle plaça le châle sur ses lèvres, presque jusqu'aux yeux. Félix eut un geste qu'il ne put contrôler. Il arracha brusquement le châle et il s'écria :

– Puceronne !

Oui, Puceronne, l'Ange ou Angélique, c'était pareil. Elle avait dû le suivre après qu'ils s'étaient croisés dans la rue. Elle savait prendre la piste dans les détours d'une ville et elle avait imité son cri avec une perfection étonnante. Il n'avait pas songé à cette perfection tout à l'heure, mais il savait déjà. Il savait lorsqu'il lui avait parlé pour la première fois, lorsqu'il l'avait aperçue derrière la vitre d'un car. Il fallait enfin arracher le voile.

Elle le regardait avec une sorte d'ironie. Son visage apparaissait dans une franchise totale. Il murmura :

– Et vous, quand avez-vous su qui j'étais vraiment ?

– On ne se tutoie plus maintenant ? demanda-t-elle.

– Pardon, dit-il. Mais je ne pourrai jamais vivre sans toi.
Pourquoi m'as-tu dit que tu ne connaissais pas Namur, l'autre
jour ?

– Comme ça…

Le vent les glaçait. Ils traversèrent le pont et se rendirent
dans un café.

IV

L'histoire ne faisait que commencer. Il ne faut pas dire que c'était trop beau pour que cela dure. Mais cela pouvait ne pas durer.

En allant au café, ils parlèrent sans très bien savoir ce qu'ils disaient. Quand ils furent assis sur la banquette, ils s'aperçurent qu'ils se tenaient serrés l'un contre l'autre seulement lorsque le garçon apporta les grogs.

– La fille de l'ambassadeur, murmura Félix. On t'appelait comme ça.

– Le premier mari de ma mère était consul de France en Grèce.

– Pourquoi avez-vous quitté Namur ?

– Ma mère s'était remariée à Namur pour la troisième fois. Après quelques années de veuvage, elle a préféré venir habiter Charleville, son pays natal.

– Le pays natal, dit Félix.

Ils ne parlaient pas d'amour. C'était prodigieusement inutile.

– Tu as dû me maudire autrefois, quand je t'ai menée dans le bois avec Tiburce.

– Je ne sais pas.

Elle serra ses mains dans les siennes.

– L'autre jour, quand je t'ai expliqué qui j'étais, tu me maudissais, reprit Félix.

– Je voulais que tu t'en ailles. Je voulais que tu reviennes.

Ils parlèrent à tort et à travers. Elle dit :

– Je crois que j'ai toujours su qui tu étais. Je crois que c'est à cause de cela que je t'ai parlé la première fois. Mais tu me maudissais, toi aussi.

– Nous avons tous pleuré quand tu nous as quittés à Namur. Nous avons lancé des pierres sur ta maison. Nous aurions fait n'importe quoi. J'aurais fait n'importe quoi. J'ai fait n'importe quoi.

Il n'était plus question du nommé Dessaux ni de Juliette. Ces deux-là étaient aux cent diables.

– Tu m'avais reconnue dans la rue tout à l'heure, demanda-t-elle, quand nous nous sommes croisés ? Tu devais savoir quand même que j'étais Puceronne.

– Oui, à cause de ton châle sur le visage, et tu ressemblais à une gamine. Mais j'ai cru que je rêvais bien sûr. Je pensais à Angélique.

– Tu te sauvais comme un fou. Je t'ai suivi.

– Cela me passionnait de marcher dans la neige. J'aime la neige. J'aurais marché toute la nuit.

– Moi aussi, c'est à cause de la neige que j'ai couru derrière toi. Je n'avais jamais rien vu de plus beau que cette neige. J'aurais aussi marché toute la nuit.

Il aurait voulu moduler un cri formidable. Dans le café il n'osa pas. Il se contenta d'imiter une fuite au percolateur. Le garçon ne fit qu'un bond derrière le bar et regarda le percolateur avec ahurissement.

– Tu n'es pas née à Charleville ? demanda-t-il.

– Je suis née en Grèce. C'était mon père le consul. Je n'ai pas de vrai pays.

– Moi non plus.

– Ce serait plutôt Charleville.

– Moi aussi.

– Qu'est-ce que tu faisais ces jours-ci à Charleville ?

– J'ai essayé de voir Tiburce.

– Il paraît qu'il va se marier.

– Grand bien lui fasse !

L'idée de se marier ne leur traversait pas l'esprit.

– Quand est-ce que tu retournes à Lyon ? demanda-t-elle.

– Je ne sais pas. C'est-à-dire… je dois prendre le train cette nuit.

– A quelle heure ?

– Onze heures et quelque chose.

– Il va être onze heures.

– C'est vrai, il va être onze heures. Le temps passe.

Elle se leva la première. Il fit comme elle machinalement. Il l'entoura de son bras quand ils sortirent du café. Au-dehors de gros flocons tombaient, mais il n'y avait plus de vent. Les trottoirs étaient couverts d'une épaisse couche de neige où ils n'avançaient pas sans difficulté, toujours serrés l'un contre l'autre. Ils s'arrêtèrent deux ou trois fois.

– Il faut se dépêcher, dit-elle.

Ils arrivèrent à la gare dix minutes avant l'heure du train. Ils restèrent debout dans la salle d'attente au milieu des autres voyageurs. Ils ne parlèrent pas. Il regardait le visage de Puceronne. Les regards lumineux de la jeune fille étaient une certitude, un don extraordinaire, la vérité qui enveloppait toutes les vérités les plus incroyables. On annonça le train. Les voyageurs passèrent sur le quai. Ils furent les derniers dans la file.

Quand ce fut au tour de Félix de franchir la porte du quai, il se retourna vers elle. Ils se tenaient par le bras.

– J'ai oublié ma valise à la consigne, dit-il.

– Allons, pressons, dit l'employé.

– Cours !

– J'ai encore le temps.

Ils allèrent ensemble du côté de la consigne, mais ils s'arrêtèrent devant la porte qui donnait sur la place.

– Tu sais bien que je ne prendrai pas ce train-là, ni un autre, dit-il.

– Je sais bien, répondit-elle.

Ils revinrent vers la salle d'attente qui était vide et s'assirent sur une banquette. La porte du quai s'était refermée. On entendit siffler le train qui s'éloignait doucement. Ils se regardèrent en riant. C'était la première fois qu'ils riaient ensemble.

– Non, dit-elle.

– Non, répondit-il, je ne pourrais pas l'imiter. Ce sifflet était trop beau.

Ils passèrent la nuit dans cette salle d'attente. Ils s'étaient endormis très vite l'un contre l'autre, en pensant à la neige avec une confiance illimitée. Les manœuvres d'un train de marchandises les éveillèrent. Il était cinq heures du matin. Ils sortirent de la gare sans savoir où ils allaient. La couche de neige était épaisse. Non loin de la gare ils entrèrent dans un bistrot qui s'ouvrait. Ils burent un café, et ils attendirent le jour, très long à venir. A vrai dire le temps ne comptait pas.

– J'étais d'abord venu à Charleville avec Tiburce, disait-il, pour voir Célestin Prestaume, l'oncle de Tiburce, que nous aimions. Après lui avoir rendu visite, nous pensions revenir à Namur. Nous avons manqué le train du soir, et passé la nuit dans la salle d'attente. Le matin nous avons aperçu une fille qui avait un châle vert et nous l'avons suivie. Elle est montée dans un car. Nous l'avons saluée. Elle nous a répondu en agitant la main.

– C'est vrai, disait-elle, j'avais fait une course du côté de la gare et j'allais à Nouzonville chez une cousine.

Mais la fille du car, qui était Puceronne ou l'Ange ou Angélique, semblait n'être pas non plus la même, et lui aussi était un autre à ce moment-là.

– C'était donc toi, reprit Angélique. Tu as été ce mendiant, et puis Félix Dessaux, et puis un nommé Marceau qui s'est présenté enfin comme un mauvais plaisant.

– Ce n'est pas étonnant, on se trompe toujours sur moi,

disait Félix. Mais toi, que tu aies été la fille d'autrefois, et que tu sois maintenant Angélique, c'est fantastique !

Elle l'embrassa. Il y avait entre eux et en eux une sorte de déchirure. Ils ne se lassaient pas de se regarder, comme si à chaque instant chacun devenait pour l'autre un être tout à fait étranger, et comme si aussitôt ils se reconnaissaient, pas tels qu'ils étaient, mais dans une lumière vivante qui les étonnait de nouveau.

Ils reprirent au hasard certains détails qui les concernaient. Il avoua que les premiers mots qu'il avait dits à Tiburce après l'avoir vue dans le car, c'était : « Elle avait des seins splendides », et elle fut enchantée de cet aveu.

– Toi, c'est d'abord tes mains qui sont dans ma mémoire, quand tu m'as arraché le mouchoir que j'avais sur la figure au temps où je m'amusais avec vous autres, quand tu m'as arraché mon châle hier soir, et aussi tes mains de mendiant, l'autre jour.

Il lui parla de ses cheveux, de ses yeux. Elle dut lui souffler à un moment :

– N'oublie pas que nous sommes dans un café.

Des ouvriers entraient, buvaient sur le zinc et ressortaient.

Comme le jour se levait, ils quittèrent le café. Ils passèrent devant un grand hôtel. Il leur suffisait d'entrer et de demander une chambre. Ils ne le voulaient ni l'un ni l'autre. Ils s'appartenaient, mais ils avaient dans l'idée qu'il fallait encore de longues démarches et des paroles patientes avant de l'avouer tout à fait.

Ils s'en allèrent vers le haut de la ville, et ils purent regarder une ville éblouissante sous la neige, les collines et les bois qui étaient devenus immenses comme la mer. Sans s'être consultés ils poursuivirent leur marche jusque dans la campagne. Ils arrivèrent à un village et mangèrent du pain et du jambon dans une auberge. Ils suivirent ensuite une petite route qui menait en Belgique. Ils passèrent la douane et allèrent acheter des cigarettes et des biscuits dans une épicerie. Ils remontèrent par un chemin à travers les bois, sans se demander où ce chemin pouvait les conduire.

Sous la neige, on distinguait à peine les ronces et les framboisiers. Dans les clairières s'élevaient des graminées, des épilobes et des chardons desséchés. Ils passèrent dans un bois d'épicéas, retrouvèrent des coupes où les bruyères étaient ensevelies. D'une hauteur ils purent apercevoir Charleville et ils constatèrent que le soleil était bas sur l'horizon.

Ils avaient fait un véritable voyage, se racontant d'autres voyages, étudiant les empreintes dans la neige, et se préoccupant des minimes événements de la forêt, surtout des oiseaux dans le lointain du ciel, corbeaux, buses et milans qui indiquaient la plaine libre par leur vol.

Ils redescendirent sur la ville par Aiglemont. Ce fut seulement alors qu'Angélique déclara que Mme Filian se demandait certainement depuis la veille au soir où sa fille était passée. Il exprima son regret, et ils décidèrent en riant de se rendre ensemble à la maison. C'était une démarche sans doute hasardeuse, mais après tout étrangement régulière.

A peine Angélique avançait-elle la main vers la poignée, que la porte s'ouvrit brusquement. Mme Filian apparut sur le seuil et s'écria :

– Tu n'entreras pas chez moi comme cela. Vous n'entrerez pas ici avec des souliers trempés. Attendez-moi.

Elle tourna le dos et revint en quelques instants, apportant deux paires de savates. Angélique et Félix se déchaussèrent sur le tapis-brosse, tandis que Mme Filian les regardait de son haut. Félix ne s'attendait pas à cet accueil. Il avait le désir passionné de s'enfuir. Maintenant tout le charme tombait. Angélique lui jeta un regard impératif pour l'obliger à faire ce qui lui était demandé.

Mme Filian leur ordonna aussitôt d'entrer à la salle à manger qui faisait suite au salon. Elle les fit asseoir à la table et leur dit qu'elle allait leur apporter une omelette et du vin chaud. Elle s'éloigna vers la cuisine. Félix regarda autour de

lui les assiettes anciennes ébréchées qui étaient collées aux
murs et la suspension verte, grande comme une montgolfière
et qui semblait prête à s'effondrer.

– Il faut prendre patience, lui dit Angélique.

– Je suis patient, dit-il, mais Mme Filian ne sait pas que je
n'ai aucune situation, et aucun droit de m'introduire chez elle
comme un prétendant.

– Tu es mon ami, dit-elle.

– Je suis un imbécile.

Cette nuit et ce jour passés avec Puceronne, c'était beau à
condition peut-être qu'il n'y ait aucune suite à cela.

– Je vais prendre le train tout à l'heure, dit-il.

– Je peux partir avec toi, répondit Angélique.

Il s'écria :

– Partir avec moi ! Avec moi ?

Il se croyait absolument indigne d'elle. Alors pourquoi être
resté avec elle depuis la veille au soir ? Tout le temps il avait eu
la conviction qu'elle se trompait encore à son sujet, et qu'il profitait de son erreur pour quelques heures splendides. Maintenant
qu'il se trouvait dans sa maison, il lui semblait sûr qu'elle serait
détrompée, que ses illusions tomberaient comme lorsqu'elle
avait pu constater qu'elle n'avait pas affaire au beau chevalier
Dessaux, mais à un ex-mendiant, à un pion. Et l'ancien Félix,
qui avait bataillé avec elle dans les rues de Namur, quelle
considération pouvait-elle avoir pour lui à la réflexion ? Certes
lui était tout plein d'elle, c'était compréhensible, il ne cesserait
jamais d'être ébloui par elle, mais cela ne garantissait nullement qu'elle pouvait l'aimer plus d'un jour. Et puis, pas de
gagne-pain encore une fois. Il ne dit rien de ces réflexions. Il se
contenta de gratter avec le doigt un morceau de la toile cirée
tout écaillée qui représentait des bergères à demi nues et un ciel
de paradis. Mme Filian revint avec l'omelette.

– Mangez, dit-elle.

Puis elle apporta le vin chaud. Lorsque Angélique et Félix
eurent achevé de boire et de manger, elle déclara :

– Donc, une situation inextricable. Abrégeons. Qu'est-ce que vous comptez faire dans la vie, monsieur Marceau ?

Angélique intervint :

– C'est toi-même qui m'engageais à épouser Félix. Tu prétendais…

– Je prétends ce qui me plaît, répliqua Mme Filian. Il est entendu que vous allez vous marier. Après ce qui s'est passé…

– Rien ne s'est passé, assura Félix.

– Pourquoi donc êtes-vous venus tous les deux chez moi, après votre escapade ?

– Une idée, dit Félix.

– Je vous estime parce que vous êtes un homme à idées, dit la dame. Je vous ai jaugé au premier coup d'œil. Mais il s'agit maintenant des détails matériels. Angélique n'a pas de dot, si vous voulez tout savoir.

– Je vous en prie, dit Félix, si vous avez envie de me mettre dehors, ne vous gênez pas.

– Si ça vous ennuie d'épouser une fille sans dot, vous pouvez filer à l'instant, répliqua la dame.

Comme elle l'avait déclaré, la situation semblait inextricable. Félix regarda Angélique.

– Pour rien au monde… commença-t-il.

– Expliquez-vous, dit Mme Filian.

– Il est sûr d'abord que nous allons nous marier, dit Angélique.

– Je me tue à vous le répéter, dit Mme Filian. Je vous demande seulement si vous en avez les moyens.

– Je vais écrire à ma famille, dit Félix. J'écrirai aussi à Beursaut.

– Je ne veux pas qu'il soit question de Beursaut, coupa Angélique.

– Je peux demander mon changement et revenir au lycée de Charleville, dit Félix.

– Pourquoi étiez-vous parti ? demanda Mme Filian.

– Il fallait que je parte, dit Félix.

Il regarda Angélique. Elle détourna les yeux. Il semblait qu'un voile fût retombé sur son visage. Qu'était devenue Puceronne ou l'Ange? Qui était vraiment Angélique? Mme Filian versa le vin chaud. Elle n'abandonna pas pour autant ses problèmes enragés.

– Voyons, dit-elle, il s'agit simplement de savoir combien peuvent vous donner les Marceau en attendant des temps meilleurs. Moi, j'ai encore quelques bijoux, mais cela n'ira pas loin.

Angélique s'écria :

– Je ne veux dépendre de personne. Je gagne un peu ma vie.

– Alors, il faut bien que M. Félix Marceau y mette aussi du sien. J'ai la plus grande estime pour son esprit aventureux, et je me moque qu'il ait peu de ressources. J'ai déjà eu la preuve qu'il était un homme à idées. Ce que je lui demande c'est de mettre en jeu ses idées sans que je sois obligée de me casser la tête.

– J'ai besoin de réfléchir, dit Félix qui avait la profonde conviction qu'au grand jamais il ne découvrirait la moindre issue.

Il éprouvait encore le violent désir de fuir dans la neige. Tant d'amour et puis cet horrible embarras de n'avoir à donner que de l'à-peu-près à Angélique, et surtout de discuter sur des riens à perte de vue. Certainement Angélique avait eu aussi une excessive confiance en lui, croyant qu'il résoudrait tout, alors qu'il n'était capable de rien. Il baissa la tête.

On faisait erreur à son sujet, c'était sûr. Lui-même ne pouvait prétendre connaître Angélique. Le beau ménage que cela ferait! Avec Félix Dessaux, agrégé de l'Université, tout se serait passé comme un rêve pour Angélique tandis que lui-même avec Juliette serait entré sans effort dans la vie simple et fructueuse. Il ne pensa pas cela très nettement mais il eut la vision de salles de bains avec des robinets en or, d'escaliers chargés de tapis et de voitures démesurément confortables. Mme Filian s'était enfin tue et débarrassait la table. Félix et

Angélique levèrent les yeux l'un vers l'autre au même moment, et ils purent surprendre une mauvaise ombre entre eux. C'était nécessaire que des heures abandonnées au pur amour les mènent à la plus bête révolte.

– Maintenant je vais te laisser dormir, dit-il.

– Fous le camp, répondit Angélique.

Il fut émerveillé par ces mots. Il retrouvait la lumière soudaine de son visage quand il avait arraché hier soir le châle qui le cachait. Mme Filian était dans la cuisine à ce moment. Félix se leva brusquement et sauta vers le couloir où il retrouva ses chaussures détrempées qu'il enfila en hâte. Il ouvrit la porte et se trouva bientôt dans la rue où il se mit à courir. Il ne sut pas si Angélique n'avait pas cherché à le rattraper. Il s'arrêta tout essoufflé sous un lampadaire. Il écouta. Est-ce que dans le lointain il ne percevrait pas quelque cri de ralliement comme autrefois ? Rien du tout. Le silence total de la neige. Il s'en alla vers la gare.

Il se rendit tout de suite à la consigne, pour prendre sa valise. Il ne savait plus quelle heure il était, mais il arriva à la salle d'attente à peine un quart d'heure avant que les voyageurs passent sur le quai. Il sauta dans le train. Quand le train démarra, dix minutes plus tard, il fut satisfait. Jamais il n'oublierait Puceronne. Elle pouvait le chasser, elle avait mille fois raison, mais elle ne pouvait lui reprendre les heures de cette journée ni de la nuit qui l'avait précédée. Le train martelait une litanie interminable. Parfois des lumières passaient dans les vitres.

A Paris, il attendit le premier métro pour se rendre à la gare de Lyon où il put sauter dans le train pour Marseille. Il arriva à Lyon au début de l'après-midi, mais soudain il éprouva un grand ennui d'être à destination. Il répugnait à reprendre son service au lycée. Il demeura dans son compartiment comme pour réfléchir et bientôt le train repartit. Il en fut satisfait. Il se mit en quête du contrôleur le long du couloir, et le pria de prolonger son billet jusqu'à Marseille. Une idée comme ça. Il ne se demanda nullement ce qu'il ferait dans cette ville. L'essentiel, c'était d'abord sans doute qu'on perdît sa trace de façon définitive, et qu'il n'eût pas le désagrément de recevoir quelques nouvelles de Mme Filian ou de Tiburce. Angélique serait certainement satisfaite de ne plus entendre parler de lui jamais.

Lorsqu'il débarqua à la gare Saint-Charles, vers la fin de l'après-midi, il éprouva tout le désagrément de sa situation. Dans peu de jours il serait sans ressources. En vérité il pouvait avoir la chance de tomber sur un emploi quelconque, d'être engagé comme manœuvre sur le port, peut-être bien. Mais il eut d'abord le désir de voir la mer. Après la neige ardennaise, il trouvait magnifique ce ciel et ce soleil presque chaud. La mer devait être rayonnante. Il garda sa valise, et après avoir acheté quelques provisions il sauta dans un tramway. Il trouverait bien au bout de la route un coin de nature où passer sans frais une journée et une nuit tranquilles, après quoi il aviserait.

Au terminus du tramway, il dut encore faire une bonne marche pour découvrir dans les rochers une sorte de minuscule plage avec un peu de boue et guère de détritus, où il vint s'asseoir pour regarder la mer dans le soir.

Comme les circonstances peuvent changer du jour au lendemain ! A bien réfléchir, il devait s'attendre à pareille déconfiture. Il avait eu pour Angélique des sentiments si émerveillés, que cela comblait déjà toute une vie. La jeune fille devait s'apercevoir forcément à un moment donné qu'il n'était qu'un propre à rien. Il lui semblait avoir trompé Puceronne, en prenant cette fois il ne savait quelle allure d'aventurier. C'était son destin. Il n'avait pas le moindre mérite et malgré lui il jetait de la poudre aux yeux des gens (ou des filles). Et puis il en avait assez des calculs de Mme Filian. Enfin, c'était bien de se trouver là devant la mer à deux cents lieues de toute cette histoire.

La mer n'était pas tout à fait bleue. Elle se soulevait en petites vagues un peu vertes qui se brisaient sèchement comme sur les quais de la Meuse quand passent les péniches. Mais il y avait le lointain, l'immense miroitement, avec un paquebot tout blanc, et les milliers de points de l'horizon d'où il semblait qu'on était appelé partout à la fois. Dans les alentours des mouettes criaient. Jamais il n'avait imité le cri des mouettes. Il s'y exerça pendant quelques minutes et il parvint à un résultat excellent. C'est vraiment imbécile d'avoir un pareil talent et que ça soit absolument inutile dans l'existence. A ce moment-là, il entendit une voix qui appelait : « Félix ! »

Il lui sembla que c'était avec un accent méridional. Comment pouvait-il en être autrement d'ailleurs ? Il se dit que décidément il y avait dans le monde beaucoup plus de Félix qu'on ne pouvait imaginer. La voix devait venir de la route toute proche. Néanmoins, il se tourna et il vit une jeune fille qui descendait au milieu des rochers. Angélique !

Non, ce n'était pas Angélique bien sûr. Il s'était levé d'un bond, et il regardait la jeune fille de tous ses yeux. Que faisait une fille dans ce lieu solitaire ? Était-ce elle qui avait appelé un quelconque Félix dans les alentours ? Il regarda autour de lui pour voir s'il était seul au milieu de ce fouillis de rocs à fleur de sable. La jeune fille s'approchait. Oui, c'était bien Angélique. Il s'avança vers elle.

Comment était-il possible… etc. ? Il ne put prononcer un mot quand il fut devant elle. Mais Angélique trouva tout de suite ses mots.

– Ce n'était pas difficile de te suivre. J'ai pris le même train que toi. A Charleville je suis arrivée à la gare, comme les voyageurs passaient sur le quai. J'ai failli descendre à Lyon, mais j'ai eu l'idée de vérifier que tu étais resté dans le compartiment. Non, ce n'était pas difficile de te suivre jusqu'ici avec ta tête dans les nuages. Je t'ai observé plus d'une fois dans le train, et lorsque tu es venu ici. Je voulais savoir ce que tu avais dans l'idée, et te dire que tout était fini entre nous. Je sais maintenant. Tu as dormi tranquillement tout le long du voyage et ici tu viens imiter le cri des mouettes. Tu n'as qu'une cervelle d'oiseau et je ne veux plus entendre parler de toi. C'est nécessaire que je te le dise, parce que ma mère te relancera certainement où que tu sois. Tu n'as rien à espérer de moi, est-ce bien convenu ?

Félix était abasourdi.

– Tu m'as dit : « Fous le camp ! »

– Une comédie que tu joues. On lâche tout, même son gagne-pain et cela émeut finalement le cœur d'une petite fille un peu nerveuse. C'est cela que tu voulais ?

– Ce que je trouve extraordinaire, dit Félix, c'est que tu sois là, c'est que je te voie maintenant avec la mer tout à côté. Je me fiche du reste.

– Je m'en vais, dit Angélique. Tu ne comprends rien à rien, c'est sûr, mais je pense que tu sauras cette fois qu'il est inutile de revenir me chercher, par aucun moyen, quand même tu aurais toute la famille avec toi, car ils sont avec toi, c'est sûr, tous ces gens routiniers.

– Je plais aux familles, mais pas aux filles, sauf pendant quelques petites heures.

– Ne rappelle pas cela. Je croyais… Mais je ne crois plus, voilà tout.

Il haussa les épaules, et se retourna pour ramasser sa valise.

– Je t'accompagne jusqu'à Marseille.

– Jamais de la vie ! Tu vas encore faire du sentiment. Il n'y a rien de plus idiot.

– Quelques pas sur la route. Tu ne peux pas refuser.

Elle le regarda avec une vivacité soudaine. Il la regarda avec patience. Il reprit :

– Je n'ai jamais eu aucune crainte de te déplaire, puisque dans mon idée tout est fichu depuis longtemps. Mais je peux tenter encore ma chance à un contre mille.

– Non, dit-elle.

– Pour m'amuser.

La jeune fille tourna le dos et s'éloigna dans les rochers. Elle grimpa jusqu'à la route. Elle ne portait qu'un léger sac. Il resta

quelques instants immobile, puis il courut derrière elle. Il la
suivit sur la route à trois mètres de distance, sans lui adresser
la parole. C'était suffisamment ridicule. Un beau vent se
levait. Le soleil touchait la mer. Il n'y avait pas un nuage. On
se serait cru au printemps. Ils allèrent ainsi sur une centaine
de pas. La circulation sur la route devenait assez serrée. Ils
eurent du mal à passer le long d'un camion à l'arrêt qui débor-
dait sur la chaussée. Félix aurait pu prendre la main de la
jeune fille. Il ne lui prit pas la main. Comme ils revenaient sur
le bas-côté devant le capot du camion, le klaxon du camion,
que le conducteur avait dû déclencher pour s'amuser, les fit
sursauter. Aussitôt une voix appelait :

« Puceronne ! Félix ! » Ils se tournèrent, encore plus surpris
que par le klaxon.

Ils virent un chauffeur descendre du camion sur le talus.
C'était Tiburce qui s'avançait vers eux. Comment se trouvait-
il dans les parages ? Rien d'étonnant, puisque c'était un de ses
trajets habituels. Il ne prit pas la peine d'expliquer sa présence.

– Oui, dit-il en s'adressant à la jeune fille, Angélique Valderling si je ne me trompe. Mais quand tu es passée le long du
camion avec ton air furieux, j'ai tout de suite reconnu Puceronne ou l'Ange. Est-ce que je me trompe ?

– Le nommé Tiburce, Magellan, dit Angélique.

– Je ne sais pas où vous en êtes de vos relations, vous deux,
déclara Tiburce. Je n'ai pas de nouvelles du nommé Félix
depuis pas mal de temps, pas de nouvelles de Mademoiselle,
depuis que nous avons eu une conversation avec Noémie.

– Noémie ! s'écria Félix. Cela marche avec Noémie ?

– Oui, c'est tout à fait clair, dit Tiburce. Mais vous deux,
vous allez m'expliquer. Vous vous rencontrez, vous vous quittez et je vous retrouve sur la Côte d'Azur, hors de saison, avec
des airs tragiques. Mais puisqu'il s'agit de Puceronne, je commence à comprendre, et avec un individu comme Félix on peut
s'attendre à n'importe quoi. Écoutez-moi bien. Je remonte sur

Charleville. Je vous prends en charge et vous réglerez votre affaire dans la voiture. Vous n'aviez pas l'intention de rester à Marseille ?

Angélique et Félix ne voulurent pas discuter. Pour ne rien expliquer à Tiburce, après s'être lancé un vif regard, ils montèrent dans la voiture. Ce n'était pas une nécessité, mais il semblait que cela devait se faire. Ils n'avaient aucune envie de rester à Marseille.

Dans la cabine, il y avait largement de la place pour le chauffeur et deux passagers. Angélique se trouva placée entre Tiburce et Félix. Le camion avait à peine démarré qu'elle et Félix se tenaient serrés l'un contre l'autre.

La nuit tombait. Félix et Angélique gardaient le silence. D'ailleurs Tiburce parlait sans discontinuer. Il les informa du chargement qu'il avait amené : des pièces de machines, et de celui qu'on lui avait fourni pour le retour. C'était ce dernier chargement qui l'avait d'ailleurs obligé à dépasser Marseille. Ainsi il s'était trouvé sur cette route. Quelle chance ! Il avait voulu s'arrêter pour dormir un peu, mais maintenant il n'avait plus sommeil.

Tiburce mena son camion à travers Marseille en faisant maints détours pour visiter la ville, et se dépensant en commentaires à propos de ce qu'on pouvait voir ou ne pas voir, comme s'il promenait une fournée de touristes. Enfin on gagna la campagne. Tiburce offrit des cigarettes à ses compagnons et en tirant lui-même de longues bouffées, il parut entièrement absorbé par la conduite du véhicule et la manœuvre des phares.

On voyait la longue perspective de la route. Félix et Angélique ne semblaient eux-mêmes prêter d'attention qu'à la route. A un moment Félix dit :

– La mer était belle, tout à l'heure.

– Elle était belle, répondit Angélique.

Il tenait la main d'Angélique dans la sienne et elle serrait sa main avec force. Ils avaient toujours eu la certitude qu'une rupture menaçait de les séparer à chaque moment. C'était déjà dans cette crainte que la veille (oui seulement la veille) ils étaient restés ensemble pendant des heures l'un contre l'autre, comme ils étaient encore maintenant.

Pourtant, cette fois, ils ne pensaient plus qu'ils pourraient cesser d'être ensemble avant longtemps et peut-être même très longtemps. Mais dans l'avenir ils sentaient que c'était possible qu'ils soient obligés de se quitter, ils ne savaient pourquoi. Ils échangèrent quelques mots à propos de leurs fâcheries.

– Tu comprends, il fallait que je parte, dit-il.

– Et il fallait que je t'envoie promener, répondait-elle.

– C'est la deuxième fois.

– Moi je dis plus jamais, murmura Angélique, mais toi ?

– J'ai tellement peur que tu te trompes sur moi.

– Tu ne sais pas qui je suis, non plus.

On entra dans une bourgade. Tiburce reprit ses commentaires. Après la bourgade, Félix et Angélique s'endormirent tête contre tête. Ils se réveillèrent au milieu de la nuit, comme on longeait le Rhône avant Valence. Il y avait un clair de lune. Tiburce arrêta son camion sur le bas-côté, et ils dormirent tous jusqu'au matin.

Le retour fut sans histoire. Des petits pains dans un café, un repas à Lyon, et puis on monta la vallée de la Saône. On retrouva la neige en Côte-d'Or. Félix n'avait même pas songé qu'il aurait dû s'arrêter à Lyon pour reprendre son service et préserver ce modeste gagne-pain. Angélique n'eut pas l'idée de le lui rappeler.

Comme on approchait de Mézières ils se mirent à parler de Namur, des rues au-dessus de la Sambre et des gens qu'ils avaient connus, les commerçants, les agents de police, le cantonnier. Ils ne rappelèrent pas leurs parties enfantines. Seulement Tiburce dit à Angélique :

– Quand tu nous as quittés autrefois on s'est tous saoulés.

On n'en était plus à ces petites histoires de gamins et de gamines. Pourtant il y avait au fond du cœur quelque chose qui était pareil, dont on ne pouvait pas démordre. Ça consistait un peu à braver le ciel par amour du ciel. Eh bien, oui ils allaient se marier ! L'affaire semblait impossible, dès lors que Félix n'avait pas de situation et pas le sou. Mais à la fois ils voulaient se marier et que ça soit impossible. Mme Filian n'aurait de cesse qu'ils n'eussent convolé, et ils se faisaient à l'avance un plaisir de la mettre au défi, comme si ce n'était pas d'abord préoccupant pour eux-mêmes.

– Comment imagines-tu que je puisse épouser un garçon qui crève la faim, et si peu sérieux qu'il a même quitté le petit emploi qu'il avait sans le moindre espoir d'en trouver un autre ?

Voilà ce qu'Angélique dirait à sa mère et Félix ne pourrait que l'approuver. Il dirait :

– Je ne peux pas vivre aux crochets de votre fille. Elle ferait une sottise en m'épousant.

Quand ils se présentèrent chez Mme Filian, celle-ci était encore avec ses bigoudis. Elle les reçut dans le vestibule :

– Où donc avez-vous passé les nuits et qu'est-ce que vous venez faire chez moi l'un et l'autre ? Toi, Angélique, monte dans ta chambre et vous, monsieur, revenez me voir demain dans l'après-midi. Nous réglerons tous nos comptes. Si vous vous moquez du monde, moi je me moque des projets que nous avions faits. Venir surprendre les gens à dix heures du matin, où avez-vous la tête ?

Ils durent obéir. Félix salua Mme Filian et sortit après avoir échangé avec Angélique un étrange regard. Ils s'étaient empêtrés dans une affaire ridicule et insoutenable.

L'après-midi, Mme Filian réunit son conseil, la comtesse, Mme Anselme et le général. Elle leur exposa les faits. De toute manière, les convenances exigeaient que le mariage se fît le plus tôt possible, mais il n'était pas question pour Mme Filian de nourrir et de loger un gendre misérable.

– C'est un misérable, redisait-elle. Je me tiens à mon opinion première : il a une sorte de génie et des idées qui lui permettraient aussi bien de faire fortune. Malheureusement j'ai découvert qu'au grand jamais il ne saura utiliser ses idées.

– Un timide, avança la comtesse. L'essentiel, n'est-ce pas d'avoir du génie ?

– Je l'ai toujours trouvé distingué, observa Mme Anselme.

– La distinction ne mène à rien, assura Mme Filian.

– Il faut régler cette question aussi rapidement que possible, dit le général.

– Je ne sais ce qui me retient d'envoyer tout promener, s'écria Mme Filian.

– Nous trancherons la question, de toute manière, dit le général.

Tandis que se tenait cette belle conférence, Félix bavardait avec Tiburce chez Mme Anselme. Son ancienne logeuse lui avait offert un lit dans un petit cabinet à titre gratuit, en attendant que les affaires fussent réglées. Elles ne pouvaient pas être réglées, prétendait Félix qui était venu discuter avec Tiburce dans son ancienne chambre occupée maintenant par son ami. Tiburce avait deux jours de congé.

– J'aurais dû descendre à Lyon quand nous y sommes passés, disait Félix, et au moins tâcher d'obtenir un congé par exemple, mais je ne pouvais pas quitter Puceronne.

– Cela devait être comme ça, disait Tiburce. Je me demande seulement pourquoi est-ce que tu avais filé jusqu'à Marseille ?

– J'étais agacé par la discussion avec Mme Filian sur nos possibilités de mariage. Angélique aussi était à cran.

– Il faut toujours faire la part des choses. Vous voilà bien avancés.

– Tout va craquer encore une fois, disait Félix. C'est complètement insensé notre idylle. Toi, tu as de la chance avec Noémie, à ce qu'il paraît ?

– Ça n'a pas été non plus sans tiraillements, répondait Tiburce, mais ça s'arrange.

Ils passèrent l'après-midi à retourner la question dans tous les sens. Ils en revenaient toujours à ceci : le seul obstacle, c'était le dénuement de Félix. Mais, aurait-il gardé son poste à Lyon, ou retrouvé celui de Charleville, c'était encore une situation insuffisante. Alors de toute façon…

Vers le soir, ils eurent l'idée d'aller rendre visite à l'oncle. Celui-ci les reçut avec son habituelle amitié et son air ambigu interrogeant du regard les deux amis.

– Bien sûr vous êtes encore dans le pétrin, leur dit-il, au moins l'un de vous deux.

Tiburce lui conta l'affaire. L'oncle leur servit une bonne petite eau-de-vie.

– Du moment qu'ils s'aiment, il n'y a pas d'embarras, déclara l'oncle.

– Savoir s'ils s'aiment, disait Tiburce. Mon cher oncle, tu ne connais pas Puceronne ni Félix. Ils cherchent midi à quatorze heures.

– Il n'y aurait pas de vie, si on cherchait midi quand midi sonne, disait l'oncle. Que veux-tu, mon cher Tiburce, les gens sont fantastiques. Le monde aussi est fantastique. D'ailleurs on n'est pas très sûr que le monde ça soit vraiment le monde.

– Tu vas encore nous conter tes histoires, dit Tiburce.

– Celle de Félix suffit bien pour aujourd'hui, répondit l'oncle.

Enfin Félix et Tiburce éprouvèrent, ils ne surent pourquoi, un immense soulagement rien qu'à entendre la voix de Célestin Prestaume, sans même se soucier de comprendre ce qu'il leur disait.

– Je me demande si je dois retourner demain chez Mme Filian, dit Félix. De quoi vais-je avoir l'air ?

– Certainement il faut faire cette démarche, quoi qu'il advienne, assura Célestin.

Leur visite eut donc tout de même l'avantage d'engager Félix à se présenter le lendemain chez Mme Filian vers trois heures, non sans être convaincu qu'on allait le flanquer à la porte. Cette conviction lui donnait beaucoup d'assurance.

Mme Filian le reçut avec une politesse qui annonçait la catastrophe.

– Asseyez-vous dans ce fauteuil, je vous prie, lui dit-elle dès qu'ils furent entrés dans le salon. C'est le dernier fauteuil que je possède qui ait résisté à tout et qui soit demeuré confortable. Hier j'ai réuni un petit conseil, et voici ce qui en est résulté. Ne restez pas sur le bord du fauteuil, s'il vous plaît.

Elle prit sa respiration, regarda ses souliers, et de nouveau considéra Félix avec une sorte d'insolence.

– Le mariage proprement dit ne pose plus de problèmes, déclara-t-elle. Nous avons arrangé quelque chose avec la comtesse et votre famille. J'ai fait hier soir le voyage de Namur. Je voulais d'abord que tout fût éclairci. La question qui se pose maintenant, que nous nous sommes tous posée est celle-ci : s'agit-il d'un mariage vraiment durable et n'y a-t-il pas une illusion à l'origine ?

– Je pense qu'il y a une illusion, dit aussitôt Félix. Certainement votre fille ne m'a pas bien jugé.

– Vous l'avez peut-être aussi mal jugée. Je suis persuadée que son cœur est fidèle, mais elle a une singulière tendance à se porter aux extrêmes. Elle m'a déclaré que lorsque vous vous étiez rencontrés chacun de vous pensait parler à une autre personne. C'est très naïf bien entendu et cela n'a rien à voir avec la question. Mais il est certain qu'Angélique comme vous-même, malgré l'attachement qui vous lie, vous craignez une rupture, sans savoir très bien pourquoi. Ma fille n'est pas patiente, mon cher monsieur, et vous-même…

– Je ne crois pas non plus que je sois patient, dit Félix. Voilà, ce n'est pas une question de patience. Je suis attiré par Angélique et en même temps je crois que nous ne resterons pas ensemble. Ce serait trop beau, et je n'ai pas de situation.

– Laissons de côté la situation, s'il vous plaît. Tout est réglé dans ce sens.

– Tout est réglé ! s'exclama Félix.

– Ne vous occupez pas de cela, et répondez à mes questions. Pourquoi est-ce que ce serait trop beau ?

Félix s'abîmait dans des réflexions, sans plus songer à la présence de Mme Filian. Oui, pourquoi ne serait-ce pas un mariage ordinaire et tout simple, comme celui que projetaient Tiburce et Noémie ? Pourquoi auraient-ils la chance de se trouver dans une aventure exceptionnelle ? Pourquoi faire tant de façons ? Quand même cette rencontre incroyable avec une fille mille fois oubliée, l'étonnement qu'elle avait pu éprouver à retrouver cette modeste brute qui autrefois l'avait démasquée dans le bois de la Sambre, c'étaient des circonstances qui annonçaient aussi bien la confusion qu'un bonheur inouï.

Mme Filian se taisait elle aussi. Félix dit enfin :

– Je me demande ce qui doit arriver plus tard. Je voudrais savoir ce qui doit arriver. Je ne peux pas vivre sans Angélique.

Mme Filian se leva et prit Félix aux épaules. Il se leva lui-même.

– Vous avez eu la même pensée que moi, s'écria-t-elle. Je voudrais savoir ce qui arrivera, et voilà pourquoi je me suis échinée à rendre ce mariage au moins possible. Maintenant allez trouver Angélique. Elle vous attend dans la salle à manger. Elle vous expliquera les dispositions qui ont été prises, selon une idée à vous d'ailleurs.

– Une idée à moi ? murmura Félix. Quelle idée ai-je bien pu avoir ?

– Vous avez des idées, mon cher enfant, assura la dame. Le malheur, c'est que vous ne vous en rendiez pas compte.

Félix passa dans la salle. Angélique était occupée à lire un magazine étalé sur la table. Lorsqu'il entra elle leva les yeux vers lui, et il alla s'asseoir en face d'elle. Dès lors que simplement ils se regardaient, rien n'importait plus. Ils restaient là sans dire un mot et il y eut ainsi entre eux une véritable conversation. Le sujet d'une telle conversation concernait le voyage qu'ils avaient fait ensemble avec Tiburce. C'était d'une évidence lumineuse. Félix finit par dire :

– A Lyon, il y avait un de ces brouillards… En sortant de Lyon, tous les buissons étaient encore dans le brouillard.

– J'ai vu une fleur sur le talus du côté de Mâcon, dit Angélique.

– Moi aussi, je l'ai vue, dit Félix.

Ils se turent et après un moment il dit simplement : « Puceronne. » Elle répondit dans un souffle et elle dut prononcer son nom. Il ne l'entendit pas et pourtant il en eut la certitude absolue. Le visage et les yeux de la jeune fille exprimaient l'étonnement, mais l'étonnement était d'abord en lui. C'était encore comme si un voile tombait et découvrait le visage de Puceronne et ses lèvres vivantes. Pour elle son visage à lui était en elle comme l'image d'un livre qu'on a ouvert au hasard. Il dit :

– Je voudrais peigner tes cheveux.

– Viens, répondit-elle.

Il fit le tour de la table et s'assit à côté d'elle. Il passa la main sur ses cheveux. Il songea que ses seins étaient splendides et elle connut aussitôt sa pensée. Elle songea à ses paroles à lui. Mme Filian ouvrit la porte de la salle.

– Vous êtes-vous mis d'accord sur nos projets ? demanda-t-elle avec brusquerie.

– Quels projets ? demanda Félix.

Angélique répéta « Quels projets ? »

– Vous rêvez, dit Mme Filian.

– Nous ne rêvons pas, dit Angélique.

– Soit, dit Mme Filian. Peut-on quand même vous expliquer de quoi il s'agit ?

Elle s'assit au bout de la table.

– Il faut en finir, dit-elle, et régler tout cela. Jamais je n'ai vu des fiancés aussi peu soucieux de leur mariage, si on peut vous appeler des fiancés. Je ne sais pas comment il faudrait vous appeler. C'est sûr que vous n'avez pas fini de faire des histoires. Venons-en aux faits.

Mme Filian conta de bout en bout la séance de son petit conseil. Le général avait offert de procurer à Félix un emploi au bureau de recrutement. Mme Anselme connaissait un industriel qui avait besoin d'un deuxième secrétaire. Pour sa part, Mme Filian pensait que Félix pouvait se présenter au prochain concours des postes. Rien que de très normal. On ne vit pas de l'air du temps. La comtesse aussitôt s'était exclamée : « Où les logerez-vous ? » Il n'est pas impossible avec des relations de trouver une pièce, deux pièces, mais on peut aussi bien attendre des mois. Or, il fallait marier sans retard Angélique et Félix, sans quoi ils ne manqueraient pas de déshonorer la famille par leurs façons d'agir. Angélique était déjà suffisamment compromise. Tiburce ne s'était-il pas avisé de la débarquer avec Félix au beau milieu de la place Ducale ? De bonnes personnes l'avaient rapporté à Mme Filian et l'incident n'avait certainement pas manqué d'être colporté dans les hautes sphères de Charleville. Mme Filian conclut :

– Voilà où nous en étions, lorsque…

Angélique et Félix serraient les dents. Tout cela n'avait rien de commun avec leur amour, mais quand même ils s'enfuiraient aux cent diables, ce serait pareil. L'amour sauvage, ça n'existait pas. Et pourtant… La jeune fille, qui pour sa part n'ignorait pas à quoi sa mère allait en venir, s'efforça de sourire à Félix.

Mme Filian poursuivit son exposé. La comtesse avait proposé de loger Angélique et Félix dans son château. Félix en avait déjà entendu parler chez Mme Anselme de ce château. Une ruine, même pas une ruine de guerre, mais parfaitement naturelle avec des pans de murs, des corniches suspendues dans l'espace, des fenêtres vides envahies par les ronces. Enfin, paraît-il, le pavillon des anciens gardes subsistait à peu près intact. A pcine quelques tuiles à replacer et des trous à combler ici et là dans les cloisons.

– Mais elle vous donne aussi le domaine attenant, dit Mme Filian, et moi j'y ajouterai les horribles terres en friche que je possède dans le voisinage. Bref on peut d'abord y mettre des ruches et élever des volailles, en attendant d'assainir et d'exploiter le sol lui-même.

L'élevage de volailles, c'était donc cette fatalité dont rêvait Tiburce et qui finalement devait échoir à Félix. Magnifique et ridicule.

– Restait le petit capital à fournir pour la mise en train, conclut la dame. J'ai vu les Marceau hier soir. Ils sont tout à fait d'accord pour fournir cette aide, trop heureux que leur fils se range, qu'il entre dans une bonne famille et se trouve à la tête d'un honorable domaine.

« Pas du tout envie de me ranger », murmura Félix.

Il regarda Angélique. C'était quand même inespéré. Pas le domaine, mais Angélique. La jeune fille fixait sur lui ses yeux farouches. Est-ce que vraiment ils se trompaient ? Combien de temps cette question resterait posée entre eux ? Aurait-elle jamais dû se poser ? Félix prit la main de la jeune fille et murmura : « Puceronne. »

– Maintenant, il faut vous mettre au travail, dit Mme Filian. Passer à la mairie, à l'église. Faire publier les bans. Aller visiter le domaine avec la comtesse et veiller aux réparations ainsi qu'à l'installation des ruches et des cages à poules.

Mme Filian se leva et regagna son appartement, sans attendre la moindre réponse.

Angélique et Félix s'interrogèrent du regard. Presque en même temps ils dirent : « On y va ? » Ils ne songeaient pas à se rendre à la mairie, pour avoir la liste des papiers qu'on doit fournir, mais bien à ce domaine qu'ils soupçonnaient tout à fait inhabitable, et digne du plus grand intérêt. Avant de sortir, Angélique alla demander à sa mère de lui indiquer le lieu du domaine et les moyens d'y accéder.

Ce n'était pas l'heure du car. Il fallait faire à pied huit à dix kilomètres. Mme Filian ne savait pas au juste. Le plus court, c'était de passer par Saint-Laurent, et de suivre la route de Vrigne-aux-Bois. La propriété se trouvait entre Saint-Laurent et Boneval. Un vague chemin à gauche en direction de la forêt. On ne pouvait pas se tromper. Ce chemin était envahi par les épines et à peu près impraticable.

Il était un peu plus de trois heures. Si Angélique et Félix voulaient reconnaître les lieux avant la nuit, il leur fallait se hâter. Ils suivirent, en courant presque, les rues qui menaient au pont de la Meuse, et au lieu de passer par Thouars, ils grimpèrent la côte derrière le mont Olympe. De temps à autre, Félix prenait la main d'Angélique ou elle lui prenait la main. Une pluie fine se mit à tomber. L'air était glacé, le ciel pourri. Une dégoûtation.

Ils avaient vaguement dans l'idée que c'était un tour que leur jouait Mme Filian. La dame à la fois voulait qu'ils se marient et ne voulait pas qu'ils se marient, répondant en ceci à leurs propres sentiments qui demeuraient désordonnés. Enfin ils arrivèrent assez tôt dans les parages qu'on leur avait indiqués. Mais ils eurent beaucoup de mal à reconnaître le chemin du domaine. Ils finirent par comprendre qu'il fallait suivre le long d'un champ une véritable haie qui se prolongeait sur une trentaine de pas. Au-delà de cette haie, le chemin lui-même se distinguait sous un fouillis de végétaux à demi morts. C'était en vérité une ancienne petite route avec des cailloux et des pavés, mais crevée en maints endroits.

Soudain surgit devant eux une grille défoncée, envahie par les clématites. Les murs d'alentour formaient une sorte de talus boisé. Au-delà de cette porte, une prairie presque normale. C'était dans le fond de cette prairie qu'on pouvait apercevoir les restes du château de la comtesse.

Une enfilade unique de murailles percées de fenêtres vides, rompue par des éboulis et se perdant de chaque côté dans une sylve où devaient se mêler des arbres d'ornement, des pommiers sauvages et des figuiers. On ne pouvait nullement distinguer les essences, mais Félix se fit fort de les déterminer, car il fallait bien dire quelque chose, et surmonter la détresse que leur inspirait un si lamentable lieu. Il y avait aussi des buissons avec des boules blanches d'où l'eau dégouttait.

Derrière les murailles c'était un désert semé de bosses et d'excavations où gisaient des ardoises et même des tôles.

Quand ils s'y avancèrent, ils eurent beaucoup de mal à s'en dépêtrer. Ils sentaient une mauvaise fatigue dans leurs cœurs. Ils n'osaient pas se regarder.

– La maison des gardes, où est-elle ? demanda Félix.

Ils revinrent sur la prairie et découvrirent vers la gauche, derrière un ressaut de terrain, un toit couvert de tuiles, qu'ils n'avaient pas remarqué parce qu'il était en partie recouvert de mousse. Ils montèrent sur ce ressaut qui devait cacher une ancienne galerie. La maison des gardes avait peut-être assez bonne apparence, au milieu de toute cette désolation.

La porte était fixée par un fil de fer à un crochet. Pas de serrure. Les volets bâillaient. Ils ouvrirent d'abord les volets et furent surpris de constater qu'aucun carreau ne manquait aux fenêtres. Cela leur donna un regain d'espoir. Quand ils visitèrent les lieux ce peu d'espoir s'envola. Certes, il y avait une grande cheminée sympathique où il semblait qu'on avait fait du feu récemment. Sur un monceau de cendres gisait une bûche calcinée tout imprégnée de l'eau de pluie qui descendait en brume par le conduit de la cheminée. Mais les cloisons qui séparaient les deux pièces du rez-de-chaussée, c'étaient des passoires, et l'escalier qui menait à l'étage semblait peu sûr. Ils ne s'attardèrent pas. Ils se sauvèrent sans même prendre la peine de raccrocher le fil de fer qui fermait la porte et de pousser les volets.

Ils marchèrent sans parler jusqu'aux buissons qui fermaient le chemin. La pluie ne cessait pas. C'était maintenant une sorte de crachin. Ils étaient trempés des pieds à la tête. Pas une ouverture dans les nuages.

– Quelle heure peut-il bien être ? dit Félix.

Angélique s'arrêta. Elle le regarda avec une sorte de colère.

– Je ne m'attendais pas à tout cela, dit-elle, quoique je commence à connaître les utopies de la comtesse et la malice de ma mère. C'est carrément impossible. Penser à un appartement avec chauffage et salle de bains cela paraît fabuleux. J'en rêverai de cet appartement. Si seulement tu étais un employé…

– Je crois dur comme fer que ce mariage est une sottise, malgré que ce soit aussi toute ma vie. Moi, j'ai rêvé naguère d'un château avec des salons, une salle de billard, une serre, une piscine chauffée. Cela n'avait pas de sens bien sûr, tandis que ton appartement cela pourrait avoir un sens, mais il n'existe pas, l'appartement.

Malgré eux ils pensaient à Juliette et à Félix Dessaux, qui auraient représenté le confort idéal pour l'un comme pour l'autre. Ils n'en parlèrent pas, et ils jugeaient certes dégoûtant de songer au confort puisqu'il y avait entre eux l'amour. Mais on pouvait aussi se faire des illusions stupides concernant l'amour et d'avoir vu la misère du lieu qui devait soi-disant les abriter cela leur donnait une clairvoyance nouvelle.

Le vent glacé et humide leur coupait les mains et les joues. Angélique avait remonté sur son visage le col de son manteau. Sans réfléchir à ce qu'il faisait, Félix saisit le col du manteau et le rabattit avec brusquerie comme s'il voulait l'arracher. Le visage de la jeune fille apparut soudain rayonnant.

– Puceronne, murmura-t-il. Tu ne peux pas t'empêcher de dire la vérité. Moi non plus je ne peux pas m'empêcher. Est-ce que nous allons nous entêter vraiment ?

Elle se jeta dans ses bras et il poursuivit doucement :

– C'est toi qui serais dans l'ennui surtout, petite enfant.

Juste à ce moment, il y eut une légère saute du vent qui cessa de siffler dans les buissons, et ils entendirent comme le son d'une cloche. Ils regardèrent autour d'eux le désert, labours et prés battus par la pluie. Le village était à une lieue. D'où venait alors ce son bizarre ? Malgré le jour qui baissait ils eurent le désir de retourner du côté des ruines, pas seulement pour vérifier la nature de ce son qu'ils avaient entendu ou cru entendre, mais parce qu'ils enrageaient à cause de cette dérision du domaine et qu'ils auraient voulu que ce ne soit pas ainsi, ou encore braver cette misère.

Ils revinrent donc sur leurs pas. Cette fois, au lieu de pénétrer par l'ancienne porte, ils eurent l'idée de faire le tour des décombres. Cela leur permit de constater que derrière les bâtiments effondrés, il y avait une sorte de marécage qui devait être ce qui subsistait d'un étang. Au-delà du marécage et tout alentour se développaient des taillis serrés, lesquels prolongeaient la forêt dont ils voyaient les cimes dénudées remontant une faible pente. Ils découvrirent un sentier.

– Des gens viennent par ici, dit Félix.

– Des chasseurs ou des bûcherons, dit Angélique.

– Ou des contrebandiers, dit Félix.

Ils écoutèrent. Ils ne perçurent que ce faible martèlement des gouttes d'eau sur l'infinité des branches nues. Ils revinrent au travers des ruines désordonnées, et ils eurent beaucoup de mal à trouver une issue dans les pierres entassées et les végétaux morts. Ils furent contraints de longer par l'intérieur la façade crevée, et ils arrivèrent à une petite bâtisse avec une sorte de toit pointu.

– La chapelle, dit Angélique.

Ils y entrèrent, si on pouvait parler d'entrer dans ce réduit privé d'un mur et d'une moitié de façade. Comment le toit tenait-il encore ? Il y avait sous le toit des plâtras qui dégoulinaient et dont un morceau tombait parfois sur une petite cloche.

– Voilà ce que nous avons entendu tout à l'heure, dit Félix.

De l'autel ne subsistaient que les marches qui pouvaient être de marbre.

– Nous voilà riches, dit Angélique.

– Nous voilà riches, dit Félix. Tout le monde ne peut pas se vanter de posséder un escalier de marbre et une cloche comme celle-là.

Angélique baissait la tête.

– Tu pries ? Qu'est-ce que tu fais ? Tu pries ? Tu sais prier ?

– Non, je ne sais pas, dit Angélique, mais j'essaie, parce qu'on aura ici un travail impossible. Impossible, tu m'entends ?

– Écoute-moi bien, Puceronne, dit Félix, tu ne devrais pas m'épouser.

– Je ne devrais pas ? Je ne devrais pas ? Eh bien, je t'épouserai !

Enfin c'était dit. On fit quelques démarches et sans fixer
encore la date du mariage, on se préoccupa de rassembler les
papiers. On ne parviendrait pas sans mal à obtenir l'acte de
naissance d'Angélique. Les dossiers du consulat lointain
avaient été dispersés pendant la guerre. Mme Filian surveillait
l'évolution de l'affaire avec une malignité qu'elle manifestait
en toute occasion. Elle disait maintenant à sa fille : « Tu as
voulu épouser un propre à rien. Eh bien, épouse-le ! Tu n'es
pas au bout. »

On ne savait pas si c'était un revirement ou simple provocation.

– Avez-vous bien calculé ? disait-elle à Félix. Ce que les
Marceau vous donnent pour organiser votre exploitation doit
aussi vous faire vivre jusqu'à ce que vous obteniez un rapport,
et si vous vous en tirez, le rapport sera maigre de toute façon.
Quand aurez-vous une salle de bains ?

Félix s'était relogé chez Mme Anselme, qui l'encourageait.
La comtesse elle-même se montrait bienveillante lorsque, par
hasard, elle rencontrait les deux fiancés dans la maison de
Mme Filian. Au vrai, les exhortations de Mme Anselme et
de la comtesse se révélaient plus désolantes que les critiques de
la mère. C'était de la rhétorique pure et simple. Elles imaginaient une exploitation future pourvue de tous les moyens
modernes et comportant cent sortes d'élevages, y compris les
chevaux et les cochons d'Inde.

Dans les premiers jours qui suivirent leur visite au domaine,
Angélique et Félix ne songèrent d'abord qu'aux moyens de
consolider une maison, où tout au moins ils soient à l'abri pour
crever de faim. Ils consultèrent Tiburce, qui les emmena dans
la famille de Noémie, chez les Gandeur, à Lumes.

M. et Mme Gandeur qui tenaient la belle auberge les reçurent dans une salle à manger vernie, ornée de statuettes et de brimborions étincelants. Ils furent flattés de la visite d'une fille que Tiburce leur présenta comme la fille de l'ambassadeur, tandis qu'il parlait de Félix comme de l'ancien sous-directeur de la maison Beursaut, qui se disposait à exploiter et à relever de ses ruines le domaine des Muraux (ainsi nommait-on le domaine) rien que pour honorer un lieu jadis célèbre et prospère.

Les Gandeur ne furent pas dupes. Tout de suite, ainsi que Noémie leur fille, ils avaient compris que les jeunes gens devaient procéder avec la plus stricte économie. Ils proposèrent de leur recommander des artisans maçons ou charpentiers qui seraient capables pour un prix modique d'organiser le travail, sinon de l'exécuter rapidement.

– Nous avons l'intention de faire beaucoup de choses nous-mêmes, déclara Félix. Il nous faut surtout des conseils.

– Je mettrai aussi la main à la pâte, assura Tiburce. J'aurai prochainement quelques jours de congé.

Ainsi il fut d'abord procédé à la réparation de la maisonnette. On eut la chance que le temps ne se mît pas à la gelée. Cependant ce n'était pas une mince affaire.

– Cela durera ce que cela durera, disait Mme Filian.

On ne savait si elle faisait allusion aux travaux de réfection ou aux amours de Félix et d'Angélique. Pendant les semaines qui suivirent, ils eurent d'ailleurs peu d'instants pour parler d'amour. Après que deux ouvriers, amenés par M. Gandeur, furent venus pour considérer les désastreuses apparences de la maison, et qu'ils eurent cent fois hoché la tête, on avait fait venir des sacs de plâtre. Les pierres ne manquaient pas aux alentours. En attendant qu'on eût consolidé l'escalier on plaça une échelle pour accéder à l'étage. Il y eut de longs palabres à propos d'un mur qui paraissait branlant et qu'on renonça à démolir pour le reconstruire. Le toit reposait solidement sur les angles et ne risquait pas de s'effondrer, croyait-on. Les chevrons et les lattes, qui avaient été taillés jadis à la hache, inspirèrent le plus grand respect aux ouvriers. Si cela avait duré déjà deux ou trois cents ans, on se devait d'avoir confiance.

Tous les matins Félix se rendit sur le chantier et travailla avec les ouvriers jusqu'au soir. Tiburce vint prêter son aide à ses moments de liberté. M. Gandeur faisait les petits transports et il aimait aussi bricoler. Angélique qui devait poursuivre sa tâche de dessinatrice exigea néanmoins de s'occuper pour sa part de replacer les carreaux de la cuisine.

Vu de l'extérieur, c'était assez gai ce chantier malgré la pluie, les brouillards et quelques flocons de neige. Mais au cœur même de la besogne, il y avait à chaque instant de petites affaires presque désespérées. Une poutre pourrie céda. Il fallut mettre des étais, s'ingénier à replacer une poutre de fer. On constata que l'encadrement d'une fenêtre prenait bizarrement la forme d'un losange. « Savoir si cela tiendra, répétait sans cesse un ouvrier. » Des clématites s'étaient introduites par le trou d'un mur et s'en allaient soulever quelques tuiles. Un plancher était pourri. Dans les débuts, il semblait qu'on ne viendrait à bout de rien. Les ouvriers avaient été sur le point de tout abandonner, prétendant que c'étaient des frais inutiles. Angélique et Félix s'obstinèrent rien que pour le plaisir d'assister à une catastrophe. Lorsqu'on clouerait les planchers et les marches de l'escalier, il serait à craindre que les coups de marteau fissent tout sauter. Le seul espoir restait que les maisons anciennes peuvent comporter le secret d'un équilibre inconnu des architectes. Un dimanche, Angélique et Félix prirent le train pour rendre visite aux Marceau.

Ils n'auraient pas voulu les voir avant d'être sûrs que la maison resterait debout et que l'affaire parût réalisable. Mais on manquait aussi d'argent. Les économies d'Angélique y avaient passé. Mme Filian, qui clamait qu'elle ne voulait rien avoir à se reprocher, avait vendu un mince bijou, mais cela couvrirait à peine la dépense de l'escalier.

Dans le train, Angélique et Félix furent heureux de se retrouver seuls. Ils rêvaient qu'ils s'en allaient au bout du

monde. Chez les Marceau, où on les reçut pourtant à bras
ouverts, ce ne fut qu'une longue discussion concernant les
frais à engager. On n'avait aucune idée de ce que l'ensemble
coûterait. M. et Mme Marceau ne désiraient pas se montrer
chiches, mais ils voulaient savoir et on ne savait pas. Ils ne cessaient de répéter qu'il fallait toujours considérer où on allait,
ne pas prendre de risques inutiles, et ils déploraient la situation sans découvrir aucun moyen de la changer.

– Pourquoi n'écris-tu pas à Beursaut ? disait le père. Je suis
sûr qu'on te réintégrerait dans tes fonctions.

– Non, disait simplement Félix.

Angélique   ne   pouvait   supporter   cette   éventualité.
Mme Marceau ajoutait :

– Ton ami Gilles pourrait beaucoup pour toi. Sa sœur
Juliette aussi était bien disposée à ton égard ainsi que leur père.

En somme, tout ce qu'il n'aurait pas fallu dire fut dit.
Mme Marceau servit un déjeuner qu'elle avait préparé avec le
plus grand soin. Angélique et Félix étaient déchirés entre
l'affection que leur inspirait cet accueil et les litanies d'une
prévoyance exaspérante, que leurs hôtes reprenaient sur tous
les airs. Quand ils partirent, nantis de trois ou quatre liasses de
billets, ils gagnèrent la gare avec des sentiments si mélangés
qu'ils ne parvenaient pas à échanger deux mots. « Vous n'en
avez pas fini avec les soucis, leur avait dit Mme Marceau. Et
les enfants, leur éducation, les maladies des enfants ? Y avez-
vous songé ? »

Le pur amour. C'était cela le pur amour. Ils passèrent dans
les rues où ils avaient joué jadis. Bien sûr c'était de la blague
tous ces jeux, ils le savaient déjà dans cette enfance. Et on
criait parce que c'était de la blague. Maintenant, il fallait se
taire.

Dans le train du retour, Angélique et Félix ne se serrèrent
pas l'un contre l'autre. Ils songèrent chacun de leur côté.
Juliette ! Est-ce qu'il pensait à Juliette ? Est-ce qu'Angélique
pensait à Juliette ? Jamais il n'avait été question du rôle que

Juliette avait joué dans la vie de Félix. Mais elle existait. Sottises !

Comme ils sortaient de la gare de Charleville et passaient le long du square, ils croisèrent un mendiant bien connu dans les parages. Ce n'était pas un vagabond ordinaire, mais un clochard assez distingué. « Nous sommes riches », pensa Félix. Il sortit une petite liasse de billets de sa poche et les fourra dans celle du mendiant.

– J'avais la même idée, dit Angélique comme ils s'éloignaient en hâte, la même idée.

– Ces billets, ça m'étouffait, dit Félix.

– Tu sais que nous n'en aurions pas eu assez, quand même tu aurais tout gardé, observa Angélique.

Ils éclatèrent de rire. La prévoyance !

Enfin les travaux se poursuivirent tant bien que mal. Mme Filian vendit une armoire ancienne de son grenier, et en tira une somme inespérée. Une semaine de gelée en février arrêta toute activité. Angélique profita de ce répit pour remplir des engagements qu'elle avait pris de composer les illustrations d'un livre de classe. Il ne s'agissait pas d'une petite besogne, et elle ne voulut avoir que de courtes entrevues avec Félix. C'était raisonnable. Un samedi, Félix vint chez Mme Filian. Angélique l'attendait dans le vestibule pour sortir avec lui. Au salon se trouvait réuni le grand conseil, c'est-à-dire, avec Mme Anselme, la comtesse et le général, quelques dignes personnes très au courant des nouvelles qui circulaient dans la ville. Tandis qu'Angélique enfilait son manteau, Félix pour s'amuser tendit l'oreille du côté de la porte du salon. Une dame s'exclamait et elle répétait un nom avec une sorte d'amertume : « Félix... Félix... Félix Dessaux. » Elle ajoutait : « Moi, la meilleure amie de Mme Dessaux. » Félix s'approcha de la porte et Angélique le rejoignit. Il aurait été préférable pour eux d'avoir plus de discrétion, mais ils ne purent s'empêcher d'écouter d'un bout à l'autre un colloque fertile en ellipses et en sous-entendus.

– Vous croyez ? demandait Mme Filian.

– Je suis sûre. Félix Dessaux sera bientôt nommé au lycée de Charleville. On lui réserve la chaire de littérature, dont le titulaire va prendre sa retraite. Pourquoi revient-il à Charleville, alors qu'il exerce à Tours et qu'on le presse d'accepter un poste à Paris ? Mme Dessaux m'a fait des confidences. Son fils a rencontré ici même, lors des vacances de Noël, l'an dernier, une jeune fille qu'il n'a pas revue et dont il rêve.

Il y eut alors des chuchotements, puis la voix de Mme Filian :

– Angélique aurait donc rencontré ce Félix Dessaux ?

A quoi il fut répondu :

– Je n'en jurerais pas. Mais la coïncidence est troublante. Mme Dessaux a retrouvé dans les papiers de son fils un poème dédié à une certaine Angélique.

– La poésie… murmura la comtesse.

– Ce qui paraît évident, dit une autre personne, c'est que votre fille, madame Filian, aurait tout avantage à préférer ce Félix qui a une situation, tandis que l'autre…

– C'est parler en l'air, disait Mme Anselme.

– Parler en l'air, rétorqua la dame. Qu'est-ce qui empêche Mme Filian de retarder ce mariage ? Angélique elle-même est-elle bien assurée de ses sentiments et décidée à s'établir dans des conditions aussi pitoyables ?

– Mon domaine n'est pas pitoyable, jeta la comtesse.

– Et comment expliquez-vous, demanda Mme Anselme, que ce Dessaux n'ait pas cherché à revoir Angélique depuis tous ces mois ?

– Peut-être il a cherché, et Angélique pouvait être en voyage durant les courts séjours qu'il a faits à Charleville, car il ne reste jamais longtemps dans notre pays. Il ne savait à peu près rien d'elle, et il s'agit, comme vous dites, d'une fantaisie de poète. Mais le fait est qu'il n'a pas oublié la fille qu'il a rencontrée et qui n'est autre qu'Angélique, j'en suis persuadée au fond du cœur.

– Il y a beaucoup d'hypothèses dans tout cela, disait Mme Filian. Certes, je crains que ma fille n'ait à se repentir de ce mariage avec un jeune homme qui m'a beaucoup intéressée moi-même, mais qui, je le crains, n'est qu'un hâbleur.

– Qui vivra verra. Mais pour voir, il faut aussi savoir attendre, observa le général.

– Voici ce que nous allons faire, dit Mme Filian.

Il y eut de nouveaux chuchotements. Ces sortes de silences où se tramait on ne savait quoi et probablement rien qui vaille étaient tout à fait exaspérants. Angélique et Félix sortirent et claquèrent derrière eux la porte du perron.

– Sans intérêt, dit Félix.

– Tu ne croirais tout de même pas… dit Angélique.

Félix s'arrêta, et regarda Angélique.

– Tu te rappelles ce mendiant ? lui demanda-t-il.

Devant elle, il semblait qu'il reprenait l'attitude de ce mendiant qui offrait des fleurs à une jeune fille sous le lampadaire, dans la ruelle où le beau Félix Dessaux était venu la sauver. A ce moment, quelques flocons de neige tombèrent. Angélique et Félix revirent la scène avec une netteté surprenante.

– Je ne suis pas beaucoup plus riche aujourd'hui qu'en ce temps-là, dit Félix.

Elle lui mit les mains autour du cou et dit simplement :

– Félix.

– C'est aussi son nom, dit Félix.

Bien sûr le baragouin de ces vieilles femelles ne leur importait nullement, mais ils se crurent obligés de faire du sentiment à cette occasion. Angélique voulut rassurer Félix qui à son tour tenait à montrer sa parfaite indifférence à l'égard de ce que tramait ou ne tramait pas Mme Filian. Il y eut quelque chose de faux dans leurs propos. Un amour si beau, si sauvage… Ils se rendirent à la gare, et s'attablèrent au buffet. Ils parlèrent d'autre chose, mais c'était amer, ils n'auraient su dire pourquoi. Ils reprirent une question qu'ils avaient déjà débattue : fallait-il garder la grande cheminée dans la cuisine de la maison, ou placer une cuisinière ? On aurait certes du bois tant qu'on voudrait mais une cuisinière, c'est plus commode.

– Je ne sais pas faire la cuisine, dit Angélique.

Une soirée gâchée et qu'ils voulurent à tout prix affirmer belle et bonne.

Ainsi le mensonge s'introduit, sans qu'on mente le moins du monde. Quelques jours plus tard, alors que les travaux reprenaient au ralenti, Félix reçut la visite inattendue de son ami Gilles.

Félix avait paressé dans son lit, réfléchissant aux complications du moment, supputant la date du mariage, se demandant sil ne devait pas rendre sa liberté à Angélique, qui risquait d'éprouver mille ennuis. Mme Anselme frappa à la porte et elle entra pour annoncer ce visiteur de marque.

– M. Gilles Dorme vous attend au salon, dit-elle. Ne tardez pas à descendre. Il y va peut-être de votre avenir.

– Mon avenir… murmura Félix.

Il s'habilla sans grande hâte, et se rendit dans le petit salon. Gilles était debout tourné vers le mur où il regardait les photographies de famille.

– Bonjour, dit Félix.

– Toi, s'écria Gilles qui se précipita pour lui serrer les mains. J'ai mille excuses à te faire. Je suis depuis huit jours à Charleville où je traite quelques affaires, et j'ai entendu parler de toi.

– Enfin, assieds-toi, dit Félix.

Ils s'assirent.

– Tout de suite, déclara Gilles, je dois te parler de ce contrebandier avec qui tu as eu une affaire dans les rues de Dinant. Nous avons retrouvé par un hasard un de ses amis qui avait commis un vol dans les magasins de Beursaut. Inutile d'entrer dans les détails. Cet ami nous a certifié que réellement ton homme vous avait attaqués toi et Tiburce Peridel. Il nous a même expliqué les griefs qu'il avait contre ce Peridel.

– Et alors ? demanda Félix.

– Alors cette aventure nous l'avons vue sous un tout autre jour. Nous avions cru sottement que tu t'étais abouché avec ce Peridel.

– Il est pour ainsi dire un frère pour moi, dit Félix.

– Oui, avec M. Peridel. Bref nous croyions que tu avais un peu joué à l'aventurier, sans réfléchir aux conséquences de ta conduite. Nous sommes sûrs maintenant que tu n'as simplement pas eu de chance.

– Vous avez mis le temps, dit Félix.

– Il ne faut pas nous en vouloir, poursuivit Gilles Dorme. Tu sais que j'ai fait l'essentiel pour te tirer d'affaire. Je m'y suis mal pris parce que j'avais peur pour toi. Et après, tu as refusé l'offre de Beursaut qui voulait te placer dans sa maison de Liège. Beursaut a peut-être été trop catégorique, mais tout se serait arrangé très vite.

– C'est le passé, dit Félix. Inutile d'y revenir.

Gilles garda un moment le silence. Il avait à dire quelque chose d'important et ne semblait pas savoir comment s'y prendre.

– Il faut que tu comprennes, dit Gilles, que je n'ai pas cessé de penser à toi. Je voulais attendre, pour te parler, que les choses se soient un peu tassées, afin que tu n'ailles pas croire que je voulais te faire la morale.

– Et tes skis nautiques est-ce que ça a marché? demanda Félix.

– Oui, tout à l'heure… Et puis j'ai perdu ta trace. Les Marceau eux-mêmes ne savaient pas où tu avais pu filer, ou bien ils n'osaient pas le dire. Je te croyais au Congo.

– J'étais à Charleville simplement, dit Félix.

– Cela, je l'ai appris il y a seulement deux mois. Pourquoi je ne suis pas venu aussitôt voilà toute l'affaire. Juliette…

Félix haussa les épaules.

– Eh bien, oui, nous avons été sots (nous, c'est-à-dire moi-même, Beursaut et aussi mon père) de t'engager à faire la cour à Juliette. On ne doit jamais se mêler de rien. Juliette a soupçonné que nous cherchions à favoriser tes vues.

– Je n'avais pas tellement de vues, dit Félix. Mais c'est le passé encore une fois.

– Juliette donc a été agacée. C'est pour se moquer de nous et de toi qu'elle est partie pour l'Écosse au lieu d'aller à ton rendez-vous de Londres.

– Je n'y suis pas allé non plus, dit Félix.

– Beursaut m'a certifié que tu avais fait le voyage à Londres, malgré…

– Oui je voulais regarder les Turner et des tas de choses.

Gilles parut un peu dérouté, mais il se reprit :

– Bref, lorsque Juliette est rentrée, elle a mené une vie impossible. Elle a fini par nous traiter de tous les noms et elle a pris ta défense. Nous ne pouvions rien faire, puisque tu avais filé et ce n'aurait pas été non plus praticable de t'écrire : « Juliette tient beaucoup à toi. Tâche de revenir auprès de nous. » La seule ressource, c'était d'attendre.

– Moi-même, je n'étais pas présentable, dit Félix.

– Tais-toi, s'écria Gilles. Enfin si je suis ici, c'est parce que Juliette m'y a envoyé, pas pour te déclarer son amour bien entendu, mais afin de te tirer d'embarras d'abord, et c'est tout comme. Elle a vu Beursaut, j'ai vu Beursaut, qui lui-même te réclame à cor et à cri.

Félix regardait Gilles avec ahurissement. Enfin il déclara :

– Tout ce que tu dis est inutile. J'ai ma situation ici et je vais me marier.

– Justement, s'écria Gilles. J'ai à te parler aussi de cela.

Gilles s'expliqua avec beaucoup moins d'embarras qu'au début de l'entretien. Il avait à cœur de rendre service à son ancien ami, dont il ne s'était trouvé éloigné que par un jeu baroque de circonstances.

– Tout cela était absurde, et tu t'es jeté sur la première fille venue, dès que tu t'es retrouvé dans des conditions à peu près normales. Une amie d'enfance, c'était tout indiqué.

– Pas une amie d'enfance, dit Félix.

– J'ai pris des informations, dit Gilles. En tout cas cela ressemble à un dépit amoureux. Ne me fais pas croire que tu t'es d'abord jeté dans la misère (oui, je suis renseigné) simplement parce que Beursaut et chacun de nous cherchait à te tirer d'affaire en fin de compte. D'abord, tu regrettais Juliette c'est plus que sûr. Enfin le mariage auquel tu songes est irréalisable.

Gilles avait eu une entrevue avec les Marceau, ainsi qu'avec Célestin Prestaume. Il avait bavardé la veille avec la comtesse et avait pu se faire une idée exacte de la situation. Mme Filian s'ingéniait à retarder le mariage. Ses idées sur Félix Dessaux étaient tout à fait contestables, mais d'une manière ou d'une autre Félix et Angélique se vouaient avec une sorte de rage à une vie misérable, et il y avait gros à parier qu'ils se montaient la tête et voulaient faire d'un simple caprice un amour à toute épreuve. Simplement un furieux dépit de part et d'autre, Gilles en était sûr.

– Voilà, j'ai dit ce que j'avais à dire, conclut Gilles. Enfin je suis plus que sûr que Juliette t'attend. Songe tout de même que pour se marier il faut de quoi, et ne va pas gâcher un premier amour, qui a déjà résisté à l'épreuve celui-là. Si nous avons été assez sots dans la famille pour douter de toi, Juliette n'a jamais douté.

Aux yeux de Félix, ce renversement de situation ne comportait pas la moindre invraisemblance, mais bien plutôt c'était d'épouser Angélique (Puceronne!) qui de toute évidence paraissait un rêve, né de rencontres romanesques. L'amour pur serait toujours celui de Juliette à cause de sa simplicité et même de sa commodité. Pourtant, il répondit à Gilles qu'il ne lui était pas permis de manquer aux promesses qu'il avait faites à Angélique.

– Elle-même peut ou pourra regretter ce Félix Dessaux, dit Gilles. Je n'en jurerais pas, mais avoue que ce serait normal. Réfléchis. Je viendrai te retrouver un de ces jours, et peut-être qu'un événement précipitera les choses et te fera voir plus clair. Reconnais que rien n'est clair en tout cas du côté d'Angélique.

Félix garda le silence. Justement, en ce qui concernait Angélique, rien n'était raisonnable ni simple, et depuis un certain temps le mensonge se glissait dans leurs tête-à-tête. Il y avait seulement certains instants de clarté aveuglante, comme lorsqu'il avait dévoilé le visage d'Angélique, ce soir de neige.

– Non, dit Félix, rien ne peut changer.

– Nous verrons, dit Gilles. Allons boire un verre et soyons amis de toute façon.

Ils allèrent boire un verre, après quoi Félix revint chez Mme Anselme. La dame était toute pâle. Elle n'avait pas manqué d'écouter à la porte.

– Qu'allez-vous faire, mon Dieu ? s'écria-t-elle sans se soucier de son indiscrétion. Les Dorme, c'est une famille considérable qui est connue jusqu'à Charleville, et si tout de même Angélique préférait ce Dessaux.

– Laissez-moi tranquille, dit Félix.

Il était dix heures. Il se rendit sur le chantier de la maisonnette. D'habitude il profitait, ainsi qu'Angélique, de la camionnette d'un ouvrier ou de la voiture de Gandeur, toujours prêt à se mettre en quatre. Mais deux heures de marche lui feraient du bien, et il travaillerait jusqu'au soir. Angélique viendrait sûrement le rejoindre. Gilles, c'était sans doute un brave type mais il ne le reverrait plus.

On en était à faire les plâtres des plafonds et des murs. Félix n'avait pas d'habileté particulière pour ce genre de besogne. Il pouvait seulement aider l'ouvrier en bouchant les fissures. Ils travaillèrent de onze heures à midi. Félix n'avait pas songé à emporter de quoi déjeuner, et l'ouvrier partagea avec lui ses provisions. Il faisait un soleil assez doux et à l'abri de ce mur, vers le sud, on sentait déjà une chaleur printanière. Félix et l'ouvrier, après avoir mangé, s'étalèrent sur l'herbe au soleil et fumèrent en devisant.

– Lorsque vous aurez un jardin, dit l'ouvrier, avec des roses et des pivoines, vous serez fameusement bien.

Ils bavardèrent sur les sortes de fleurs qu'on pouvait déjà planter. Ils furent interrompus par Tiburce qui s'écria :

– Eh bien, on ne s'en fait pas ! Mon vieux Félix, tu as simplement oublié que tu devais déjeuner chez Mme Filian avec Angélique et la comtesse.

Félix sauta sur ses pieds.

– C'est vrai, j'ai oublié. Tant pis ! Angélique se doutera bien que je suis simplement idiot. Elle viendra dans pas longtemps.

– A ta place, dit Tiburce, j'irais la trouver tout de suite. Elle est vraiment fâchée.

– Pas de quoi se fâcher, dit Félix.

– Pas de quoi se fâcher, reconnut Tiburce. Mais j'ai dans l'idée qu'il y a encore autre chose.

« On n'en aurait jamais fini », songea Félix. Il revint à Charleville dans la camionnette de Gandeur que Tiburce avait amenée. Tiburce prit le volant et dix minutes plus tard Félix se présentait chez Mme Filian. Ce fut elle qui lui ouvrit la porte.

– Ne vous excusez pas, dit-elle. Nous savons de quoi il retourne. Ma fille est encore dans la salle à manger.

Félix se rendit à la salle. La table était desservie. Angélique se tenait assise les coudes sur la table.

– Heureusement que Tiburce est passé par ici, dit-elle (sans lui permettre de l'embrasser), autrement je ne t'aurais pas vu de la journée et peut-être je ne t'aurais jamais revu.

– J'avais oublié, dit Félix. J'étais sur le chantier.

– Tu as aussi bien fait d'oublier. La comtesse nous a mis au courant. Gilles Dorme lui a parlé et elle a été édifiée.

– Je ne sais pas ce que Gilles est allé raconter, mais il m'agace considérablement. Je pense qu'il faut nous expliquer une bonne fois.

S'expliquer, c'était le vrai moyen de provoquer cette rupture qu'ils redoutaient ou peut-être souhaitaient l'un et l'autre. Jamais ils n'auraient dû s'expliquer. Même s'ils parvenaient à une sorte d'entente, ils n'en voudraient pas à ce prix. Félix le comprit en un éclair et le sourire amer d'Angélique lui

apprit qu'elle avait le même sentiment. Mais il était trop tard.
Angélique s'écria :

– C'est bien, je vais tout déballer.

Donc ils en étaient venus là. Il fallait d'ailleurs s'y attendre.
Ils avaient trop mal supporté les tractations familiales concernant leur mariage et aussi bien l'idée de l'inconfort où ils
devaient vivre. Rien ne pouvait marcher, maintenant que
Gilles avait démontré à la comtesse (une vieille relation des
Dorme) que Félix Marceau avait accumulé les sottises, et qu'il
se devait de rompre un mariage qui ne lui ferait jamais oublier
son premier amour ni la fortune promise.

– Ton premier amour, disait Angélique avec froideur. Crois-
tu que je voudrais te priver des avantages de cette union que
tu t'es simplement amusé à gâcher, pour jouer au voyou désin-
téressé ?

– Mon premier amour, c'est toi, dit Félix.

Elle le regarda avec un air de vouloir pénétrer les raisons de
ce mensonge. Il songea à Félix Dessaux. Le nom lui vint aux
lèvres, mais il ne le prononça pas. Elle s'écria :

– Sans doute tu voudrais me rétorquer que je me suis trompée et que je t'ai trompé, moi aussi, à propos de Félix Dessaux.

– Si tu veux, dit Félix. J'ai toujours eu l'impression que je ne
méritais pas d'être aimé par toi, et c'est sûr que tu as commis
une bévue.

– Facile à réparer, dit-elle. Tu n'y perdras pas.

– Toi non plus, dit Félix.

Après cela, il n'y avait plus rien à dire. Ils se firent fort de
reprendre leur sang-froid.

– Il faut se séparer quand même amicalement, dit Angélique. Il est certain que nous avons rêvé, et que notre mariage
était irréalisable. Ton avenir me paraît tout tracé.

– Peut-être pas tellement, dit Félix. Mais toi…

– J'ai reçu ce matin une lettre de Félix Dessaux, répliqua
Angélique. Tout ira le mieux du monde.

– Tu m'en diras tant…

– Ne fais pas l'imbécile. C'est une rêverie de poète, mais Félix Dessaux m'épousera certainement, si je le désire.

– Bien, dit Félix.

Ce simple mot coupa encore la conversation. Ils restèrent un moment silencieux. Ils trouvèrent ce silence insupportable. Ils n'avaient dans le cœur que mauvaises rancunes, remords, et désir de tranquillité, de faire une fin, de mettre un terme à la stupide sentimentalité qui les avait amenés à une sorte de marchandage et révélait que ce n'était qu'un caprice qui les jetait l'un vers l'autre. A ce moment on sonna à la porte d'entrée. Il y eut un remue-ménage dans le vestibule. Quelqu'un, à ce qu'ils entendirent, voulait parler à M. Marceau ou à Mlle Valderling.

– Eh bien, entrez ! dit enfin Mme Filian qui, sans façon, poussa la porte de la salle.

C'était l'ouvrier qui travaillait tout à l'heure avec Félix. Tiburce, las d'attendre, était reparti sur le chantier et avait ramené l'ouvrier.

– Voilà, dit l'ouvrier sans même saluer Angélique, le mur du fond s'est effondré. Mais il faut que vous veniez vous-même constater les dégâts. C'est irréparable. Il y avait longtemps que je l'avais prédit, personne n'a voulu me croire. Il faut que vous veniez immédiatement, avant que cela aille plus mal, afin de constater que toutes les précautions avaient été prises, et que ce ne sera pas notre faute si le toit tombe par terre.

Mme Filian écoutait sur le pas de la porte.

– Il faut que vous y alliez, dit-elle. Puisque de toute façon c'était une affaire enterrée, il n'y a pas de regrets. Mais je ne tiens pas à ce que la comtesse nous accuse d'avoir démoli sa maison, en prétendant la reconstruire, et vous réglerez le compte de cet ouvrier, sans oublier un sac de plâtre.

Angélique et Félix accompagnèrent l'ouvrier. Tiburce attendait dans la voiture. Félix monta à côté de lui, et Angélique sur le siège arrière à côté de l'ouvrier. Durant le trajet, personne ne prononça un mot.

Arrivés sur les lieux, ils purent constater que l'effondrement

avait pour origine la fenêtre dont un linteau présentait des
porosités. En vain avait-on cimenté les joints. L'ouvrier montra la pierre au bas du tas de décombres. Il y avait maintenant
une longue ouverture comme celle des rideaux d'un théâtre
entre le sol et une poutre transversale au-dessous du toit.

– Cela tient encore un peu, dit l'ouvrier, mais tout est
pourri : vous pouvez le constater.

Il délogea un moellon et aussitôt une demi-douzaine
d'autres se détachèrent d'eux-mêmes et roulèrent sur le sol.

– Pas la peine d'avoir posé l'escalier, remplacé un parquet,
et puis gâché du plâtre. Pas la peine de…

– Ça suffit, dit Félix, avec vos « pas la peine ».

Il saisit l'ouvrier par le col de la veste :

– Moi, je vous soutiens qu'on le reconstruira ce mur, que
vous le vouliez ou non. Aujourd'hui comme démolition, il y a
eu bien autre chose qu'un mur. Alors vous ne croyez pas qu'on
va s'arrêter à cela. D'abord on va déblayer tout de suite et
étayer ce qu'on pourra. Demain matin je fais du ciment, même
si personne ne vient m'aider et je replace les pierres.

– On fera une plus petite fenêtre, et voilà tout, dit Angélique. Alors qu'est-ce que vous attendez pour déblayer ?

Elle-même se mit à la besogne.

– Vous avez des étais par ici ? demanda Tiburce.

– Il y a encore des longs pieux sur le devant, dit l'ouvrier.
M. Gandeur les avait amenés.

Félix passa à l'intérieur de la maison et se mit à rejeter les
moellons que Tiburce et Angélique empilèrent. Ils travaillèrent
ainsi jusqu'à la nuit, et même Félix alluma les phares de la
voiture pour qu'on fixe une dernière traverse entre les étais.

Félix aperçut le visage de la jeune fille soudain éclairé par la
lumière des phares.

– Puceronne ! s'écria-t-il.

– Qu'est-ce que tu veux ? demanda-t-elle.

– Je ne sais plus ce que je voulais dire.

Pendant le retour, ils se tinrent serrés l'un contre l'autre à

l'arrière de la camionnette. Ils profitèrent de la première plaisanterie que fit Tiburce pour éclater de rire.

En arrivant sur la place Ducale, ils se donnèrent tous rendez-vous pour le lendemain matin dans un café, près de la
gare.

V

Félix retrouva donc Angélique le lendemain matin. Il avait acheté des sandwichs pour le déjeuner de midi, qu'ils prendraient sur le chantier, car il fallait venir à bout de ce mur. Angélique était déjà attablée au café. Le jour se levait à peine.

– Tu es arrivée de bonne heure, constata Félix.

– Je ne veux pas qu'il soit dit qu'on abandonne rien qu'à cause de cette baraque, déclara-t-elle. On se séparera quand tout sera fini. Cela fera une note de frais pour la comtesse, puisqu'on lui laissera la maison.

Félix ne répondit pas. Il commanda un café. Deux minutes plus tard, Tiburce arrivait dans la camionnette de Gandeur.

– Écoutez-moi, dit-il. Le père Gandeur va nous amener deux maçons vers midi sur le chantier. Inutile de se déranger ce matin.

– Nous irons quand même ce matin, dit Angélique.

– Je vous conduis, dit Tiburce.

– Pas la peine, dit Angélique.

Il n'était jamais question de discuter avec elle. Lorsqu'ils eurent bu leur café, Tiburce repartit dans sa bagnole, et Félix se dirigea avec Angélique vers le pont de la Meuse. Ils prirent la route du domaine.

Ils n'avaient aucune envie d'en revenir à leur discussion de la veille. Ils se trouvaient à peu près dans la même situation que pendant leur enfance, lorsqu'ils faisaient partie de clans ennemis, et se détestaient franchement. Ils pouvaient parler de choses et d'autres sans contrainte et sans amitié. Leur entretien consista à récapituler ce qu'on avait fait dans la maison, ce qui restait à faire. Une fois le mur relevé, il faudrait encore gâcher un peu de plâtre et tapisser. On avait aussi projeté (c'était la bonne saison) de labourer un coin de terre devant la maison pour faire un jardin. Cela semblait inutile maintenant. Néanmoins, ils en parlèrent, parce que Gandeur avait proposé des plants de rosiers, qu'il ne faudrait pas refuser. Que penseraient Gandeur et Tiburce, lorsqu'on leur apprendrait qu'ils avaient prêté en vain leur aide pour l'établissement du ménage ?

« Le ménage », murmura Félix.

Ce simple mot les laissa rêveurs. Ils se turent comme ils arrivaient à cent pas du chemin qui menait au domaine.

On était au début de mars. Le brouillard du matin s'était dissipé, et le soleil chauffait déjà. C'était la première fois de l'année qu'il faisait un si beau temps. A un moment, Félix se baissa et cueillit une véronique. Un peu plus loin il trouva un lamier pourpre et une pâquerette.

– Ça n'a pas pu pousser tout d'un coup, dit-il. Je n'avais pas remarqué ces jours-ci que les fleurs étaient sorties.

– Moi non plus, dit Angélique.

Il donna les fleurs à Angélique. Elle les prit sans un merci. Quand ils arrivèrent à la maison, ils considérèrent les étais, les matériaux empilés, et constatèrent qu'il n'y avait rien à faire avant l'arrivée des maçons. Ils auraient pu s'en douter. Félix fit la réflexion. Angélique le regarda. Sans doute ils avaient éprouvé le besoin de traîner ensemble une fois encore. Il se demanda, comme elle le regardait, si elle avait envie de rire ou de pleurer. Tout naturellement, ils se mirent à faire le tour du domaine, comme le premier jour qu'ils étaient venus.

Ils examinèrent les murs avec les fenêtres béantes, retrouvèrent la chapelle éventrée, considérèrent les marches de marbre et la petite cloche. Puis ils passèrent derrière les ruines, là où était l'ancien étang. Un peu d'eau brillait au soleil entre les roseaux à balais desséchés. Il y avait quelques feuilles vertes de carex, mais ce coin, malgré le soleil et l'air doux, gardait un aspect hivernal. C'était désolé, sans promesses. Derrière les roseaux s'élevaient les taillis dénudés de la forêt.

– Cet endroit-ci, je ne pourrai pas l'oublier, dit Angélique.

– Je ne voudrais pas le quitter, dit Félix.

Pourquoi ? Ils écarquillaient leurs yeux et ne parvenaient à rien voir qu'une misérable étendue de ces balais immobiles et sans vie. Cela contrastait avec le ciel bleu. Ils se retournèrent. Alentour c'étaient les ruines, les ronces, les fondrières et des morceaux de landes. La lumière était partout fidèle et profonde.

– Moi non plus je ne veux pas, dit Angélique.

Ils se regardèrent. Lorsqu'ils avaient juré la veille qu'ils répareraient ce mur, déjà ils avaient décidé qu'ils resteraient ensemble dans cette maison et dans ce lieu impossible, c'était absolument certain. Pourquoi ? Il n'y avait pas de réponse. On pouvait simplement dire : c'est là et pas ailleurs, nous deux et personne d'autre, et le reste ne compte plus.

– Dis-moi… reprit Félix.

– C'est dit, trancha Angélique.

Les maçons arrivèrent, plus tôt qu'on ne s'y attendait, avec M. Gandeur et Tiburce. Ils se mirent à la besogne aussitôt et déclarèrent qu'ils n'avaient besoin de personne.

Félix et Angélique revinrent à Charleville dans la camionnette de Gandeur, et comme il n'était pas midi, quand ils furent sur la place, ils se rendirent tout de suite à la mairie. Ils déjeunèrent de leurs sandwichs dans un café, et l'après-midi ils firent des démarches à l'église.

Lorsqu'en rentrant à la maison, le soir, Angélique annonça qu'ils avaient décidé de se marier dans les plus courts délais, Mme Filian jeta les hauts cris.

– Mais, voyons, c'était bel et bien rompu, ce mariage. Et cette histoire de Juliette, et cette lettre de Dessaux? Cela n'avait jamais marché d'ailleurs. Nous nous étions saignés aux quatre veines pour rien. Ne crois pas maintenant que je vais avancer le moindre centime.

– Nous nous en passerons, dit Angélique.

– Je vais informer les Marceau, trancha la dame.

La semaine qui suivit fut fournie de discussions, d'interventions aussi désagréables qu'inutiles. Les Marceau, dûment prévenus par Mme Filian, déclarèrent qu'ils refusaient eux-mêmes tout crédit. Le père Marceau se déplaça pour démontrer à Félix et même à Angélique qu'il n'était pas possible d'aller contre les nouvelles dispositions prises par Beursaut et par les Dorme pour favoriser le mariage avec Juliette. On ne fonde pas les unions sur un coup de tête, mais sur une affection réfléchie et une situation qui permette de vivre honnêtement. Gilles vint aussi trouver Félix. Tous ces gens n'étaient pas tellement préoccupés des intérêts matériels, mais il leur semblait évident que Félix et Angélique faisaient leur propre malheur par simple obstination, et qu'ils ne pouvaient prétendre qu'ils s'aimaient tellement, puisque eux-mêmes auraient songé à rompre en raison des sentiments qu'ils avaient plus ou moins éprouvés à l'égard de personnes offrant toutes les garanties d'un heureux équilibre. « De simples fous », répétaient Mme Filian, la comtesse, le général, et même Mme Anselme. Séparés, ils auraient chacun de leur côté fondé une heureuse famille. Mais ensemble ils ne feraient qu'exaspérer leurs lubies, et ils divorceraient avant un an. Dans un sens c'était une consolation, gémissait Mme Filian, mais cela causerait des embarras. Il faudrait tout recommencer. Bref, le mariage de Félix et d'Angélique fut considéré comme une sorte de provocation, et il parut assez simple de couper les vivres, afin de répondre à une telle insolence. Que pouvaient-ils faire, livrés à eux-mêmes?

Angélique et Félix, qui étaient un peu responsables de ce

beau désordre, laissèrent passer l'orage. Ils ne s'attendaient certes pas à ce déploiement de forces, ni à ce que Beursaut lui-même prît la peine, à la demande des Marceau, de faire une démarche auprès de Félix et d'avoir un entretien avec Mme Filian. L'ennui, c'est que tout s'envenimait en somme du côté des relations de Félix, tandis que Dessaux ne songeait pas à donner signe de vie, puisque Angélique n'avait pas répondu à sa lettre et qu'il n'y avait jamais eu la moindre entente entre elle et cet autre Félix. Mais avec Juliette non plus aucune promesse, si minime fût-elle, n'avait été échangée. Alors, d'où venait tout ce bruit ? De quoi se mêlait-on ? Pourquoi ne les laissait-on pas en paix ?

Parce qu'ils n'avaient pas la tête de gens qu'on laisse en paix.

– Tu sais, disait Félix à Angélique, je suis un enfant abandonné et qu'on a recueilli, et qu'on voudra toujours gouverner. Tu as tort de m'épouser mais, si tu ne m'épouses pas, j'en serai réduit à filer n'importe où pour ne plus entendre parler de Beursaut, ni de Gilles ni de rien.

– Ni de Juliette, concluait Angélique.

Il y avait quand même un poison dans leur histoire. Quand on en a fini avec l'amour pur, on peut espérer un amour sans détour. Mais pour eux c'était gâché jusque dans le fond des pensées et des sentiments. Alors ? Restait cet impossible domaine.

De la comtesse ils avaient obtenu un engagement de location en bonne et due forme, et il semblait que c'était la seule idée à laquelle ils pussent se raccrocher. Mais ils n'avaient plus un sou et vers le milieu de mars ils eurent à se demander s'ils n'allaient pas devoir quand même retarder la date du mariage qu'ils avaient fixée pour le début d'avril.

– Ils ne sont pas au bout, s'écriait Mme Filian avec le ton du triomphe.

Tiburce n'était guère au courant de tout ce qui se tramait. Cependant il finit par deviner quelque chose et pressa Félix d'exposer les faits, après quoi il alla trouver Gandeur qui invita Félix et Angélique à déjeuner.

Un matin, Angélique rejoignit donc Félix au café habituel pour se rendre avec lui à ce déjeuner. Plus jamais ils ne se rencontraient chez Mme Filian ni même chez Mme Anselme, qui avait pris le parti des gens raisonnables et ne gardait son locataire que dans l'idée arrêtée que le mariage ne se ferait pas et qu'elle pourrait du côté des Dorme se tailler une part de triomphe. Les Dorme demeuraient sur la réserve, bien entendu.

– La vérité, dit Félix à Angélique ce matin-là, c'est que je lis dans tes yeux mieux que jamais.

– Qu'est-ce que tu lis ?

– En ce moment ce sont des souvenirs de Namur.

Ils se rendirent à pied au village de Lumes, où était l'auberge Gandeur. Ils n'avaient pas voulu que Tiburce vînt les chercher avec la voiture.

La campagne demeurait dans son dépouillement. Les arbres étaient encore aussi arides que les pylônes du triage qu'ils longèrent. L'herbe avait repoussé sur les talus, mais les fleurs étaient rares et misérables sous un ciel grisâtre. Ils passèrent près d'une courbe de la Meuse où filait une péniche tranquille. Rien de beau, mais la petite route mal goudronnée les enthousiasmait, parce qu'il semblait qu'elle menait dans des recoins tout à fait abandonnés et inconnus où plus rien ne compterait. Plus rien, c'est-à-dire pas même la vie, et alors il resterait une sorte d'étonnement dernier, pour quoi ils étaient prêts à faire d'inlassables marches et démarches.

– Après le village, disait Félix, là-bas, ce sont les bois, après le bois, c'est la Semoy, qui revient sur la Meuse, et la Meuse descend vers la mer.

– Je connais cette mer, disait Angélique. Quand la verrons-nous maintenant ?

Il semblait quand même que la mer était proche sur cette route aussi perdue que les lointains de la mer. Ils se serraient l'un contre l'autre et comme cela ils étaient déjà au bout du monde. Quand ils arrivèrent au village, ils aperçurent Tiburce et Noémie qui venaient au-devant d'eux. Les filles s'embrassèrent. Tiburce embrassa Angélique et Félix embrassa Noémie.

– On vous attend depuis une demi-heure, déclara Tiburce.

Ils se mirent à rire en se hâtant vers l'auberge.

La table était mise au premier dans la salle particulière des maîtres. Quand ils entrèrent, Félix et Angélique virent M. et Mme Gandeur occupés à verser des apéritifs et parlant à un homme qui tournait le dos.

– M. Prestaume, s'écria Félix.

Angélique ne connaissait pas l'oncle de Tiburce. Celui-ci salua Angélique comme si elle était une noble fille débarquée d'un pays lointain. Certes, il y a des façons de saluer qui transfigurent les gens que l'on salue.

Les premières paroles échangées entre les invités et leurs hôtes furent des paroles en l'air sur la saison et la soudaine prolifération des buses et des milans, pourquoi on était obligé d'avoir des poulets gris ou noirs moins visibles des hauteurs du ciel. Dès qu'on fut assis, M. Gandeur entama les choses sérieuses.

– Je vous ai préparé les rosiers, dit-il à Angélique. Il faudra les planter dès demain.

– Ces roses, je les connais, dit Célestin Prestaume. Mon jardinier vous les a fournies jadis. N'y a-t-il pas celles qui sont couleur d'orange et d'autres bordées de rouge ?

– En effet, dit Gandeur.

– Je me souviens, poursuivit Célestin, d'un jardin près de la mer, où il y avait des roses. Toutes leurs fleurs étaient tournées du côté de la mer. Le vent emportait les pétales jusque sur les vagues. On dit que les roses aiment la mer.

– Comment cela peut-il être ? demanda Mme Gandeur.

– On raconte beaucoup de choses, dit M. Gandeur. Il faudra aussi labourer le terrain. Il n'est pas trop tard, même pour semer les petits pois.

Ils discutèrent sur les différents semis pendant un bon quart d'heure. Célestin promit que son jardinier prêterait un moto-culteur.

– Restent les volailles, s'écria Tiburce. Il n'y a même pas de poulailler.

– J'ai des mètres et des mètres de grillage dans mon hangar, dit Gandeur. Pas de problème. Quant aux poussins je vous indi-querai mes fournisseurs. Avec toutes vos pierres, vous ferez des cabanes pour l'hiver.

– Mais vous ne savez pas... murmura Félix.

On n'avait plus le sou bien sûr. Personne ne fit attention à Félix, et la conversation se poursuivit sur le même ton rituel, à propos des nourritures qui se donnent aux volailles. On devait décidément préférer le maïs aux pâtes de poisson.

Félix et Angélique ne parvenaient pas à entrer vraiment dans la conversation. Ils savaient que ces projets n'avaient pour le moment aucun sens. On habiterait la maison, c'était entendu, mais Félix devrait trouver un emploi, aussi bien comme simple ouvrier.

– Pour les ruches, je vous procurerai des essaims, reprit Gandeur.

– Les abeilles, dit Célestin, trouveront toutes les plantes qu'elles voudront là-haut, et même des fleurs d'acacia, je pense.

– Il y a des acacias, je les ai vus, dit Angélique.

– Tu les as vus ? demanda Félix.

– Juste derrière l'étang.

Malgré eux et en dépit de leurs préoccupations, ils en vinrent à parler des choses du domaine. Il y avait une région peuplée d'osiers qu'on exploiterait.

– Par ailleurs, observa Célestin, vous pouvez ménager aussi un espace pour une pépinière. Je connais un homme qui a une grosse entreprise, et qui serait heureux de trouver des collabo-rateurs pour planter des arbres fruitiers et des arbres d'orne-ment. Il vous fera faire aussi des semis de résineux.

Angélique et Félix se laissèrent entraîner dans ces combinaisons, quoiqu'elles leur parussent de plus en plus irréalisables. Ils s'attendaient à retomber brusquement sur terre. Jamais ils n'avaient éprouvé l'impossibilité de leur mariage, au fond du cœur, comme durant ce repas. Il suffit de préciser les choses, pour voir la distance entre les désirs et les nécessités du moment. Ils comprirent à quel point Mme Filian, les Marceau et Gilles pouvaient avoir raison. De temps à autre, ils se regardaient. Après cette réunion familiale, ils allaient peut-être redevenir l'un pour l'autre des étrangers. Leur amour était d'une fragilité inouïe et, finalement, il faut des convenances et un budget pour un mariage. A moins de partir et d'aller traîner la misère loin des gens qui parlent du coût de la vie. Tout d'un coup Félix dit :

– Peut-être nous allons tout abandonner et nous partirons loin d'ici.

– Je savais que vous en viendriez là, dit M. Gandeur de façon inattendue.

Il sortit de sa poche un papier immense.

– Voilà mes calculs, dit-il. Bien entendu je vous achèterai les volailles et les légumes pour notre restaurant, et je vous les écoulerai en tout cas auprès de mes confrères de la ville. Nous ajoutons la récolte de miel. Ne parlons pas encore des saules ni des pépinières ni des gains que Mlle Valderling peut réaliser dans son métier. Ce sera du superflu. Bref, je vous avance les sommes nécessaires et en trois ans vous me remboursez tout. J'aurai mon bénéfice sur ce que vous me fournirez au-dessous des cours. M. Prestaume a bien voulu vérifier mes comptes.

On s'était levé en attendant le café qu'on allait servir avec les liqueurs sur des petites tables tout à côté. Angélique s'écria :

– Mais nous n'y connaissons rien. Comment voulez-vous ?

– Tiburce est un spécialiste des volailles, déclara Célestin non sans malice. Il vous donnera des conseils.

– Tiburce spécialiste… dit Félix.

Noémie embrassa Angélique. Oui, ces comptes apparaissaient à la fois rigoureux et fantastiques.

– Chère enfant, murmura Félix à l'oreille d'Angélique.

– Tu ne l'avais jamais dit, souffla-t-elle.

– Nous autres, nous nous marierons au mois de juin, déclara Noémie.

Ainsi les choses se font, de façon plus ou moins boiteuse. Lorsque Tiburce eut reconduit Angélique et Félix à Charleville, et qu'ils se retrouvèrent seuls dans les rues, les premières questions qu'ils se posèrent furent étranges : « Qui est Gandeur ? Qui sont donc les Gandeur ? » Puis ils s'aperçurent qu'ils étaient tout intimidés l'un auprès de l'autre. Ils ne se serraient pas comme d'habitude. Rien que de se toucher la main, c'était bouleversant. Félix songea de nouveau qu'Angélique avait des seins splendides. Il ne le dit pas, mais elle le sut. Fallait-il traverser tant de sottises, tant de menus comptes, pour comprendre soudain que l'heure approchait où se découvriraient les corps merveilleux.

Ils marchèrent longtemps en silence, puis ils échangèrent quelques mots à tout hasard. Quand ils se quittèrent ce soir-là, ce fut comme une lumière vive, qui disparut aussitôt. Elle n'était pas finie cette vie compliquée, et on aurait encore de mauvais passages, mais ils se seraient vus vraiment, ce soir-là et de prochains soirs.

Les jours qui suivirent, Mme Filian elle-même éprouva que quelque chose avait changé. Sa fille ne lui parlait plus avec défi, se contentant d'expliquer que le repas de mariage se ferait simplement chez les Gandeur. Mme Filian finit par s'écrier :

– Simplement ! Je t'en ferai voir de la simplicité. Moi, je me charge des voitures, des vins, du champagne et de tout le reste. Je te promets que ce sera une fête à tout casser, ou alors je suis déshonorée pour le restant de mes jours, quoique je demeure convaincue que cela ne durera pas, votre mariage.

Non, cela ne durerait pas, ce fut un sentiment général, bien que tout se fît enfin selon d'irréprochables convenances, bien que Mme Filian eût vidé ses greniers pour meubler la maisonnette, non dans l'intention de favoriser un mariage qu'elle continuait à désapprouver hautement, mais afin qu'on ne vînt pas dire qu'elle n'avait pas fait tout ce qu'il fallait. Il semblait même que plus on apporterait de soins à l'établissement des jeunes époux, mieux leur union serait vouée à l'échec.

– Je ne le souhaite pas, certes, clamait Mme Filian, non, je ne le souhaite pas. Mais quelque chose me dit que toutes nos peines sont inutiles.

Lorsqu'on eut arrangé la maison, placé la cuisinière, le réchaud et tous les ustensiles, lorsque le terrain fut labouré, les rosiers plantés et qu'on eut fait les semis, Félix et Angélique se demandèrent eux-mêmes si ce n'était pas encore trop bien arrangé et s'ils méritaient tant d'attentions. On avait même établi l'électricité en utilisant un ancien pylône qui permit d'aller brancher les fils sur la ligne desservant le village voisin. A moins qu'il y eût une belle vérité, tous ces projets d'existence pouvaient être simplement destinés à rendre une faillite plus lamentable. Quelle vérité ?

La veille du mariage, ils visitèrent la maison et le domaine. Ils allèrent revoir l'étang. Malgré les premières feuilles des arbres, et les épis dorés des carex, ce marécage, c'était toujours la désolation. Il y avait par-delà l'attirante montée de la forêt. Comme si la forêt allait bientôt jouer son rôle. Il semblait évident que cela ne saurait tarder. Bref en ce lieu ils retrouvaient toute leur passion (ou leur caprice).

– Ça n'a jamais été qu'un caprice, s'écria Angélique.

– Il y a eu trop de manigances, disait Félix. On aurait dû partir n'importe où.

Après les cérémonies et le repas de noces dont il est inutile de parler, ils avaient décidé de se rendre à Luxembourg afin de changer d'air. A Sedan, d'un commun accord ils sautèrent du train. C'était vers la fin de l'après-midi. Ils gagnèrent la grandroute et firent de l'auto-stop pour revenir dans la banlieue de Charleville. Ils arrivèrent à leur maison comme la nuit tombait.

– Pourquoi est-ce que nous sommes revenus ici ? dit Angélique.

Le ciel était clair, mais les étoiles permettaient à peine de distinguer le dessin de la maison, et la silhouette des ruines. Avant d'entrer, ils firent encore le tour du domaine à tâtons. Ils furent surpris de retrouver parfaitement la disposition des lieux dans cette obscurité presque complète. Ici il y avait un grand pan de mur effondré, là c'était l'ancienne chapelle.

– Puceronne, murmura Félix.

– Il y a longtemps que tu ne m'as pas appelée comme cela.

– Maintenant… dit Félix.

Ils s'étaient avancés à l'intérieur de la chapelle jusqu'aux marches. Puceronne buta sur une marche et se trouva agenouillée.

– Non, je ne prie pas, je suis tombée, dit-elle. Et puis quand même, je prie.

Ils se souvinrent de la cérémonie du matin. Qu'est-ce qui s'était passé alors ? D'abord ceci, et puis cette autre démarche et encore une autre démarche. Ils ne souhaitaient pas en voir la fin, parce que chaque fois cela ne comportait ni commencement ni fin.

– Puceronne, redit Félix.

Ils gagnèrent la maison. Il enfonça la clef dans la serrure, fit jouer le pêne. Avant d'ouvrir la porte, il mit les mains sur les épaules de la jeune fille, puis il lui ôta son manteau. La robe ne tenait qu'à quelques boutons fragiles. Un geste, et encore un autre geste. Il poussa la porte, et fit la lumière. Il n'y eut jamais lumière plus éclatante.

Cependant, les langues allaient leur train chez Gandeur où se prolongeait la soirée. On avait même organisé un petit bal pour les gens du village.

– Croyez-moi si vous voulez, dit Mme Anselme après une nouvelle coupe de champagne, aujourd'hui j'ai vu Juliette Dorme.

– Vous l'avez vue ! s'exclamait la comtesse.

– Vous avez rêvé, dit Mme Gandeur.

– Vous ne la connaissez même pas, observa sur un ton pointu Mme Filian.

– Je m'étais jurée de ne rien dire, mais quand on me pousse à bout il faut que je parle, reprit Mme Anselme d'une voix entrecoupée de sanglots. Vous vous rappelez que les voitures ont été arrêtées dans cette rue à cause d'un camion qui déchargeait des bouteilles de bière. La voiture où j'étais avec la comtesse avait stoppé devant un café. A la terrasse était assise une fille, pas n'importe quelle fille, une demoiselle habillée comme une princesse, je veux dire avec la simplicité d'une princesse, mais c'était de la soie, je vous en donne ma parole. Bref, Juliette Dorme en personne.

– Mais comment savez-vous ?

– Gilles, son frère Gilles, je le connais peut-être ! Il était assis à côté d'elle.

– Moi, je n'ai rien vu, dit la comtesse.

Certes la comtesse n'avait pas un regard d'une acuité exceptionnelle, ni sans doute l'imagination de Mme Anselme, à qui on versa, en matière de conclusion, une autre coupe de champagne. Que pouvait Juliette d'ailleurs ? Mais il est des gens qui, le jour d'un mariage, aiment retenir ou même susciter des présages curieux.

Ce soir-là, Tiburce lui-même montra une humeur bizarre, quoiqu'il fût le premier à se réjouir du bonheur de son ami. Il aurait pu lui aussi témoigner d'une circonstance étrange. Il avoua à Noémie ses préoccupations, au moment où il prenait congé sur le seuil de l'auberge :

– Ce que j'ai, ce que j'ai, mais cela n'a pas d'importance. Non cela n'a pas d'importance et aucun rapport avec le mariage.

– Tout de même, insistait Noémie.

– Eh bien, voilà, ce matin, avant l'heure de la messe, j'ai fait un saut jusque là-haut, sur un vélo. J'avais laissé traîner une grande clef anglaise dont je m'étais servi pour brancher le butagaz. Je me souviens bien. Je l'avais laissée sur la fenêtre, quand j'étais sorti. Je n'arrivais pas à fermer cette fichue porte qu'on a mal rabotée. J'ai dû y mettre les deux mains. J'avais posé l'outil. Et puis je suis parti sans le reprendre. Eh bien, ce matin je ne l'ai pas retrouvé !

– Pas étonnant, dit Noémie. Quelqu'un a dû rôder dans les parages.

– Quelqu'un. Bien sûr quelqu'un. Alors j'ai tourné autour de la maison. Je me disais que j'avais pu la laisser ailleurs cette clef, parce que je m'étais baladé autour des ruines, pour regarder où on construirait le poulailler. On a mis des grillages mais on n'a pas encore fait de cabane.

– Cela viendra en son temps. Alors cette clef ?

– J'ai battu les environs. Tu sais ce qui arrive, quand on a perdu quelque chose. On va fouiller dans les endroits les plus invraisemblables en se demandant si par hasard on serait passé dans ce coin-ci, puis dans ce coin-là. J'ai cru voir briller quelque chose au milieu des pierres. J'y suis allé. C'était une boîte de conserve. J'ai flanqué un coup de pied dans la boîte qui a filé au milieu des ronces et s'est mise à dégringoler un escalier qu'il y avait sous un tas de ronces et de branches mortes. Je suis allé voir. Il n'y avait qu'à soulever le tas pour dégager l'escalier qui menait à une cave. Par curiosité, j'ai descendu l'escalier. Au bas il y avait une grande salle voûtée. Le jour venait par un trou dans la voûte, et j'ai vu contre les murs des sacs empilés et des caisses. Des petits sacs de tabac belge et dans les caisses des bouteilles d'alcool tout ce qu'il y a de plus français. Quelle affaire !

– Une cache de contrebandiers, dit Noémie. Ça n'a pas tellement d'importance.

– Pas d'importance ! D'abord les gens qui occupent le

domaine peuvent être considérés comme receleurs, si les douaniers viennent fourrer leur nez dans cette cave, et ça coûte cher une histoire comme cela.

– Tu dis : *d'abord*, est-ce qu'il y a autre chose ?

– Autre chose ? Non, c'est-à-dire… Figure-toi… Enfin j'ai connu autrefois des contrebandiers qui opéraient pas loin d'ici. Par hasard je les ai connus, tout à fait par hasard. Ce ne sont pas des gars commodes.

– Est-ce que le mieux ce ne serait pas que Félix avertisse la douane, pour dégager sa responsabilité ?

– Avertir bien sûr, mais on peut se mettre ces individus à dos, et de quoi ils seraient capables on n'en sait rien. Ils viendraient aussi bien massacrer les volailles et tout bousculer pendant la nuit.

– Un coin si tranquille, dit Noémie.

– Je ferai sauter un de ces jours la voûte de la cave. Ils croiront à un effondrement.

– Préviens Félix quand même.

– Je ne tiens pas à prévenir Félix.

Tiburce quitta Noémie. Non, ce mariage ne se faisait pas sous d'heureux auspices.

Au long de ces deux années, chez les Dorme, la vie familiale avait peu à peu changé. L'été précédent, après la pénible affaire de Marceau, Juliette avait séjourné à Paris chez une tante au lieu de passer les vacances avec les siens à Ostende. Elle n'était revenue qu'au mois de novembre pour se livrer à des courses à cheval de plus en plus fréquentes. Elle partait souvent le matin et ne rentrait que le soir. Ni le brouillard ni la pluie ne l'arrêtaient. Elle refusait chaque fois la compagnie de Gilles. Des mois passèrent ainsi. L'inquiétude flottait vaguement dans la maison. Chaque fois qu'on posait des questions à Juliette elle sortait en claquant la porte. Le père ne voyait en ceci que les fâcheuses manières d'une fille choyée. Gilles, qui

soupçonnait quelque chose de plus sérieux, s'ingénia à exaspérer sa sœur, afin d'avoir le fin mot. Un jour, Juliette éclata :

– J'aime me promener. Est-ce que je ne reçois pas les invités comme d'habitude, lorsqu'il vous prend fantaisie d'organiser une soirée ? Est-ce que je manque une seule des visites
auxquelles vous m'obligez ? Est-ce que je n'écoute pas le
bavardage de vos prétendants ?

– Ce sont plutôt les tiens, à ce qu'il paraît, observait Gilles.
Enfin personne ne court les bois comme tu fais. Et qu'est-ce
que tu es allée trafiquer l'autre jour à Namur ?

– Monsieur mon frère m'espionne et veille sur ma vertu ?
Ma vertu est intacte, mon cher frère.

– Tu as l'air de le regretter.

– Je le regrette peut-être bien. J'en ai assez de vivre avec des
imbéciles.

Cet entretien eut lieu au début de l'année qui suivit le
départ de Marceau. On ne cessait d'y songer à ce départ,
quoique personne n'en soufflât mot jamais. Gilles ne fut pas
étonné lorsque sa sœur lui jeta au visage le nom de Félix. Elle
déclara qu'elle ne pouvait admettre l'injustice avec laquelle un
ami de la maison avait été traité.

– J'ai fait pour lui tout ce qui a été en mon pouvoir, déclara
Gilles. Toi-même, tu aurais pu le voir à Londres et vous auriez
discuté ensemble la question. Il s'est rendu à Londres après
cette histoire.

– Je n'aime pas qu'on se mêle de mes affaires. Vous vouliez
tous que j'épouse Félix.

– Si tu le voulais aussi, je ne vois pas le mal, concluait
Gilles.

Alors Juliette était entrée dans une véritable fureur.

– Tu ne vois pas le mal ! Mais tu prends des airs protecteurs
que personne ne peut supporter. Oui j'aime Félix, parce qu'il
vous a tous bravés, et parce qu'il a fichu le camp. Je souhaite
qu'il soit dans la misère. Alors je l'épouserai en dépit de vos
sales convenances.

– Tu n'es qu'une petite-bourgeoise, dit Gilles.

Juliette lui envoya une gifle.

– J'en ai assez de tant de mensonges et aussi bien de mes mensonges à moi.

Elle fondit en sanglots et elle tâcha de s'expliquer à mots entrecoupés. Mais rien ne s'expliquait.

Elle trouvait la maison affreusement vide. C'est pour cela qu'elle filait toujours dans les bois. Un matin elle était partie à cheval pour la forêt, alors que le jour se levait à peine. Aussitôt arrivée dans la forêt, elle avait attaché son cheval dans une clairière, et elle était partie à pied le long d'un sentier.

Non loin de là le sentier se perdait. Elle avait poursuivi sa marche au hasard sous un haut taillis puis à travers une futaie et elle avait pénétré dans un nouveau taillis. Au bout d'une heure elle revint sur ses pas, mais elle ne put retrouver la futaie et, comme elle traversait un bois de sapins elle fut assurée de s'être perdue. Elle eut alors le sentiment soudain d'une lumière qui avait tout changé, la cime des sapins, l'espace entre les sapins, les moindres brins d'herbe, les champignons.

– Oui les champignons aussi, tu ne me comprendras jamais.

Elle avait cherché dans la poche de sa veste d'amazone une petite boussole dont elle pensait s'être munie. Elle n'avait pas trouvé la boussole, mais le vieux débris d'une photo, que Gilles avait prise et où Félix Marceau et elle-même se tenaient près de leurs chevaux dans une prairie.

Jusqu'à ce moment elle n'avait jamais voulu s'avouer que le souvenir de Félix la poursuivait, mais alors elle avait eu presque la certitude que Félix était tout près d'elle au milieu des sapins :

– Sûrement il pensait à moi lui aussi à ce moment-là. Jamais je n'oublierai cela. Jamais je ne l'oublierai.

Bien sûr, de la poésie à n'en plus finir. De quoi crever.

Gilles n'avait rien su répondre. La conversation en était restée là. Une semaine plus tard, Juliette avait demandé qu'on la laissât partir en voyage. Pendant des mois, elle parcourut l'Europe et aussi un peu l'Afrique. Lorsqu'elle revint, l'hiver suivant, elle fit mine d'être tout à fait insouciante, mais comme elle ne cessait de courir les bois, Gilles ne crut pas un seul instant à cette insouciance. Il ne manqua pas de provoquer sa sœur.

– Pourquoi ne l'as-tu pas cherché tout simplement ? lui demanda-t-il un jour avec brusquerie.

– Je l'ai cherché. Je suis retournée à Namur. Personne n'avait de ses nouvelles. J'ai tenté même de joindre Tiburce Peridel, en essayant de retrouver d'abord l'homme avec qui il avait eu une affaire dans les rues de Dinant. L'homme était à Bruxelles, d'après les renseignements obtenus par la police qui le surveillait. Je suis allée à Bruxelles. On m'a mise en relations avec des camarades de Peridel. Ils m'ont dit qu'il avait dû filer à l'étranger. Et puis j'ai voyagé, comme tu sais.

– Tu pensais que tu allais tomber sur la trace de Félix au Congo ou à Moscou. Je ne te croyais pas si romanesque, avait dit Gilles.

Elle l'avait regardé comme si elle allait lui cracher au visage. Elle répondit :

– Je croyais que j'allais étouffer cet amour, que je trouvais idiot finalement. J'aimais la vie de plus en plus, la vie avec des riens, traîner sur les chemins, travailler dans les fermes ou les plantations. J'ai travaillé, mon cher frère, à me faire claquer.

– Du pur entêtement, déclara Gilles.

Elle lui lança un regard de mépris.

– Je suis allée à Charleville l'autre jour, par le train bien entendu, reprit-elle. J'avais l'idée que Félix était à Charleville, je ne sais pas pourquoi. J'ai traîné toute la journée dans les rues, à regarder les passants, les magasins, n'importe quoi. Je suis revenue comme folle. Mais, mon cher frère, je ne te fais pas des confidences pour que tu t'amuses avec mes petits sentiments. Simplement, tu dois savoir que si tu ne m'aides pas à le retrouver et à l'épouser, je fais les cent coups, et je déshonore la famille. Voilà !

Gilles voulut faire la part de l'exagération. Des semaines passèrent. L'hiver revint et un beau jour, Juliette tomba malade, après une nouvelle course dans la forêt, où elle s'était aventurée en costume léger par un brouillard qui l'avait glacée. Quand elle fut remise, deux mois plus tard, elle reprit le chemin de la forêt, sans se soucier de la neige. Gilles et son père craignirent sérieusement cette fois qu'elle finît par succomber à ses imprudences. Gilles rechercha la trace de Félix. Ce devait être vers la fin de janvier. A sa grande surprise, il n'eut aucune difficulté à retrouver Félix. Tout de suite, il s'adressa aux Marceau qui n'avaient des nouvelles de Félix que depuis peu de temps en vérité. Ainsi il connut la situation de son ami, le mariage où il devait s'engager. Les Marceau lui exprimèrent leur embarras.

– Il ne veut pas avoir recours à Beursaut, avait déclaré le père Marceau. Il n'a aucun moyen de vivre que ce que nous lui donnerons. Savoir si l'exploitation des terrains de Mme Filian ce n'est pas de la pure utopie. Mme Filian a voulu caser sa fille, mais ni Félix ni la fille n'ont l'air de tenir tellement à ce mariage.

Bref Gilles revint à Dinant, avec le sentiment que tout devait s'arranger selon les vœux de Juliette. Il se contenta de déclarer à sa sœur que Félix était sans argent, et engagé dans une histoire de mariage qui devait forcément tourner court. Après quoi Gilles s'était bientôt rendu à Charleville, où il avait poursuivi son enquête. Il fut très vite édifié, et eut tout de suite la conviction que le moindre incident précipiterait la rupture entre Félix et Angélique Valderling. Félix n'avait cessé d'aimer Juliette, et toute sa conduite révélait simplement la volonté d'étouffer un amour que son orgueil d'enfant trouvé refusait d'accepter.

L'entêtement de Félix et d'Angélique le dérouta, mais il avait l'impression, comme tout un chacun, qu'un tel mariage ne saurait durer. Juliette, qui avait attrapé une nouvelle bronchite, garda la chambre presque jusqu'au printemps. Elle écoutait son frère avec une soumission nouvelle, et la folle certitude que tôt ou tard Félix lui reviendrait. Lorsque le mariage eut lieu, quoique Gilles ne l'en eût pas prévenue, elle se rendit à Charleville, à tout hasard. Si Mme Anselme ne l'avait peut-être pas réellement aperçue attablée à un café avec son frère, elle fut sans doute dans les parages, pendant que les cérémonies se déroulaient. Elle rentra à Dinant, possédée par un sentiment de haine envers cette fille qui épousait Félix dans ces conditions misérables, comme si elle devait se marier à tout prix, en dépit des difficultés matérielles, sans se soucier même du moindre amour. Peut-être elle était enceinte.

Juliette fit mine de se résigner. La bonne saison lui apporta un regain de santé et d'énergie. Elle reprit des occupations normales, promenades modérées, lectures et visites. Elle passa les vacances avec les siens à Knokke-le-Zoute dans le voisinage d'une famille dont un des fils lui faisait la cour. Juliette était plus que jamais persuadée que Félix l'aimait toujours. Elle partait pour de soudaines randonnées, menant sa voiture à grande vitesse et revenant tard dans la nuit. A ses retours elle apparaissait toute rayonnante. C'était plutôt sa joie qui maintenant inquiétait les Dorme. Gilles pensait qu'elle était possédée par une idée, peut-être plus que par l'amour, la simple idée de gagner la partie à tout prix, quelles que fussent les conséquences, rien que pour gagner.

La vie d'Angélique et de Félix s'organisa tant bien que mal. Ils savaient qu'il y avait des menaces aux alentours. Tiburce lui-même prenait des airs inquiets.

A peine une semaine après le mariage, Félix entrait comme employé au bureau des dommages de guerre. Il était évident que la petite exploitation ne serait pas rentable avant deux ans au moins, et on ne voulait pas vivre sur trop d'emprunts. Les Marceau, qui avaient assisté non sans dépit à un mariage qu'ils désapprouvaient, découvraient maints prétextes pour limiter l'aide qu'ils avaient promise. C'était de l'argent gâché, puisque tôt ou tard, à leur idée, Angélique et Félix divorceraient.

Ce fut grâce aux indications de Mme Anselme que Félix put accéder à son poste bureaucratique. Mme Anselme, bouleversée d'avoir aperçu Juliette ou de l'avoir cru, pensa, en désespoir de cause, que c'était son devoir de venir en aide au jeune ménage. Les circonstances qui accompagnèrent le début de cette vie commune, sans être nullement malheureuses, eurent quand même tout le désagrément d'un simple gâchis. On ne savait plus si Félix devait s'attacher à quelque carrière bureaucratique ou porter ses efforts sur la culture. Il n'était pas question pour Félix et Angélique de partir pour un voyage dont ils avaient une envie folle. Ils devaient trimer sans répit et s'attacher à tous ces calculs qui permettent de joindre les deux bouts, et de rembourser les dettes, sans trop savoir où ils allaient.

Ils se mirent en peine d'installer les premiers poussins de l'élevage, ils ratissèrent le jardin pour de nouveaux semis, supputèrent quelles espèces de haricots on sèmerait et sur quelle étendue. Certains petits problèmes inextricables les faisaient rire, après quoi ils se regardaient avec le plus grand sérieux, comme s'ils se trouvaient de toute façon au bord d'une faillite pas seulement financière.

Lorsque Félix prit cet emploi aux dommages, Angélique déplora qu'il fût absent la plus grande partie du jour et lui-même s'inquiétait de la laisser seule. La moindre séparation leur semblait angoissante. Enfin Angélique poursuivit son travail de dessinatrice, sans abandonner pour cela le jardinage ni l'élevage. Tiburce et Noémie venaient parfois donner un coup de main. Le fléau, dans ce lieu, c'étaient les herbes sauvages, renoncules, mauves, trèfles et même orties qui envahissaient tout. Le terrain défriché avait une trop vaste étendue. Dès que Félix revenait de son bureau à midi et le soir (sur un vélo emprunté), il ne perdait pas un instant, il désherbait. Jamais ni lui ni Angélique n'auraient imaginé une vie si serrée.

La troisième semaine, ils reçurent la visite de l'oncle. Il se présenta un soir accompagné d'une chèvre, d'un chien, et tirant une petite remorque où était placée une caisse à claire-voie avec un couple de canards. Il leur cria de loin :

– Ce sont mes cadeaux de noce.

Le chien, qui devait veiller sur la maison à ce que dit Célestin, montrait une douceur angélique. La chèvre, par contre, apparaissait têtue et insociable.

– Il faut accepter les gens et même les animaux tels qu'ils sont, dit simplement l'oncle. Quant aux canards je les crois fidèles et ils se plairont sans aucun doute dans votre étang.

Célestin était venu à pied en cet équipage. Il demeura pour le repas du soir, et repartit chancelant comme il était venu. Sa présence et celle des nouveaux hôtes qu'il avait amenés furent une affaire lumineuse.

Lorsque Angélique et Félix songeaient à leurs parties à Namur, à leur rencontre soudaine un soir de neige, à leur voyage de Marseille, il leur semblait qu'il y avait un temps infini que ces événements s'étaient déroulés, et ils ne cessaient de se demander comment ils réussiraient à rester en place, eux si disposés à des allées et venues et incapables de s'attacher à aucun lieu.

Tiburce se montrait donc souvent renfrogné, lorsqu'il leur tenait compagnie. Il songeait à cette cache établie par les contrebandiers. Noémie le pressait d'en avertir leurs amis et il s'y refusait bizarrement. Il devait croire lui-même que le moindre incident pouvait tout détraquer, sans d'ailleurs s'expliquer sur cette idée.

– On ne sait pas, je ne sais pas, disait-il à Noémie.

– Tu avais prétendu que tu ferais sauter cette cave.

– Oui j'ai prétendu, mais il faut agir prudemment.

Tiburce était venu, plusieurs nuits, rôder dans les ruines, afin de rencontrer les contrebandiers qui devaient tout de même visiter leur cache de temps à autre. Il aurait voulu leur enjoindre de chercher ailleurs un dépôt pour leurs marchandises. Mais il redoutait aussi une telle rencontre, ne sachant à qui il aurait affaire.

Les semaines passèrent. Un soir du mois de juin, après le repas, Angélique et Félix s'étaient assis sur le banc devant la maison. Le jour s'en allait lentement.

La veille, ils avaient dîné chez Mme Filian. Ces sortes de visites étaient rares. La dame les surveillait d'un œil victorieux. Elle guettait la catastrophe. Eux demeuraient assez silencieux, comme absents. Ils répondaient aimablement aux questions, mais ils ne semblaient s'intéresser à rien. A un moment, Mme Filian avait dit :

– Félix Dessaux est revenu dans nos murs, il y a deux bonnes semaines. Il a remplacé au lycée un professeur en congé depuis Noël. On n'est jamais pressé de pourvoir les postes. Je pense que l'an prochain il demeurera au lycée.

Ni Félix ni Angélique n'avaient fait la moindre observation, comme si cela se perdait dans le flot de nouvelles que débitait Mme Filian, maux de reins de Mme Anselme, nomination du général à un poste de direction dans la Croix-Rouge, ouverture d'une salle au musée. Cependant, Félix et Angélique ne pouvaient manquer de songer à Dessaux, Félix de plus en plus persuadé qu'il avait été aimé par erreur, et la jeune femme encore surprise par les circonstances de son mariage.

Ce soir du mois de juin, il régnait une chaleur profonde. Il avait fallu arroser toutes les planches du grand potager, et Félix et Angélique éprouvaient simplement le désir de se reposer et de rester là sur le banc sans rien dire. Enfin une brise presque imperceptible descendit de la forêt.

– Un vent local, dit Félix. La ville est encore écrasée de chaleur, tandis qu'ici nous avons un semblant de fraîcheur.

– Nos choux-fleurs sont quand même fichus, dit Angélique.

– Les soucis de la culture… reprit Félix. Mais les autres légumes, ç'a été une victoire.

Ils firent ensemble le compte de ce qu'ils avaient récolté, et des progrès réalisés. Puis ils en vinrent à parler de leurs projets.

Pour l'an prochain il faudrait établir des couches, et même construire une serre. Il restait aussi à dégager un verger mêlé à la forêt, à l'angle de l'ancien château. Ils avaient découvert ce verger au lendemain de leur mariage, et ils s'en étaient félicités, quoique certains arbres fussent à moitié morts et beaucoup d'autres trop vieux pour durer longtemps.

– Il faudra des années pour reconstituer un verger qui rapporte, dit Félix.

– Des années, répéta Angélique.

L'un et l'autre furent surpris par ces simples mots : « des années ». Félix redit :

– Des années !…

Il eut l'idée passagère de Félix Dessaux… Angélique dut songer à Juliette.

– Je n'arrive plus à savoir ce que tu penses, dit Angélique.

– Je ne pense rien, dit Félix. Toi-même ?

– Rien qui vaille, non plus.

Jamais ne s'élevaient de disputes entre eux. Pas même une discussion. Toujours un calme profond mais bizarre. Était-ce à cause d'une vérité qu'ils craignaient de s'avouer soudain ? La nuit tomba. Ils restèrent sur le banc, regardant devant eux les plantes obscures et les étoiles par-delà. Angélique se leva et il se leva aussi. Ils firent le tour de la maison comme pour vérifier que tout allait bien dans le domaine. Le chien dormait devant sa niche. La chèvre était sous la remise. Les volailles avaient depuis longtemps regagné les perchoirs sous les tôles provisoires qu'on avait installées. Soudain, Angélique s'écria :

– Une lumière !

– Quelle lumière ? demanda Félix.

– De ce côté dans les ruines.

– Tu crois que tu n'as pas rêvé ?

Leur amour n'existait que par des lumières soudaines qui éclairaient leurs visages. Quand ils allumaient la lampe, quand ils voyaient le soleil le matin en ouvrant la porte, ils se regardaient pour surprendre cet éclair d'amour désespérément rapide.

– C'est comme un faisceau qui a passé sur le mur là-bas, insista Angélique.

Ils allèrent du côté des ruines et s'arrêtèrent devant l'ouverture que laissait un pan de mur effondré. Ils eurent beau écarquiller les yeux, ils ne purent rien apercevoir qu'un ver luisant dans les herbes. Ils écoutèrent, et entendirent de très légers froissements au milieu des branches de la forêt. Puis la rumeur lointaine d'une voiture. Qui viendrait errer en ce lieu ?

– Un rôdeur, c'est toujours possible, dit Félix. Il faudrait entourer la propriété d'un grillage.

– Un kilomètre de grillage, dit Angélique.

– Quand même tu as dû rêver, assura Félix.

Ils rentrèrent à la maison.

Le père Gandeur organisa un repas de fiançailles pour Tiburce et Noémie quoique ce fût assez tardif, puisqu'ils devaient se marier à la fin de juillet. Les Gandeur avaient déclaré hautement qu'ils prenaient à cœur de faire ce qu'il faut et comme il faut. Ce fut une belle fête à laquelle Félix et Angélique assistèrent. Après le repas il y eut maintes conversations, et Noémie prit sur elle de révéler à Angélique les hésitations de Tiburce en ce qui concernait une cache qu'il avait découverte dans une ancienne cave du domaine. Elle lui recommanda de n'en parler ni à Félix ni à Tiburce.

– J'avais besoin de me soulager le cœur, conclut-elle. C'est une affaire sans importance et Tiburce aime grossir les choses et faire des secrets.

– Nous avons vu, l'autre soir, une lumière dans les ruines, dit Angélique.

Cependant Tiburce, bien qu'il eût décidé de se taire, fit la même confidence à Félix.

– Ce sont peut-être d'anciens amis, dit-il, des drôles d'amis. Impossible d'avertir la police ou la douane en tout cas. Mais il faudra leur parler ou prendre une décision.

Dans la suite Félix se leva presque chaque nuit entre minuit et quatre heures du matin, pendant qu'Angélique dormait du plus profond sommeil. Les rondes qu'il fit n'eurent aucun résultat. Les contrebandiers devaient évidemment être en éveil, et l'épier lui-même, s'ils venaient à leurs caches. Cependant leurs stocks semblaient demeurer à peu près intacts au fond de la cave, comme Félix put le constater. Tiburce lui dit un jour :

— Je suis décidé à faire sauter cette cave, cela simplifiera tout.

— Ils seront furieux, observa Félix.

— J'ai étudié le terrain. Ils pourront croire à un effondrement.

Un matin, Angélique demanda à Félix pourquoi il s'était promené pendant la nuit. Félix répondit qu'il avait entendu le chien qui grognait et qu'il était allé voir. La nuit lui avait semblé si belle, qu'il était demeuré longtemps à contempler les étoiles. Angélique répondit qu'il lui racontait des histoires. Félix se lança dans un discours.

— C'est vrai, je suis aussi allé faire un tour du côté de la remise où est la chèvre. J'ai toujours peur qu'on nous vole cette chèvre. Il faudra mettre un cadenas à la porte de la remise. Nous avons un chien qui dort beaucoup trop.

— Tu disais qu'il avait grogné.

— Justement cela m'avait étonné considérablement. Je crois qu'il a fait simplement un cauchemar. Tu sais que les chiens ont des cauchemars. Mais si tu avais vu ces étoiles !

— Tu mens, dit Angélique.

— Je ne mens pas, dit Félix.

— L'ennui, c'est que tu t'y prends assez bien pour mentir, dit Angélique. J'ai failli te croire, mais Noémie m'a raconté que des contrebandiers avaient une cache par ici et c'est sûr que tu es allé faire un tour de ce côté.

— Je suis allé voir la chèvre, dit Félix.

— Ne recommence pas.

— Tiburce va faire sauter cette cave un de ces jours, déclara enfin Félix. Toi non plus, tu ne m'avais pas dit que tu savais.

C'était une infime bagatelle, mais ils comprirent qu'ils pouvaient se cacher des choses. Cela leur donna l'occasion de réfléchir à tout ce qu'ils dissimulaient l'un à l'autre. Angélique n'avait-elle pas l'autre jour rencontré Dessaux dans une rue de Charleville, et bavardé avec lui ? Félix dans son bureau n'avait-il pas reçu la visite de Gilles, qui lui avait demandé si par hasard il n'avait pas aperçu Juliette qui faisait des courses dans sa voiture aussi bien à Charleville et revenait avec des airs triomphants ? Félix eut beau assurer son ami qu'il n'avait pas vu l'ombre de Juliette, Gilles ne le crut qu'à moitié. Angélique ne parla jamais de Dessaux ni Félix de la visite de Gilles, et c'était la conduite la plus sage. Mais aussi les pensées de chacun échappaient à l'autre et ils en avaient la sourde conviction.

Le travail du mois de juillet ne fut pas pour eux plus léger que pendant les mois précédents. Il fallut encore lutter contre les herbes qui se multipliaient après les grandes pluies d'orage. Félix entreprit de construire des baraques pour les volailles. Tiburce ne venait plus guère prêter son aide. Son mariage avec Noémie était fixé au dernier jeudi de juillet.

Une semaine avant ce beau jour, Tiburce rencontra Félix à Charleville et lui annonça que, le soir même, il ferait sauter la cave.

— Je veux que vous soyez tout à fait tranquilles, déclara-t-il. Je viendrai vers trois heures et demie. Je pars avec mon camion sur les quatre heures.

— Pourquoi pas à dix heures du soir, aussi bien ?

— Ça m'arrange, dit Tiburce.

En rentrant à la maison, Félix annonça la nouvelle à Angélique.

— Tu n'as pas besoin de te déranger pour cela, conclut-il.

Cela ne fera pas tellement de bruit d'ailleurs. C'est assez loin de la maison.

— Je ne bougerai sûrement pas, dit Angélique.

Félix se leva vers trois heures, ne voulant pas manquer le rendez-vous. Il tenait à aider Tiburce et à prendre sa part des

responsabilités. En l'attendant, il se promena le long des
ruines. Il faisait un clair de lune assez vif, quoique la lune ne
fût pas tout à fait pleine. Au fond du ciel il n'y avait aucun
nuage. Pas la moindre rosée dans les herbes. Malgré l'heure
matinale l'air demeurait tiède, et dans la contrée c'était une
rare sensation qu'une nuit aussi lumineuse et aussi douce.
Félix entendit des canards qui se disputaient dans le marécage. Il eut la curiosité d'aller de ce côté. Comme il tournait le
dernier pan des murs en ruine, une ombre se dressa devant lui.

Il ne songea pas un instant que ce pouvait être quelque
contrebandier. Tout de suite et même, à ce qu'il crut, avant
d'apercevoir le visage éclairé par la lumière de la lune, il
s'écria : « Juliette ! »

Elle se jeta contre lui.

Il sentit ses lèvres brûlantes sur ses lèvres. Aussitôt elle se
rejetait en arrière avec la même violence qu'elle s'était élancée.
Dans ce mouvement ses cheveux sombres s'envolèrent autour
de son visage dont la beauté régulière apparut avec vivacité.
Félix éprouva dans la poitrine cette ancienne brûlure. Elle
parla d'une voix très basse :

– Je suis venue souvent, par un chemin de bois, où je laisse
ma voiture. Je t'ai guetté souvent. Je connais la vie que tu
mènes. Cette nuit je ne pensais pas te rencontrer ainsi, mais je
désirais que tu sois sûr. Maintenant tu feras ce que tu voudras.
Je sais ce que tu feras.

Une seconde silencieuse passa. Il y eut dans cette seconde
toute la présence des bois et du ciel, mais pas le moindre bruit.
Juliette se tourna et s'enfuit. Félix était demeuré sans bouger, si
étonné qu'il n'entendit nullement les branches qui craquaient
sous les pas de Juliette dans le prochain taillis. Bien qu'il l'eût
vue s'éloigner, il croyait qu'elle était encore là, tout près de lui.
Après un temps assez long, qu'il ne pouvait apprécier, il passa
la main sur son front. Il murmura : « Cela ne compte pas. Non,

cela ne compte pas. » Et puis : « Elle sait ce que je ferai. » Enfin il songea qu'il devait aller retrouver Tiburce.

Il trébucha dans des ronces autour des ruines. Il fit un détour, regarda la maison. La fenêtre de la chambre était éclairée. Angélique avait dû s'éveiller. Pourtant elle avait dit qu'elle ne se dérangerait pas. Félix longea les ruines. A peine eut-il fait vingt pas qu'il entendit l'explosion.

Ce fut une explosion assez sourde, à laquelle succéda la rumeur des pierres qui s'éboulaient. Un pan de mur avait dû aussi s'effondrer en même temps que la voûte de la cave. « Tiburce ! » appela Félix. Tiburce ne répondit pas. Félix se hâta, et bientôt Tiburce lui tomba dessus.

– Je m'étais garé, dit Tiburce. On ne sait jamais avec ces explosifs.

– Pourquoi ne m'as-tu pas attendu ?

– Pas la peine, dit Tiburce. J'allais au-devant de toi, de toute façon. Il vaut mieux que tu ne prennes pas la responsabilité de l'affaire. Avec ces gars-là… Voyons l'état des lieux.

Il alluma une torche électrique et ils explorèrent les ruines. Ils eurent d'abord quelque difficulté à retrouver l'endroit précis. Ils ne distinguaient que des tas de pierres et des formes confuses.

– Voilà, c'est ici, dit enfin Tiburce. Il manque un morceau de mur. J'avais repéré ces pierres de taille dans l'herbe. En droite ligne, c'était la cave.

Ils s'avancèrent. On ne voyait plus l'amorce de l'escalier. L'emplacement de la cave formait une sorte de vasque peu profonde, parce que les pierres du mur qui avait sauté comblaient presque entièrement le creux.

– J'ai bien calculé, dit Tiburce. Il y a longtemps que j'avais songé à l'endroit où je fourrerais la charge. Tu viendras voir quand il fera jour, mais je crois que cela aura l'air d'un effondrement naturel. Les gars viendront déblayer, si cela les amuse, mais ils en auront au moins pour une semaine et il faudra qu'ils déménagent de toute façon.

– Viens prendre un verre à la maison, dit Félix.

– Tu n'y penses pas, dit Tiburce.

– Angélique est réveillée. Tu ne la dérangeras pas.

– Tu crois ?

Tiburce regarda sa montre et s'écria :

– Non, ce n'est pas possible. Il faut que mon camion démarre à quatre heures pile. J'ai juste le temps de sauter sur mon vélo. Je suis venu à vélo.

Ils cherchèrent le vélo, et Tiburce partit. Félix revint lentement vers la maison.

L'explosion, le bavardage avec Tiburce avaient un peu détourné ses pensées de la brutale rencontre avec Juliette. Tout de même il aurait préféré que Tiburce vienne prendre un verre. Il aurait eu un peu plus de temps pour remettre ses idées d'aplomb. Avant de rentrer il alla voir la chèvre. Le jour n'était pas loin. Il détacha l'animal qui s'élança follement dans le pré. Il rendit visite au chien qui dormait profondément sur le seuil de sa niche. Il se baissa pour le caresser :

– Toi, mon vieux chien de garde, rien ne peut te réveiller, ni les voleurs ni le tonnerre. Dis-moi comment t'y prends-tu pour t'en aller dans de pareils sommeils, et où vas-tu comme cela ? Ça doit être dans un pays où les voleurs et les contrebandiers sont des êtres délicieux et où le tonnerre est comme un chant de Noël.

Félix demeura assez longtemps auprès du chien puis il rentra dans la maison. Le jour éclairait vaguement les meubles de la cuisine. Il monta l'escalier.

– Voilà, dit-il, comme il entrait dans la chambre, l'affaire est réglée.

Il n'y eut pas de réponse. Angélique avait dû se rendormir. Il murmura : « Puceronne », afin de vérifier si vraiment elle dormait. Par la fenêtre ouverte, venait un peu de fraîcheur. On n'entendait rien non plus au-dehors. Il s'approcha du lit. Le lit était tout bousculé. Il était vide.

Félix alluma l'électricité. Tout de suite il vit la porte de

l'armoire ouverte, l'immense armoire venue du fond du grenier de Mme Filian. Sur le rayon, la pile de linge démolie, dans
la penderie les robes disparues. Oui, Puceronne avait pris sa
valise sur le haut de l'armoire. C'était tout de suite évident
qu'elle avait surpris son entrevue avec Juliette. Elle était sortie
de la maison derrière lui, deux minutes après peut-être. Elle
l'avait vu rôder ici et là et s'était amusée à suivre ses
démarches, pensant le rejoindre. Et elle avait pu assister à
cette scène rapide entre lui et Juliette. Probablement elle
n'avait pas entendu ce que Juliette disait, mais elle avait pu
supposer que les deux amants s'étaient quittés brusquement
parce qu'ils avaient soupçonné une présence. Combien de
soirs Félix était-il sorti la nuit pour de tels rendez-vous ? Tout
à fait innocent ? Mais le seul fait que Juliette était venue prouvait qu'il y avait un lien secret entre elle et lui. C'était bien
facile de suivre les pensées d'Angélique. Il murmura : « Elle est
partie. »

Cependant il appela : « Puceronne ! » à tous les échos de la
maison comme s'il supposait qu'elle se cachait dans un coin. Il
visita chaque pièce et même la cave. Enfin, il sortit et il appela
encore. Du côté des ruines, un pan de mur renvoya un vague
écho de son appel. Il voulut croire que c'était elle qui avait
répondu, et il cria encore à plusieurs reprises. Le jour éclairait
maintenant le grand potager et les rosiers qui s'élevaient sur la
bordure. On voyait distinctement les roses rouges et blanches.
Le jardin, les terrains vagues alentour, c'était un vrai désert. Il
dit encore à voix haute : « Pas possible », et aussitôt : « La
gare, la gare. »

Il courut chercher son vélo dans la remise et il sauta dessus.
La porte à lattes de bois qui remplaçait la grille antique était
ouverte. Il fonça. Il descendit la côte sur Charleville sans savoir
qu'il faisait de l'acrobatie pour prendre les tournants. Le pont
de la Meuse. La Meuse rayonnant au soleil. Oui, c'était terrible.
Peut-être on ne pourrait pas effacer cela, même s'il retrouvait
Puceronne. Parce qu'en réalité on ne saurait jamais ce qu'il y

avait. Depuis longtemps une pareille histoire le menaçait.
Cette histoire-là ou une autre. D'abord, Puceronne l'avait
aimé par erreur. Juliette aussi l'aimait par erreur.

Il arriva à la gare, comme un train venait de partir. Un
employé fermait à clef la porte du quai. La salle d'attente était
vide. Il ressortit et alla regarder aux vitres des cafés dans les
alentours de la gare. Il remonta sur son vélo. Il fit un tour au
hasard, par les Allées, revint sur la place Ducale. Sans s'arrêter il reprit le chemin de la maison, et regrimpa la côte comme
un fou. Quand il franchit la porte lattée, toujours ouverte, il
était à bout de souffle. Il gagna la maison et monta à la
chambre.

Non, Puceronne n'était pas revenue. Elle ne pouvait pas
revenir. Dans le plein jour, le désordre de la chambre apparaissait de façon plus vive. Puceronne avait pris ses menus bijoux
sur sa table de chevet et même le livre qu'elle était en train de
lire. Félix regarda si elle n'avait pas laissé un mot ou un signe
quelconque. Il redescendit à la cuisine. Là tout était parfaitement rangé. Il se tint un long moment sur le seuil, appuyé au
mur, regardant le ciel lumineux. Puis il dit : « Le chien. » Il
courut à la niche et secoua l'animal. Il le conduisit jusqu'à la
porte de la maison « Cherche, lui dit-il, cherche-la. »

Le chien flaira à droite et à gauche, promena son nez autour
du petit terre-plein devant la maison, et se dirigea vers l'extrémité des ruines, juste à l'endroit où Juliette était venue. « Non,
pas par là », dit Félix. Le chien tourna en cercle dans le pré.
Enfin il alla vers les bois sans conviction. Il n'avait pas dû
comprendre d'ailleurs ce que lui demandait son maître. Ce
chien ne comprenait jamais rien.

« Les bois », songea Félix. Il entra dans le taillis sur le côté
du marécage, et monta la légère pente. Plus loin, il y avait une
large cuvette au centre de laquelle s'élevait un grand hêtre
puis la pente reprenait. Félix monta par le travers d'une chê-
naie avec le chien à ses trousses. En haut il y avait une allée
forestière qui débouchait dans les prairies assez loin du

domaine. C'était par cette allée que Juliette venait avec sa voiture. On voyait des traînées de pneus dans l'herbe du bas-côté. Toujours Juliette… Félix traversa le chemin. On ne pouvait imaginer qu'Angélique soit partie dans les bois avec sa valise. Il est vrai qu'elle était capable de faire n'importe quoi. Aussi bien gagner la frontière par les sentiers de la douane ou ceux des contrebandiers, et puis sauter dans un car pour une destination hasardeuse. Mais comment et de quoi vivrait-elle ? Peut-être avait-elle des amis à Namur ou à Bruxelles ?

Les pensées de Félix étaient dans le plus grand désordre. Il avait besoin de marcher. Il poursuivit sa course sous les chênaies et à un moment il appela : « Angélique ! Angélique ! » et puis : « Puceronne ! Puceronne ! » Après un long détour, il recoupa l'allée et retomba sur la lisière à l'extrémité du domaine. Il était à peine huit heures du matin. Il songea qu'il devait se rendre à son bureau.

« Pas la peine », murmura-t-il.

Le chien s'était assis dans l'herbe et se léchait une patte. Félix revint vers la maison. Il rattacha le chien, reprit son vélo, et tout en répétant « pas la peine, pas la peine », il fila vers Charleville où il gagna son bureau.

Toute la matinée il étudia des dossiers, classa des papiers. C'était machinal. A midi, quand il sortit, il se dirigea d'abord vers le pont, comme d'habitude, pour reprendre le chemin de la maison. Avant le pont, il fit brusquement demi-tour. Il acheta un sandwich et alla s'asseoir dans le square de la gare. Il regarda les allées et venues des passants et des voyageurs, et il comprit qu'il ne s'attendrait plus jamais à voir Puceronne, c'est-à-dire qu'il ne l'espérait pas et ne le désirait même pas. Qu'est-ce qu'il pourrait lui raconter après tout ? C'est drôle que l'être le plus familier puisse s'effacer tout d'un coup, pas oublié bien sûr, au contraire inoubliable, mais passé à côté, dans la catégorie des gens qui ne vous connaissent pas, et qui n'ont aucune raison de savoir que vous existez.

Félix retourna à son bureau l'après-midi. A six heures,

lorsqu'il fut libre, il alla boire un verre avec un collègue. Il but même deux verres, trois verres. Après quoi, il reprit le chemin de la maison. Il s'arrêta un peu avant d'arriver et il écouta. Dans ce coin, on n'entendait jamais que quelques chants d'oiseau de loin en loin. Le silence ne prouvait rien. Quand même ce soir-là il y avait une sorte de nouveau silence, comme à l'intérieur d'une maison lorsqu'on a enlevé les meubles. L'espace avait changé pour ainsi dire. Entre la maison, les rosiers, les ruines et les arbres, les distances n'avaient plus la mesure des pas qu'aurait pu faire Puceronne, qu'ils auraient pu faire ensemble.

Il gagna la maison. Il avait laissé la porte ouverte le matin et cela lui donna un choc, comme si quelqu'un était venu. Il visita la cuisine, la chambre. Puis il songea : « Les pommes de terre. Il faut arracher des pommes de terre. Gandeur doit venir les chercher, un de ces jours. »

Il alla prendre un hoyau et il piocha une longue rangée de pommes de terre. Après il dit : « Repiquer des chicorées. » Ce travail lui prit une grande heure, puis il arrosa les plants de chicorée. La nuit tombait presque, lorsqu'il eut achevé. Il alla dîner d'une boîte de sardines. Dans ce lieu écarté, on avait toujours des provisions et du pain en réserve. Après avoir mangé, il courut pour attraper la chèvre et l'attacha. Il alla faire un tour du côté des volailles. Il rajusta un grillage, car il fallait se méfier des incursions des renards. Et puis dormir. Comment dormir ? Il s'assit sur un pan de mur. Le ciel étoilé se déployait avec la même splendeur que la veille. La veille. C'était comme si dix ans, vingt ans avaient passé depuis la veille.

Félix se coucha dans l'herbe près des poulaillers. Il fut réveillé au premier matin par le chant d'un coq. Quand même il se rendormit. Après tout, il fallait dormir, dormir.

Vers six heures, il alla se plonger la tête sous la pompe. Il se rasa, détacha la chèvre, donna du grain aux poules et revint voir le chien, toujours assoupi.

– Tu es un chien impossible, lui dit-il. Avec toi, pas la moindre conversation. Enfin, tu devrais au moins t'apercevoir que Puceronne n'est plus là.

Il se rendit à son travail. Ce jour-là et le lendemain tout resta pareil. Le troisième jour, dans la soirée, il eut la visite de l'oncle qui venait simplement demander des nouvelles. Célestin, qui semblait ne pas tenir debout, aimait faire ces courses invraisemblables, qui lui prenaient un temps infini, car il s'asseyait vingt fois en route.

– Angélique n'est pas là, ce soir, dit Félix à Célestin. Elle est chez sa mère, et je ne sais pas quand elle rentrera.

– Tu ne sais pas quand elle rentrera, répéta Célestin de sa voix paisible. Si elle tarde un peu, je devrai repartir pour arriver avant la nuit. Tu l'embrasseras pour moi.

– Bien sûr, je l'embrasserai pour vous, dit Félix.

Il fit entrer Célestin dans la cuisine, et lui offrit un verre.

– Ça se voit qu'elle est partie, dit Célestin. Il y a du désordre par ici, on croirait.

– Je vais tout ranger avant qu'elle arrive, dit Félix, qui se mit en devoir d'essuyer la table et de replacer les objets ménagers qu'il avait un peu éparpillés en faisant sa sommaire cuisine.

– Tu as raison, mon fils, dit Célestin. Les femmes, quand elles rentrent, aiment trouver la place comme un miroir.

– Je vais aussi cueillir un bouquet de roses, dit Félix.

Il prit un sécateur et alla chercher des roses. Cela l'inquiétait que Célestin eût l'air de soupçonner l'absence définitive d'Angélique. Célestin ne soupçonnait rien probablement, mais avec ses façons de donner un double sens aux phrases qu'il prononçait on pouvait le supposer. Il ne fallait pas qu'il se doute. Tant que personne ne saurait, Angélique serait encore un peu à la maison.

Célestin s'en alla bientôt, comme s'il craignait de tourmenter Félix. En le quittant il déclara :

– Si je la rencontre sur le chemin, je lui dirai que tu l'attends et qu'elle se dépêche.

– Quand elle est chez sa mère… dit Félix comme pour excuser Angélique.

– Quand même je lui dirai, reprit Célestin.

Félix, en regardant l'homme s'éloigner sur le chemin qui rejoignait la route, se répétait : « Quand elle est chez sa mère… » Soudain l'idée la plus simple lui sauta dans la tête : « Elle ne peut être que chez sa mère. » Pourquoi ne l'avoir pas su dès le premier instant ?

Le lendemain, qui était un samedi, il se rendit chez la dame, vers la fin de la matinée.

– Ah ! c'est vous ! s'exclama Mme Filian.

– Oui, Angélique m'avait donné rendez-vous ici. Elle devait venir.

– Eh bien, attendez-la ! Entrez dans le salon. Moi, j'essuie la salle à manger. La femme de ménage m'a fait faux bond.

Félix fut obligé de faire semblant d'attendre dans ce salon désert. Il éprouva néanmoins une profonde satisfaction. Lorsqu'on attend quelqu'un en dehors de toute possibilité, c'est comme une ouverture sur l'infini. En fait seul l'infini peut répondre à l'attente. On sonna à la porte un quart d'heure plus tard. Des pas dans le vestibule. Mme Filian réapparut presque aussitôt :

– Le facteur, rien que le facteur avec des prospectus. Si vous voulez m'en croire, Angélique ne viendra pas ce matin. A votre place, je ne m'en formaliserais pas. D'ailleurs elle vous quittera pour de bon, un de ces jours, j'en donnerais ma tête à couper. Elle avait peut-être un autre rendez-vous ce matin.

– Si vous la voyez, dit Félix, vous lui direz que je suis remonté à la maison.

– A la maison, c'est entendu, dit Mme Filian.

Félix sortit. La porte claqua derrière lui. S'il comprenait bien la fine allusion de Mme Filian, Angélique pouvait avoir retrouvé Dessaux. Mais c'était sûr que non. Mme Filian n'aurait pas toléré d'ailleurs une intrigue de ce genre, encore moins Puceronne. La dame souhaitait une catastrophe par simple défi, mais il lui fallait une sorte de catastrophe absolument candide. Dessaux, ce serait pour plus tard. Félix revint à la maison, ainsi qu'il l'avait dit. En chemin il songea : « Les haricots. »

Si on ne cueille pas les haricots tous les jours, par ces temps chauds, ils risquent de grossir immodérément, et il y a de la perte. Gandeur lui avait commandé des haricots pour mardi ou mercredi, il ne savait plus au juste, mais il lui fallait sans tarder se mettre à l'ouvrage.

En arrivant, il se hâta de changer de costume et d'envoyer promener sa cravate. Il avait dû se mettre sur son trente et un pour se présenter chez Madame mère. Ces haricots en lattes occupaient un terrain assez considérable. Il en avait pour des heures et il se demandait si Gandeur pourrait absorber la récolte. Certes une notable quantité était nécessaire pour le repas de mariage, sans compter que les Gandeur avaient une belle parenté et des brochettes de cousins, et tout ce monde-là arriverait deux jours plus tôt et partirait une semaine plus tard. Oui, c'était samedi le mariage. Sûrement Tiburce n'aurait pas le temps de venir d'ici là. Mais est-ce qu'Angélique n'avait pas promis à Noémie de l'aider un peu pour des histoires de toilette ? C'était presque impensable qu'elle ne vienne pas au mariage.

Cueillir les haricots cela mène loin dans les réflexions et les raisonnements qui se retournent dans tous les sens. Évidemment si Angélique était partie, elle rompait avec les amis de Félix, et il n'était pas admissible non plus qu'elle assiste à un mariage au titre de candidate au divorce.

Ce simple mot qu'il murmura entre ses dents lui causa une surprise considérable. A aucun moment le mot ne lui était venu. Mais le temps passait et les choses se mettaient tout doucement à leur place. L'an prochain, Angélique serait mariée avec Dessaux. Ils partiraient pour une autre ville. Et lui-même, il avait d'infinies ressources du côté de Juliette. Beursaut lui redonnerait un poste de confiance. Bientôt ce seraient les paisibles chevauchées dans la forêt avec Juliette, les voyages, les hôtels étincelants. Eh bien, non !

Pourquoi non ? Sans aucun doute il dirait non, en ce qui concernait Juliette, malgré la facilité des choses. Il en avait la certitude totale. Pourquoi ? Félix lâcha son panier et se dressa pour regarder autour de lui. Il appela, comme malgré lui : « Puceronne ! Puceronne ! » Il regarda le ciel sans nuages. Il reprit sa cueillette.

Tout le jour il travailla, prenant à peine le temps de manger. Le lendemain matin, il se rendit à la grand-messe. Peut-être Puceronne serait à la grand-messe. Jamais elle n'y manquait. Il aperçut de loin Mme Filian, la comtesse, Mme Anselme, le général et bien des personnes connues. Il se sauva avant la fin. Si Puceronne avait été dans la foule, il l'aurait su. Il alla reprendre ses besognes. Il fallait arroser et biner les plants de salade, les radis d'été. Puis ces cabanes à construire pour les poules.

Le lundi, il reçut la visite du pépiniériste qui devait s'entendre avec lui au sujet des plantations qui ne se feraient pourtant pas avant novembre. Mais il fallait choisir le terrain et le préparer, savoir quelles espèces on planterait. L'homme se perdit en bavardages inutiles, demanda des nouvelles de Mme Marceau, s'épuisa en discours sur l'économie d'un ménage et sur la dureté des temps.

– Vous n'en viendrez pas à bout, concluait le pépiniériste. Vous feriez mieux d'aller à l'usine tous les deux.

Enfin il partit. Songer qu'il n'était guère question d'en être réduit à l'usine ou à quoi que ce soit…

Félix passa toute la soirée à empiler des briques pour achever la construction des poulaillers. On ne manquerait pas de briques, mais on passait beaucoup de temps à les récupérer dans les ruines. Il fallait découvrir parmi les monceaux de pierres ces briques qui avaient composé des arceaux au-dessus des fenêtres ainsi que celles des cheminées ou des cloisons. Beaucoup étaient brisées ou écornées. Puceronne aimait ces briques plates. Il alla fouiller jusque dans le coin où on avait fait sauter la cave. On n'avait pas eu de nouvelles des contre-bandiers. Sans doute, s'ils étaient revenus, ils avaient cru à un simple effondrement. Dans le plein jour on pouvait constater que les matériaux étaient dispersés autour d'un centre, ce qui donnait quand même l'idée d'une explosion.

Le mardi soir, Félix reçut la visite de Gandeur. Tout de suite, il le mena dans la remise où il avait rangé les sacs de pommes de terre et les paniers de haricots. Félix lui dit :

– Maintenant nous allons choisir les salades et les radis. J'ai même quelques concombres, si vous voulez. Avez-vous besoin de poireaux ?

– Pas besoin de poireaux, pour le moment, dit Gandeur. Angélique n'est pas ici ?

– Elle fait des courses dans les magasins, dit Félix. Le mariage approche et elle a besoin de petites choses. Elle a sa robe. Elle l'avait achevée avant... oui, avant... Mais vous savez les femmes n'en ont jamais fini. Il leur manque toujours quelque chose. Elle a dû aller voir Noémie.

– Je ne sais pas, dit Gandeur. J'ai travaillé toute la journée dans la cuisine. Demain nous avons une noce. Je m'en serais bien passé. Trois jours avant la nôtre.

– Enfin c'est quand même la joie, dit Félix.

– Bien sûr nous sommes heureux. Vos salades montent vite par ce temps chaud, à cause des orages qui ont imprégné la terre il y a une semaine. Mais les radis ont bien tourné. Oui, magnifiques vos concombres.

Le père Gandeur accepta un verre, puis il repartit au volant de sa camionnette :

– Vous embrasserez Angélique.

– Bien sûr, dit Félix.

La nuit vint assez vite. A la fin de juillet, les jours sont quand même un peu plus courts. Félix s'était résolu à remettre

la chambre en ordre, et maintenant il couchait dans leur lit.
Pas la moindre nouvelle de Puceronne, depuis ce jour. Cela
faisait combien de jours ? Rien à penser. Non, il ne fallait rien
penser.

Au matin il filait à son bureau, après avoir détaché la
chèvre, donné du grain aux poules et la pâtée au chien. Il eut
l'idée qu'il manquait un chat à la maison et le soir même il
revenait avec un chat que lui avait donné un collègue. Quand
il le sortit du panier, ce fut toute une affaire de lui apprendre
à connaître la maison et de le présenter au chien. A quoi bon
d'ailleurs tout cela ? Mais ce n'était pas pour Puceronne ni
pour lui-même, sans doute simplement à cause de la maison.
Il y avait aussi peut-être des choses à lire dans les yeux de la
jeune bête, tandis qu'elle ferait ses inspections.

Félix se remit aux besognes du jardin. Un peu avant la nuit,
il alla rendre visite aux canards qui ne quittaient guère le
marécage. Il les entendit cancaner dans les roseaux. Il imita
leur cancanement et toute une famille vint lui rendre visite en
boitant sur la rive fangeuse. Les canards étaient violets et naïfs
comme des images. Lui-même devenait une image. Il n'avait
jamais été qu'une image. Ou alors quoi ?

Le lendemain, le jeudi soir, il reçut une visite inattendue.
Comme il revenait de Charleville, il aperçut deux hommes
assis sur le banc devant la maison. « Des cousins des Gandeur
peut-être, ou des amis de Tiburce, songea-t-il. C'est après-
demain le mariage de Tiburce. » Quand il s'approcha, l'un des
hommes se leva, tandis que l'autre restait sur le banc avec un
air renfrogné.

– M. Félix Marceau n'est-il pas vrai ? dit l'homme.

Une allure d'intellectuel qui aurait mal tourné. Félix reconnut l'autre type aussitôt. C'était le personnage qui avait attaqué Tiburce dans les rues de Dinant et qu'ils avaient
proprement rossé.

– Que me voulez-vous ? demanda Félix.

– Quelques explications, dit l'homme. Vous avez fait sauter

notre cache. Nous ne sommes que de petits contrebandiers un peu démodés, et c'est pour nous une perte sensible.

– Cette cave est ma propriété, dit Félix. Si elle s'effondre cela ne regarde personne. Vous n'avez qu'à garer vos marchandises chez vous. Je ne tiens pas à être inculpé de recel.

– Donc vous êtes au courant, reprit l'homme avec une froideur menaçante, et vous saviez ce que vous faisiez. Vous avez oublié que de toute façon nous avions un ancien compte à régler ensemble.

– Vous aviez attaqué M. Peridel, dit Félix. D'ailleurs, mon ami Gilles vous a indemnisé largement.

– Eh bien, figurez-vous, rétorqua l'homme, que je tiens à être indemnisé cette fois encore !

– Je suis à peu près sans le sou, dit Félix.

L'intellectuel s'était levé et placé derrière Félix, qui fit un pas sur le côté. Les deux hommes lui saisirent les bras.

– Nous ne sommes pas des voleurs, dit le premier, mais nous aimons régler les comptes. Vous réfléchirez et vous nous paierez volontiers un peu plus tard. Mais nous voulons vous donner les moyens de réfléchir.

Félix ne prononça pas un mot, guettant l'occasion pour s'échapper et se préparant aussi à se battre, si c'était nécessaire. La mine butée des hommes indiquait qu'ils tenaient d'abord à exercer une vengeance. Aucun moyen de discuter. Ce n'était pas de chance d'être retombé sur le type de Dinant. L'autre camarade venait de sortir de sa poche un bout de corde. Félix eut aussitôt les bras tordus et les mains ficelées derrière le dos.

– Venez avec nous, dit l'homme.

Félix eut beau résister. Ils le ceinturèrent et le traînèrent du côté des ruines. Finalement, ils lui attachèrent aussi les jambes et le portèrent. Ils pénétrèrent ainsi dans le bois, montèrent la pente du taillis et redescendirent dans la cuvette où se dressait le grand hêtre. Alors ils lui collèrent le dos à l'arbre et, bien qu'il se tordît et se débattît, ils lui délièrent les mains et les attachèrent ensuite derrière le tronc de l'arbre, de telle manière qu'il se trouva tout à fait impuissant.

– Une simple petite leçon, dit le contrebandier. Nous ne vous mettons pas de bâillon. Vous pourrez appeler, on finira bien par venir vous délivrer. Votre femme ne saurait tarder à rentrer, et elle vous cherchera. Si vous criez assez fort elle ne manquera pas de vous entendre, à condition qu'elle songe à venir un peu du côté des bois. Enfin nous vous souhaitons bonne chance. Nous espérons que vous aurez ainsi le temps de réfléchir sur les moyens de nous indemniser, si vous ne voulez pas vous exposer à de nouveaux désagréments.

Félix ne répondit rien. Il regarda les hommes qui s'éloignaient. Bientôt la rumeur de leurs pas se perdit au fond de la forêt. Il demeurait dans l'ahurissement le plus complet. Il ne pouvait croire à une telle aventure, et il ne cessait de regarder vers le haut de la cuvette, du côté où les hommes avaient disparu, comme s'il s'attendait à les voir revenir pour le détacher. Il murmurait : « Ce n'est pas possible, ce n'est pas possible. » Par quelle aberration ces gens pouvaient-ils risquer de le laisser périr ainsi ? On les retrouverait forcément un jour ou l'autre, et ils n'échapperaient pas aux tribunaux, c'était sûr. Deux grandes heures s'écoulèrent.

Félix ne pouvait compter sur personne pour le délivrer, comme ces brutes avaient paru le croire. Le lendemain matin au bureau on constaterait son absence, mais qui s'aviserait de venir prendre de ses nouvelles ? Lorsqu'un employé ne se rend pas à son travail, on attend simplement qu'il informe ses supérieurs des raisons de son absence. Le mariage de Tiburce était pour le surlendemain. Alors Tiburce s'inquiéterait certainement de ne pas le voir, et il enverrait quelqu'un à la maison. Mais il fallait d'abord attendre au moins une quarantaine d'heures. On ne le trouverait pas de toute façon et on irait chez Mme Filian. Comme cette dame était aussi sans nouvelles d'Angélique, on pourrait conclure qu'ils étaient partis ensemble par un caprice inimaginable, et on se demanderait pourquoi ils seraient partis précisément le jour du mariage de Tiburce ? Cela ferait une drôle de confusion. Mais aurait-on l'idée de chercher aux alentours, dans les bois ?

Tout semblait improbable. Jamais personne ne passait sur le domaine. La route du village était éloignée. Quant au chemin tracé non loin de là dans la forêt, on l'utilisait peu et sans doute la distance était encore trop grande pour qu'un appel fût clairement entendu.

Félix ne se décida pas à crier. Il gardait en lui le profond sentiment d'un abandon, et il retrouva cette pensée qu'il avait eue souvent naguère d'être un enfant abandonné. Puceronne, il ne fallait pas compter qu'elle reviendrait. Juliette ? Non, Juliette ne viendrait pas non plus. Elle l'avait embrassé, sans doute persuadée dans son orgueil qu'il chercherait à la revoir et que tout s'arrangerait finalement selon ses vœux. Elle ne voulait pas se donner le mauvais rôle. Après lui avoir rappelé qu'elle était la première aimée, elle lui laissait la liberté de décider.

La liberté… Il revit en une image singulièrement vive la dernière promenade à cheval qu'il avait faite avec Juliette et son frère. Il revit aussi la grande maison, les meubles, les tapis, la richesse d'un séjour où régnait la paix pour des années et des années. C'était même extraordinaire de se trouver cloué misérablement à un arbre au lieu de vivre dans cette opulence si nettement promise.

Mais il y avait eu Angélique, à ce qu'il semblait, avant toute vie, avant qu'il eût été un enfant abandonné. Et Angélique maintenant n'existait plus d'aucune manière. Puceronne n'existait pas. Elle s'était trompée sur lui. Elle ne le connaissait pas plus qu'avant toute vie.

Mais lui aussi pouvait bientôt cesser d'exister. La nuit était tombée. Sous l'arbre l'obscurité devenait profonde. Un peu plus loin, dans une échancrure de la cuvette, il apercevait entre des troncs d'arbustes un mince triangle de ciel avec des étoiles. Il songea « Avec des étoiles ! » En menant ses réflexions, il avait de temps à autre essayé de tirer sur ses liens. La corde qui lui attachait les jambes n'était pas tellement serrée, mais ses mains étaient comme dans des tenailles. Il chercha à se déplacer légèrement vers la droite puis vers la gauche. Il pouvait tenter ainsi d'user la corde qui reliait ses deux poignets derrière le tronc de l'arbre.

Pendant les premières heures de la nuit, il s'occupa tout entier à cette besogne. A force de se démener, il finit par obtenir un léger relâchement qui lui permit de procéder à une sorte de va-et-vient en balançant tout le haut du corps. Ce mouvement de scie entamait l'écorce avec la corde et devait aussi limer légèrement les brins de cette corde. Félix faisait de longues pauses, après quoi il reprenait son travail. Pendant longtemps, il fut plein d'espoir. Mais peu à peu ses poignets lui semblèrent être de plus en plus serrés, tantôt pénétrés d'une souffrance aiguë, tantôt comme morts et inanimés. Finalement, il se sentit tout à fait épuisé et il s'affaissa, à demi suspendu par les bras. L'épaisseur du tronc vers la base l'empêchait de glisser suffisamment pour qu'il puisse tenter de s'asseoir sur le sol.

Après une longue prostration, il s'appliqua à se redresser et à trouver une position moins torturante. Tout de même il avait obtenu un résultat. N'eût été la douleur qu'il ressentait aux poignets et dans ses épaules, il aurait pu maintenant tourner autour du tronc. Il reprit ses mouvements de va-et-vient pour frotter la corde au long de l'entaille qui s'était faite assez profondément dans l'écorce à ce qu'il devinait.

Il fut extrêmement surpris lorsque le jour s'annonça dans le petit triangle de ciel au-dessus de l'échancrure. Alors il ne se soucia plus soudain de ses tentatives. Les sous-bois s'illuminaient. Il avait de terribles lancinements dans le dos, et parfois c'étaient des sortes de trêves avec une douleur sourde et profonde. Au cours de ces trêves, il s'appliqua à examiner les menues choses qui apparaissaient devant lui, se dégageant de l'ombre avec lenteur et puis vivement dessinées. Jamais il n'avait éprouvé depuis l'enfance un pareil étonnement.

Il y eut d'abord sur le flanc de la cuvette une campanule, toute seule, aux fleurs d'un bleu très pâle. Plus loin vers la droite un champignon blanc de neige, et encore plus loin un groupe de champignons couleur de brique. Il découvrit aussi quelques graminées. Vint un papillon noir et blanc, et puis un frelon qui tourna autour de l'arbre. Oui, on devait l'an prochain installer des ruches. On entendrait les abeilles autour de la maison. L'an prochain ? La maison ? C'était aussi passionnant que l'éternité. La maison… Puceronne… Jeune femme toujours vue comme une jeune fille. Enfin, où qu'elle soit, elle était merveilleusement vivante. Sans qu'il y eût pris garde, un cri sortit de sa poitrine. Il appela : « Puceronne ! Puceronne ! » Sa voix était tout à fait éraillée. Il avait terriblement soif.

Il se dit : « Patience, patience », et de nouveau il s'efforça de scier la corde contre l'arbre. Mais la soif l'étouffait maintenant. Il dut reprendre son immobilité et il se dit encore « Patience, patience. » Après un temps qu'il n'aurait su apprécier, il entendit un murmure dans le haut de l'arbre. La pluie.

Une pluie légère et continue, dont pas une goutte ne descendit d'abord jusqu'à lui. Et puis ce fut l'averse, tandis que la bourrasque fondait sur les bois. Des clameurs descendaient du fond de la forêt. Bientôt le feuillage du hêtre fut transpercé et Félix sentit sur ses cheveux de brusques dégoulinades qui peu à peu lui couvrirent les épaules et pénétrèrent ses habits. Il parvint à rejeter la tête un peu en arrière et à attraper en ouvrant la bouche quelques filets d'eau. Cela dura peut-être deux grandes heures, après quoi il se trouva presque dispos.

Après la pluie, la paix revint sur les bois. On n'entendait plus que les feuillages qui s'égouttaient de loin en loin. Des taches de soleil apparurent sur les flancs de la petite combe. Plus tard il y eut un bruit léger qui devait provenir de la lisière. C'était comme si on secouait les ronces. « La chèvre », songea Félix.

Peut-être n'avait-il plus toute sa raison. Il se prit à imiter le

bêlement de la chèvre, et il s'intéressa à l'étrange perfection du
jeu modulé de sa voix maintenant rafraîchie. Après quelques
minutes, il vit la chèvre apparaître sur le haut de la petite
pente. L'animal descendit jusqu'à lui. Cette nuit la chèvre
n'était pas restée à l'attache comme d'habitude, et avait dû
rôder à son aise. Elle secouait la tête à sa façon bizarre et elle
vint flairer les habits mouillés comme l'aurait fait un chien.
« Chère demoiselle, dit Félix, les rôles sont renversés pour une
fois. C'est moi qui suis ficelé, et toi tu es libre comme l'air. » La
chèvre semblait très étonnée de la situation. Elle ne paraissait
pas disposée à quitter Félix. Elle alla faire un tour pour brou-
ter quelques tiges, puis elle revint, toujours dans le même
étonnement, comme si elle voulait lui tenir compagnie. Elle le
regardait, puis balançait la tête. Cela aurait pu vouloir dire :
« Tu es là, je suis là et c'est vraiment une affaire idiote. »

Il eut alors l'idée d'essayer quelques chants d'oiseaux.
Pourquoi n'attirerait-il pas une nouvelle compagnie ? Il ne fallait pas compter sur le chien qui était à l'attache ni sur le chat,
bref, sur rien qui ressemble à une présence humaine. Mais
après la chèvre pourquoi pas les oiseaux ? Il imita la tourte-
relle, le loriot, le merle, le pinson, tandis que la chèvre l'écoutait avec l'air gêné qu'aurait eu Mme Anselme en pareille
circonstance. Après avoir poursuivi ses tentatives pendant un
bon quart d'heure, des oiseaux commencèrent à voler en bordure des taillis voisins et au-dessus de lui dans le feuillage du
hêtre. Était-ce un hasard ? Il aperçut, à ce qu'il crut, deux pinsons et un merle perchés dans un arbuste. Il y eut aussi un
pivert et il entendit le loriot chanter dans la cime du hêtre.
Rêvait-il ?

Maintenant la pluie, dont ses habits étaient imprégnés, lui
causait un ennui nouveau. Il se sentait frissonner tandis que sa
tête devenait brûlante. Dans ses yeux, il lui semblait que les
oiseaux se multipliaient. Comme il cherchait à se reprendre
afin de scier encore sa corde, une brise lui apporta soudain le
cancanement des canards. Les canards ! Plus rien n'était pour

lui ridicule. Il entreprit de moduler une dispute de canards, et bientôt il vit apparaître le long de la pente un canard et puis dix canards qui s'avancèrent en boitant, et se mirent à fouiller dans les petites flaques d'eau qui étaient demeurées après la pluie. La chèvre tourna autour des canards avec une sorte de curiosité. Un pinson chanta.

A partir de ce moment, Félix tomba dans une stupeur. Ses souffrances s'étaient un peu endormies. Vers la fin de l'après-midi, il eut un réveil comme en sursaut. Rien ne s'était passé pourtant. Il n'avait aucune idée de l'heure, mais les canards et la chèvre étaient toujours là et il y avait un petit oiseau sur une branche du taillis, un peu plus loin. Il voulut encore scier la corde, mais il était épuisé et il regarda avec une sorte de passion les canards et la chèvre. Ses yeux se brouillèrent. Il revit non en ses yeux, mais dans sa pensée, des détails insignifiants : un bout de comptoir chez les Marceau, les taches d'huile sur l'eau de la Sambre, des flocons de neige autour d'un réverbère et puis trois doigts du pied nu de Puceronne qu'on apercevait au bout de sa sandale, seulement trois doigts de pied infiniment gracieux et purs. Puis il s'évanouit.

Quand il revint à lui, il songea que si de nouveau il retombait dans l'inconscience il ne pourrait plus jamais appeler. Alors il lança un appel. Il ne sut pas tout de suite quel appel il lançait. Ce n'était pas un nom, mais une sorte de chant qui déraillait, le cri de guerre de la bande à Puceronne tel qu'elle savait le lancer autrefois dans les rues de Namur. Il le reconnut enfin et il le répéta cinq fois, dix fois, avant de perdre encore connaissance tout doucement. Était-ce pour jamais ?

Un peu avant ce moment-là, et même peut-être après, il crut entendre au loin le même cri qui lui répondait, très loin vraiment. Était-ce au fond de son cœur ou dans la campagne véritable ?

Alors il y eut l'infini. Il ne connut cet infini que lorsqu'il rouvrit les yeux. La lumière de l'après-midi n'avait pas changé, mais les choses étaient cette fois sens dessus dessous. Il voyait devant lui le feuillage du hêtre, avec des jeux d'ombre et de soleil, et se demanda où était la terre, où étaient les canards et la chèvre. En réalité, il se trouvait étendu sur le dos au pied de l'arbre, la tête sur une racine. Quelqu'un se tenait auprès de lui. Il murmura : « La fille de l'ambassadeur. » Il entendit : « C'est moi. » Il dit : « Puceronne », il tourna la tête et il la vit.

Non pas d'explication ! Ne jamais s'expliquer, jamais ! Elle lui dit :

– Maintenant tu vas te lever.

Il se tourna, s'appuya sur les mains et sur les genoux, et il fut étonné de pouvoir se redresser malgré la douleur de ses poignets et de tout son corps. Elle le saisit dans ses bras et l'aida à se mettre debout. Tout de suite, elle l'entraîna sur la pente de la combe. Il ne parvenait pas à comprendre pour quelle raison il réussissait à marcher. Mais il marchait avec elle et pour ainsi dire en elle. Du moment qu'elle allait avec une sorte d'insouciance, lui aussi, avec ses crampes, il allait insouciant. Il leur fallut tout de même un temps très long pour atteindre la lisière. Quand ils quittèrent le bois il fut ébloui par la lumière. Le soleil était encore assez haut sur l'horizon. Ils s'arrêtèrent un instant. Elle dit :

– Je suis allée à Paris chez une amie.

Il dit :

– Les contrebandiers…

– Je m'en doutais, répondit-elle.

Ils repartirent vers la maison. La chèvre les suivait. Les canards défilaient là-bas le long des ronces. Les hirondelles passaient dans le ciel à toute vitesse. Il était enchanté et dérouté par la multiplicité des choses qu'il voyait, les milliers de brins d'herbes, les feuilles des légumes, les insectes, les nuages, les tuiles de la maison. Il dit :

– J'ai cueilli les haricots.

Elle dit :

– Je suis passée du côté de l'étang. Je voulais revoir l'étang.

Ne rien expliquer surtout. Certainement elle pensait aussi

qu'il ne fallait rien expliquer, malgré les questions qui se pressaient dans leurs cœurs.

– La cérémonie, c'est demain à onze heures, dit-il.

– J'ai acheté un sac à Paris, dit-elle.

– Où est-il ton sac ?

– Je l'ai laissé sur le mur ici tout près, quand je t'ai entendu.

– Tu as entendu ? Tu as répondu ?

– Oui.

Il s'arrêta pour la regarder. Son visage soudain dévoilé.

– Tu es belle, dit-il.

Elle alla avec lui vers le mur et reprit le sac qu'elle ouvrit pour lui faire voir les dispositifs à l'intérieur. Ils furent bientôt à la maison. Ses jambes s'étaient peu à peu dégourdies. Ils montèrent l'escalier. En arrivant dans la chambre il dit :

– J'ai tout rangé.

Elle répéta :

– Tu as tout rangé.

Elle l'aida à se déshabiller. Ses habits étaient encore humides. Elle arrangea des compresses pour soigner ses poignets que les cordes avaient entamés. Elle alla traire la chèvre un peu plus tard et lui fit boire le lait. Il s'endormit d'un profond sommeil.

Le lendemain matin, il pensa ne pouvoir mettre un pied par terre, mais avec patience, grâce à l'aide de Puceronne, il parvint encore à se dégourdir et à s'habiller.

– Je suis à moitié infirme, dit-il cependant. Je ne pourrai pas monter sur mon vélo.

– J'ai filé à Charleville hier soir. J'ai demandé un taxi pour ce matin.

– Il ne faut pas manquer la cérémonie, dit-il.

– Tu rabattras tes manchettes sur tes mains, dit-elle.

– Oui, on expliquera plus tard…

L'idée d'une explication revenait toujours. Se demandait-il si elle n'allait pas repartir après le mariage de Tiburce ? Croyait-elle qu'il pouvait rejoindre Juliette ? Ils ne savaient

pas eux-mêmes ce qu'ils pensaient. Il ne leur semblait plus
être dans un monde où l'on pense. Rien que la vie, leurs
regards échangés, leurs mains. Pour combien de temps ? cela
n'avait plus d'importance. Après s'être habillés en fête, quand
ils sortirent de la maison, ils se tenaient par la main. Le chat
était sur le banc.

– Tu as ramené un chat, dit-elle.

– J'ai pensé que nous ne pouvions pas nous passer d'un
chat.

– Je lui ai donné à manger hier soir. Le chien mourait de
faim lui aussi.

Ce matin-là le chien dormait profondément selon son habitude. Ils allèrent attendre la voiture sur la route.

Des cérémonies, du repas de mariage, rien à dire encore.
C'était la paix profonde. A l'église, ils eurent des prières si sauvages qu'ils se regardèrent à plusieurs reprises, pour ainsi dire
à cœur ouvert dans cette sauvagerie. Vers le soir, Félix épuisé
dut aller dormir dans une chambre de l'auberge Gandeur, tandis que la fête continuait. Angélique prit part au bal qui fut
organisé et, au petit jour, Gandeur la reconduisit à la maison
dans sa camionnette avec Félix.

Quand ils furent dans la chambre, Félix dit :

– Toi, il faut que tu dormes maintenant.

– Je n'ai pas envie de dormir, répondit-elle.

Elle quitta sa robe de fête et revêtit celle qu'elle mettait
pour le jardinage.

– Toi, dors encore, dit-elle à Félix.

– J'ai bien dormi, dit Félix. Je n'ai plus de mal, sauf un peu
dans les poignets.

Lui-même mit son bleu de travail.

– Il fait beau ce matin, dit-il.

Le ciel s'illuminait dans la fenêtre. Les questions allaient-
elles revenir ? Elle s'écria soudain : « Les tomates ! As-tu pensé
aux tomates ? » Il constata qu'il n'avait pas pensé aux tomates.

Ils descendirent au jardin. Il alla prendre les brins de raphia dans la remise, et ils furent bientôt occupés à attacher le haut des plants de tomates. On les avait liés aux étais vers le bas, mais on avait négligé de s'en occuper à mesure qu'ils prenaient de la hauteur. On remettait la besogne de jour en jour. Maintenant, les tomates s'alourdissaient et certaines tiges menaçaient de se casser.

– Pourtant, je passais à côté tous les jours, dit Félix.

– Maintenant est-ce qu'il faut pincer les feuilles ? demanda Puceronne.

– Je me demande s'il faut pincer les feuilles, dit Félix.

Des questions revinrent encore à leurs lèvres, plus importantes que celles sur les tomates. La mort avait passé si près, le mariage de Noémie et Tiburce c'était si intéressant qu'ils en étaient encore comme égarés. Enfin ils avaient trouvé leur maison à eux tellement étonnante qu'ils croyaient maintenant y être nés, aussi bien la veille qu'il y a mille ans. Tout cela pouvait terriblement s'oublier et il y avait encore Juliette et aussi Dessaux. L'évidence... Non ! Il la regarda et dit :

– Écoute...

Elle écouta. On entendait les poules qui jacassaient, et aussi les canards dans le marécage. Mais plus loin, plus loin (les regards de Félix disaient plus loin, plus loin) c'était le sifflet d'un train dans la vallée. Il imita le sifflet du train. Elle eut un beau sourire.

– Il y a des gens, reprit Félix, qui prétendent qu'il faut enlever toutes les feuilles et d'autres qui n'y touchent pas du tout.

– On peut enlever la moitié de chaque feuille, dit Puceronne. M. Gandeur enlève toujours la moitié de chaque feuille.

Mais encore toute la vie... La suite de la conversation :

– On aurait pu faire cette année des plants de tomate-olive, disait Félix.

– Elles sont plus petites et plus farineuses que les autres, disait Angélique.

— Elles produisent beaucoup, reprenait Félix.

— As-tu encore des brins de raphia ? demandait-elle. Vraiment nous aurions dû les lier plus tôt.

— Je passais à côté tous les jours, je n'y pensais pas.

Pourquoi n'y pensait-il pas ?

Ne soyez pas trop étonnés si je vous dis que cette suite de la conversation avait lieu environ vingt ans après les événements que j'ai rapportés tout à l'heure. C'était aussi un matin d'été, vers l'aube.

Il y avait presque vingt ans, une fille leur était née, qu'ils nommèrent Apolline. Ils avaient dû peu de temps après recueillir Mme Filian frappée d'une attaque de paralysie. Elle était morte deux ans plus tard. Célestin Prestaume était demeuré pareil à lui-même pendant dix années encore. On l'avait retrouvé sans vie dans une allée de son jardin. Cependant Angélique et Félix avaient travaillé sans relâche, déblayé les ruines, reconstruit la chapelle, et enfin constitué un domaine où ils vivaient à l'aise, tandis que Tiburce et Noémie qui eurent plusieurs enfants en venaient à posséder un garage à Mézières.

Les gens de leur entourage n'avaient cessé de croire et de dire que leur ménage ne tiendrait pas.

— Je ne pense pas que l'air de la forêt soit excellent pour ces tomates, disait Angélique.

— Il n'y a pas tellement d'humidité par ici, observait Félix.

Quand Apolline avait eu dix-huit ans, elle obtint une bourse pour l'Amérique, elle s'y fiança et annonça aux siens qu'ils ne la reverraient pas en France. Angélique et Félix en vinrent à mettre en vente leur domaine, pour aller vivre auprès de leur fille. On raconta à ce moment-là qu'ils avaient décidé de se séparer. Juliette Dorme s'était mariée à un propriétaire qui venait de mourir peu de temps auparavant. « Pourquoi n'aurait-elle pas rejoint Félix en Amérique ? » disaient les gens. Mais les gens ne savaient pas.

— La moitié des tomates est attaquée chaque année par le mildiou, reprenait Angélique.

– L'autre moitié est splendide, murmurait Félix.

Un homme enfin s'était présenté pour acheter le domaine. Il l'avait visité, et il était venu un soir pour discuter les termes de la vente.

« Si vous voulez partir, leur avait-il dit, je ferai moi-même procéder à la récolte. Nous en calculerons la valeur, c'est assez facile. » Aussitôt Félix s'écriait « Nous ne vendons pas », et Angélique l'avait crié presque en même temps que lui. « Si vous ne voulez pas vendre votre récolte, avait dit l'homme, cela n'a pas d'importance. Je vous proposais cela pour votre commodité, au cas où vous auriez eu l'intention… » Angélique avait dit : « Nous n'avons pas l'intention. – A votre aise », répondait l'homme. Angélique et Félix s'étaient regardés. Un éclair. « C'est-à-dire, reprenait Félix, que nous n'avons plus l'intention de vendre le domaine. »

Personne n'y avait rien compris. Eux-mêmes ne comprenaient rien à leur vie. Ce n'étaient pas des jours, des mois tous pareils, mais au contraire d'autant plus étranges et étonnants qu'on n'avait jamais quitté ce pays, et qu'ils se trouvaient ensemble, comme sans savoir.

Enfin par suite de circonstances heureuses, leur fille était revenue en France où son fiancé devait la rejoindre.

Pendant les jours qui avaient précédé ce retour, on avait travaillé un peu à tort et à travers et oublié d'attacher le haut des plants de tomates.

Félix avait disposé des barrières blanches autour de la prairie et acheté un cheval de selle pour Apolline.

Il y eut des fêtes avec Tiburce, Noémie et leurs enfants. Mais la grande affaire, ce fut pour Apolline de monter le cheval.

Ce matin-là enfin on avait pensé à attacher les tomates. On ne savait plus ce qui était avant ou après.

– Tiens, Angélique, voilà des brins de raphia, dit Félix.

– Crois-tu qu'il faut pincer les feuilles cette année ? demanda-t-elle.

Il se redressa pour la regarder. Le vent du matin rabattait le châle d'Angélique sur son visage. Félix se prit à imiter à mi-voix le cri d'un oiseau loin dans le ciel. Cela ressemblait à l'appel d'autrefois dans les rues de Namur, mais c'était encore autre chose.

Elle le regarda. Alors il saisit son châle et l'arracha brusquement. Il dit : « Puceronne ! »

La lumière de ses yeux et de son visage n'avait pas vieilli d'un jour, depuis ce temps… Depuis quel temps ? C'était étonnant comme le soir où elle l'avait délivré (on n'oublierait jamais), ou encore comme cette nuit sous le réverbère quand il l'avait reconnue (on n'oublierait jamais).

Ils entendirent le hennissement du cheval dans l'air du matin. Apolline était partie avant l'aube pour une chevauchée dans la forêt et elle redescendait la pente sur le verger. Quand mourrait-on ?

Le châle était déchiré. Puceronne riait. Félix disait :

– Jamais je n'ai su imiter le hennissement du cheval.

DU MÊME AUTEUR

ROMANS ET RÉCITS

Campements, Éditions Gallimard, collection Jeunes, 1930.

Le Village pathétique, Éditions Gallimard, 1943; collection Folio, 1974.

Nulle part, Éditions Gallimard, 1943; nouvelle édition chez Pierre Horay, 1956; Éditions Garnier, collection Bibliothèque de prestige, 1978.

Les Rues dans l'Aurore, Éditions Gallimard, 1945.

Ce jour-là, Éditions Gallimard, 1947, épuisé (nouvelle éd. à paraître aux Éditions Phébus).

Le Plateau de Mazagrand, Éditions de Minuit, 1947; Éditions La Guilde du Livre, Lausanne, 1960.

David, Éditions de Minuit, 1948.

Ce lieu déshérité, Éditions Gallimard, 1949, épuisé (nouvelle éd. à paraître aux Éditions Phébus).

Les Chemins du long voyage, Éditions Gallimard, 1949; collection Folio, 1984.

L'Homme de la scierie, Éditions Gallimard, 1950.

Bernard le Paresseux, Éditions Gallimard, 1952; collection L'Imaginaire, 1984.

Les Premiers temps, Éditions Gallimard, 1953, épuisé (nouvelle éd. à paraître aux Éditions Phébus).

Le Maître de pension, Éditions Grasset, 1954.

Mémoires de Sébastien, Éditions Grasset, 1955.

Le Pays où l'on n'arrive jamais, Éditions Pierre Horay, 1955; Éditions J'ai lu, 1960, rééd. 1999; Éditions Gallimard, collection Mille Soleils, 1973; collection Folio junior, 1997; Éditions Librio, 1999.

Le Ciel du Faubourg, Éditions Grasset, 1956; collection Les cahiers rouges, 1984.

Dans la vallée du chemin de fer, Éditions Pierre Horay, 1957.

Le Neveu de Parencloud, Éditions Grasset, 1960.

Ma chère âme, Éditions Phébus, 2003 (1re éd. Gallimard, 1961).

Les Mystères de Charlieu-sur-Bar, Éditions Gallimard, 1962, épuisé (nouvelle éd. à paraître aux Éditions Phébus).

La Tribu Bécaille, Éditions Gallimard, 1963.

Le Mont Damion, Éditions Gallimard, 1964, épuisé (nouvelle éd. à paraître aux Éditions Phébus).

Pays natal, 1re éd. Gallimard, 1966, épuisé.

Lumineux rentre chez lui, Éditions Phébus, 2003 (1re éd. Gallimard, 1967).

L'Azur, Éditions Gallimard, 1969.

Un jour viendra, Éditions Phébus, 2003 (1re éd. Gallimard, 1970).

La Maison du bout du monde, Éditions Pierre Horay, 1970.

L'Honorable Monsieur Jacques, Éditions Gallimard, 1972.

Le Soleil du désert, Éditions Gallimard, 1973, épuisé (nouvelle éd. à paraître aux Éditions Phébus).

Le Couvent des Pinsons, Éditions Gallimard, 1974.

Le Train du matin, Éditions Gallimard, 1975.

Les Disparus, Éditions Gallimard, 1978, épuisé (nouvelle éd. à paraître aux Éditions Phébus).

Bonne nuit Barbara, Éditions Gallimard, 1978.

La Route inconnue, Éditions Phébus, 1980.

Des Trottoirs et des fleurs, Éditions Gallimard, 1981.

Je ne suis pas d'ici, Éditions Gallimard, 1982.

Histoire d'un fonctionnaire, Éditions Gallimard, 1984.

Vaux étranges, Éditions Gallimard, 1986.

Lorsque tu reviendras, Éditions Phébus, 1986.

Du Pirée à Rhodes suivi de *Printemps grec*, Éditions Séquences, 1996.

NOUVELLES

Idylles, Éditions Gallimard, 1961.
Un soir, Éditions Gallimard, 1977, épuisé (nouvelle éd. à paraître aux Éditions Phébus).

CHRONIQUES FABULEUSES

Le Petit livre clair (poèmes et proses), Éditions Le Rouge et le Noir, Lille, 1928 ; Éditions Deyrolle, 1997.

La Chronique fabuleuse, Éditions de Minuit, 1955 ; nouvelle édition au Mercure de France, 1960, rééd. collection Bleue, 2002.

L'Ile aux oiseaux de fer, Éditions Fasquelle, collection Libelles, 1956 ; Éditions Grasset, collection Les cahiers rouges, 2002.

Saint Benoît Joseph Labre, Éditions Plon, collection Hommes de Dieu 1957 ; nouvelle édition chez Desclée de Brouwer, 1983 ; Éditions La Table Ronde, collection La petite vermillon, 2002.

Les Voyages fantastiques de Julien Grainebis, Éditions Pierre Horay, 1958.

Le Vrai mystère des champignons, Éditions Payot-Lausanne, Petite collection poétique, 1974.

La Longue histoire, avec des illustrations de J.-J. Rigal, Bibliophiles de France et de Normandie, 1958.

Le Nord, Flandre, Artois, Picardie, Éditions Sun, collection Voir en couleurs, 1971.

Terres de Mémoire, Éditions Jean-Pierre Delarge, 1979.

Lointaines Ardennes, Éditions Arthaud, collection Terre écrite, 1981.

Rhétorique fabuleuse, Éditions Garnier, 1983 ; Éditions Le Temps qu'il fait, 2001.

L'École buissonnière, entretiens avec Jérôme Garcin, Éditions Pierre Horay, 1984.

La Nouvelle chronique fabuleuse, Éditions Pierre Horay, 1984.

Ardennes : le pays où l'on arrive jamais, Éditions La Renaissance du Livre, collection Terres de mémoire, 1999.

Retour, Éditions Le Temps qu'il fait, 2001.

CONTES ET ROMANS POUR LA JEUNESSE

La Plus belle main du monde, Éditions Casterman, collection Plaisir des contes, 1962.

Le Robinson de la rivière, imagé par Colette Fovel, Éditions Casterman, collection Plaisir des contes 1962.

Les Lumières de la forêt, lecture suivie pour le cours moyen première année, Éditions Fernand Nathan, 1964.

L'Enfant qui disait n'importe quoi (roman), Éditions Pierre Horay, 1970 ; Éditions Gallimard, collection Folio junior, 1998.

L'Ile de la Croix d'Or (roman), Éditions Gallimard, collection Mille soleils, 1978 ; collection Folio junior, 1991.

La Merveilleuse bille de verre, Éditions Robert Laffont, 1980.

Comment Fabien regarda l'aurore, Éditions Clancier-Guénaud, collection Les Premiers Temps, 1982.

La Princesse et la lune rouge, Éditions Casterman, collection Imagirêve 1982.

Le Bois enchanté et autres contes, Éditions Hachette, collection Plumes, 1983 ; collection Le Livre de poche, 1991.

POÉSIE

La Vie passagère, Éditions Phébus, 1978.

Poèmes comme ça, Éditions Le Temps qu'il fait, 2000.

PROMENADES ET RÊVERIES CRITIQUES

L'Œuvre logique de Rimbaud, Éditions de la Société des écrivains ardennais, Mézières, 1933.

Rimbaud et la révolte moderne, Éditions Gallimard, 1952.

Jean Follain, Éditions Seghers, collection Poètes d'aujourd'hui, 1956.

Le Roman de Jean-Jacques, Éditions du Sud, Paris, 1962.

La Vie de Rimbaud, Éditions du Sud, Paris, 1965.

Jean Paulhan, Éditions La Manufacture, collection Qui suis-je ?, 1986.

PHÉBUS
libretto

des livres au format de poche
faits pour durer

VICKI BAUM
Shanghaï Hôtel
Grand Hôtel

HEINRICH VON KLEIST
La Marquise d'O... et autres nouvelles

MARTINE ROFFINELLA
Elle

SHUSHA GUPPY
Un jardin à Téhéran

CHRISTIAN DEDET
La Mémoire du fleuve
Le Secret du Dr Bougrat

GEORGE SAND
Consuelo
La Comtesse de Rudolstadt

OLIVE SCHREINER
La Nuit africaine

MEYER LEVIN
Crime

PATRICIO MANNS
Cavalier seul

ROBERT MARGERIT
L'Ile des Perroquets
La Terre aux Loups

NEIL BISSOONDATH
Retour à Casaquemada

MAURICE COYAUD
Fourmis sans ombre

JACK LONDON
Le Peuple d'en bas
Les Enfants du froid
John Barleycorn
(Le Cabaret de la Dernière Chance)
Patrouille de pêche
Le Fils du Loup
Le Vagabond des étoiles
La Route
Martin Eden
Contes des mers du Sud
La Vallée de la Lune
Le Loup des mers
Avant Adam
Sur le ring
Le Talon de fer
L'Appel sauvage

LEO PERUTZ
Le Cavalier suédois
Le Judas de Léonard

CHARLES SIMMONS
Les Locataires de l'été

MIKA WALTARI
Les Amants de Byzance

PIERRE MAC ORLAN
L'Ancre de Miséricorde

JAMES MORIER
Les Aventures de Hadji Baba d'Ispahan
Les Aventures de Hadji Baba en Angleterre

DOMAINE FRANÇAIS

AUX ÉDITIONS PHÉBUS

(extrait du catalogue)

JEAN AICARD
Maurin des Maures, roman
Préface de Jean-Claude Izzo
L'Illustre Maurin, roman

JEAN ALESSANDRINI
L'Ile de Pingo-Pongo, roman

RENÉ ALLENDY
Journal d'un médecin malade

MICHEL ALVÈS
Le Livre d'heures, récits

GEORGES ARNAUD
Les Oreilles sur le dos, roman

DANIEL ARSAND
La Province des Ténèbres, roman
En silence, roman
Lily, roman

La Terre aux Loups, roman
Préface de Georges-Emmanuel Clancier
Le Dieu nu, roman
La Révolution (4 vol.), roman
Les Amants, roman
Préface de Georges-Emmanuel Clancier

JEAN MALAQUAIS
Les Javanais, roman
Journal de guerre, suivi de *Journal du métèque*
Planète sans visa, roman
Correspondance avec André Gide, 1935-1950
Le Gaffeur, roman

MICHEL MARTY
La Beauté du diable, roman
L'Ile Rouge, roman

HUBERT MONTEILHET
Les Derniers feux, roman

CÉDRIC MORGAN
Cet hiver-là, roman
Les Ailes du Tigre, roman
L'Enfant perdu, roman
Le Bonheur en douce, roman

JEAN-MARC MOURA
Gandara, roman

PAUL NOTHOMB
N'y être pour rien, roman
Non Lieu, essai
Le Délire logique, roman

Le Rond des sorciers, récits
La Morsure de Satan, récits

MATHIEU TERENCE
Fiasco, roman
Journal d'un cœur sec, roman
Les Filles de l'ombre, nouvelles

SYLVAIN TESSON
Nouvelles de l'Est, nouvelles

TERESKA TORRÈS
Les Poupées de cendre, roman

MARC TRILLARD
Eldorado 51, roman
Tête de cheval, roman
Cabotage
A l'écoute du chant des îles, Cap-Vert, 1993
Si j'avais quatre dromadaires, récits
Coup de lame, roman
Campagne dernière, roman

GEORGES WALTER
Les Enfants d'Attila, roman
Wingapoh !, roman
Les Pleurs de Babel, roman
Enquête sur Edgar Allan Poe, poète américain, biographie

W. W.
Alter Ego, roman

DANIEL ZIMMERMANN
Alexandre Dumas le Grand, biographie

DOMAINE BRITANNIQUE

JOHN B. PRIESTLEY
Adam au clair de lune, roman

KEITH RIDGWAY
Mauvaise pente, roman

RAFAEL SABATINI
Pavillon noir, roman
Captain Blood, roman
Le Faucon des mers, roman

SIEGFRIED SASSOON
Mémoires d'un chasseur de renards, roman

FRANCIS STUART
Liste noire, roman

WILLIAM TREVOR
En lisant Tourgueniev, roman
Ma maison en Ombrie, roman
Le Silence du jardin, roman
Le Voyage de Felicia, roman
Mourir l'été, roman
Mauvaises nouvelles, nouvelles
Très mauvaises nouvelles, nouvelles
Lucy, roman

JAMES WADDINGTON
Un tour en enfer, roman

HELEN ZAHAVI
True Romance, roman
Donna et le gros dégoûtant, roman
Dirty week-end, roman
en collection « libretto »

Cet ouvrage
a été mis en pages et achevé d'imprimer
en mai 2003
dans les ateliers de Normandie Roto Impressions S.A.S.
61250 Lonrai
N° d'imprimeur : 03-1495

Imprimé en France

Dépôt légal : juin 2003
I.S.B.N. : 2-85940-921-1
I.S.S.N. : 1285-6002

Ville de Montréal

**Feuillet
de circulation**

À rendre le

1 9 JUN 2004

06.03.375-8 (01-03)